武林外史 中

古 龙 著

河南文艺出版社
·郑州·

古 龙

1938—1985

作为华语小说界一代宗师，“古龙”二字本身已成为一个文化符号。

古龙以惊人的才华，创作出《小李飞刀》《陆小凤》《楚留香》等七十多部精彩绝伦的经典。这些作品中涌动着永恒的热血、自由和生命力，不仅征服了一代代读者，更引发了巨大的文化浪潮，被无数次改编为影视、游戏、动漫，风靡整个中文世界，半个世纪风行不衰。

古龙为人，像他笔下的英雄们一样，豪气干云、放浪形骸、嗜酒如命、风流倜傥。其传奇一生的尽头，在医生下达严禁饮酒的告诫之后，豪饮三天三夜，大醉归西。

古龙是孤独的，一颗滚烫狂放的自由灵魂，与冷漠的现实世界显得那么格格不入；古龙又是幸运的，无数读者通过他的作品与他成为了知己。

中文世界如果没有古龙，将多么寂寞！没有读过古龙的人生，将多么寂寞！

目　录

第十三章

敌友难分

朱七七此时已将沈浪恨到极点，狠狠跺着脚，恨声道："我偏不让你料中，我偏不回去……"

但不回去又如何？

寒夜深深，漫天风雪，她又能去向哪里？

她又怎能探索出那些问题？

她忍不住又仆倒在地，放声痛哭起来。

突然间，一只冰冷的手掌，搭上了朱七七的肩头。

朱七七大惊转身，脱口道："谁？"

夜色中，风雪中，幽灵般卓立着一条人影，长发披散，面容冰冷，唯有衣袂袍袖，在风中不住猎猎飘舞。

朱七七失声道："金无望，原来是你。"

金无望仍是死一般木立着，神情绝无变化，口中也无回答——只因朱七七这句话是根本不必回答的。

朱七七心中却充满了惊奇，忍不住又道："你不是走了么？又怎会来到这里？"

金无望道："静夜之中，哭声刺耳，听得哭声，我便来了。"

朱七七道："你……你昨夜到哪里去了？"

金无望摇了摇头，没有说话。

朱七七知道他若不愿回答这句话，那么任何人也无法令他回答的，于是她也不再说话。

金无望木立不动，垂首望着她。

朱七七却不禁垂下头去。

过了半晌，金无望突然问道："你哭什么？"

朱七七摇头道："没有什么。"

金无望道："你心里必定有些伤心之事。"

他语声虽仍冰冰冷冷，但却已多多少少有了些关切之意，他这样的人能说出这样的话来，已是极为难得的了。

但他这句话不说也还罢了，一说出来，更是触动了朱七七的心事，她忍不住又自掩面痛哭了起来。

金无望凝目瞧了她半晌，突然长叹道："好可怜的女孩子……"

朱七七霍然站起，大声道："谁可怜？我有何可怜？你才可怜哩。"

金无望道："你嘴里愈是不承认，我便愈是觉得你可怜。"

朱七七怔了半晌，突然狂笑道："我有何可怜……我有钱，我漂亮，我年轻，我又有一身武功，谁说我可怜，那人必定是疯了。"

金无望冷冷道："你外表看来虽然幸福，其实心头却充满痛苦，你外表看来虽拥有一切，但你却得不到你最最想得到之物。"

朱七七又怔了半晌，拼命摇头道："不对，一千个不对，一万个不对。"

金无望深深接道："你外表看来虽强，其实你心里却最是软弱，你外表看来虽然对别人凶，其实你的心却对每个人都是好的。"

他轻叹一声，接道："只不过……世上很少有人能知道你的心事，而你……可怜的女孩子，你也总是去做些吃力不讨好的事。"

朱七七怔怔地听着他的话，不知不觉，竟听呆了。

她再也想不到，世上还有人如此同情她，了解她……而如此同情她，了解她的，竟是这平日最最冷冷冰冰的人物。

她再也想不到在沈浪、熊猫儿这些人那般残忍地对待她之后，这冷冰冰的人物，竟会给她这许多温暖……

抬起头，她只觉这冷酷、丑恶的怪人，委实并非她平时所想象的那么丑怪，只因他在丑恶的外表下有一颗伟大的心。

她只觉他那双尖刀般的目光中，委实充满了对人类的了解，充满了一种动人的、成熟的智慧。

在这一刹那间，她只觉唯有此刻站在自己面前的这个人，才是世界上唯一真正的男子汉。

她心头一阵热血激动，突然扑到金无望身上，以两条手臂，抱住了金无望铁石般的肩头，嘶声道："人们虽不了解我，但却更不了解你。"

她想到什么就做什么，这却将金无望惊呆住了。

他只觉朱七七冰凉的泪珠，已自他敞开的衣襟里，流到他脖子上，朱七七温柔的呼吸，也渗入他衣襟。

良久良久，他方自叹息一声，道："我生来本不愿被人了解，无人了解于我，我最高兴，但最后……唉，年轻的女孩子，是最渴望别人了解的。"

朱七七轻轻放松了手，离开了他怀抱，仰首凝注着他，又是良久，突然破涕一笑道："昔日虽没人了解我，但从今而后，却有了你；世上虽没有人了解你，但从今而后，却有了我。"

金无望转过头，不愿接触她的目光，喃喃道："你真能了解我么……"

朱七七道："嘿，真的。"

她拉起金无望的手，孩子似的向前奔去，奔到城门口，城门虽仍紧闭，门下却可避风雪。

她拉着金无望，倚着城门坐下，眨着眼睛道："从今而后，我要完全地了解你，我要了解你现在，也要了解你过去……你肯将你过去的事告诉我？"

金无望目光遥注远方，没有说话。

朱七七道："说话呀！你为什么？无论你以前做过什么，说给我听，都没有关系，我既了解你，便能原谅你。"

金无望叹息着摇了摇头，目光仍自遥注，没有瞧她。

朱七七道："说呀！说呀！你再不说，我就要生气了。"

金无望目光突然收回，笔直地望着她，这双目光此刻又变得像刀一样，闪动着可怕的光芒。

朱七七却不害怕，也未回避，只是不住道："说呀，说呀。"

金无望道："你真的要听？"

朱七七道："自是真的，否则我绝不问你。"

金无望道："我平生最痛恨的便是女子，只要遇着美丽的女子，我便要不顾一切，撕开她的衣服，夺取她的贞操。她们愈是怕我，我便愈是要占有她。自我十五岁开始，到现在已不知有多少女子坏在我身上。”

朱七七身子不由自主颤抖了起来，紧紧缩成一团。

金无望目中现出一丝狞恶的笑意，接道：“我平日虽然做出道貌岸然之态，但在风雪寒夜，四下无人时，只要有女子遇着我，便少不得被我摧残、蹂躏……”

朱七七身子不觉地颤抖着向后退去。

但后面已是墙角，她已退无可退。

金无望狞笑道：“这可是你自己要听的，你听了为何还要害怕？……你此刻可是想逃了么……哈……哈……”仰天狂笑起来，笑声历久不绝。

朱七七突然挺直身子，大声道：“我为何要怕？我为何要逃？”

金无望似是一怔，倏然顿住笑声，道：“不怕？”

朱七七道：“昔日你纵然做过那些事，也只是因为那些女子看到你可怕的面容，没有看到你善良的心，所以她们怕你，要逃避你，你自然痛苦，自然怀恨，便想到要报复，这……本也不能完全怪你，世人既然亏待了你，你为何不能亏待他们，你为何不能报复？”

她微微一笑，接道：“何况，你此刻既然对我说出这些话来，那些事便未必是真的，更不会也对我做出那种事来。”

金无望道：“你怎知我不会？”

朱七七眨了眨眼睛，笑道：“你纵然做了，我也不怕，不信你就试试。”

她身子往前一挺，金无望反倒不禁向后退了一步，愕然望着她，面上的神情，也说不出是何味道。

朱七七拍手笑道：“你本来是要吓吓我的，是么？哪知你未曾吓着我，却反而被我吓住了，这岂非妙极。”

金无望苦笑一声，喃喃道：“我只是吓吓你的么？……”

朱七七道：“你不愿说出以前的事，想必那些事必定令你十分伤心，那么，我从此以后，也绝不再问你。”

她又拉起金无望的手，接道：“但你却一定要告诉我，昨夜你为何要不告而别，你……你究竟偷偷溜到什么地方去了？”

金无望怔了一怔，道：“不告而别？”

朱七七道：“嗯，你溜了，溜了一夜，为什么？”

金无望道：“昨夜乃是沈浪要我去办事的，难道他竟未告诉你？”

这次却轮到朱七七怔住了。

她呆呆地怔了半晌，缓缓道：“原来是沈浪要你走的……他要你去做什么？”

金无望道：“去追查一批人的下落。”

朱七七道：“他自己为何不去，却要你去？”

金无望道：“只因他当时不能分身，而此事也唯有我可做，我与他道义相交，他既有求于我，我自是义不容辞。”

朱七七道：“哼，义不容辞，哼，你倒听话得很……为什么人人都听他的话？我不懂！”抓起团冰雪，狠狠掷了出去。

金无望凝目瞧着她，嘴角微带笑容。

朱七七顿足道：“你瞧我干什么，还不快些告诉我，那究竟是什么事？追查的究竟是什么？难道你也要像他们一样瞒我？”

金无望沉吟半晌，缓缓道：“沈浪与仁义庄主人之约，莫非你又忘了？”

朱七七道：“呀，不错，如今限期已到了……”

金无望道：“限期昨夜就到了。”

朱七七道：“如此说来，你莫非是代他赴约去的？但……但你又怎知道这其中的曲折？你又是怎样向仁义庄主人交代的？”

金无望道：“代他赴约的人，并不是我，我只是在暗中为他监视那些代他赴约的人。”

朱七七着急道：“你愈说我愈不明白，究竟谁是代他赴约的人？”

金无望道：“展英松、方千里、胜滢……”

朱七七截口呼道：“是他们，原来是他们。不错，只要他们一去，什么误会都可澄清了，沈浪无论去不去，都已无妨。”

语声微顿，突又问道：“但这些人既已代沈浪去了，为何又要你监视他们？”

金无望道：“这其中的原故，我也不甚知晓，他只要我将这些人的行踪去向探查明白，再回来相告……”

朱七七恨声道：“原来你们是约好了的。”此事沈浪又将她蒙在鼓里，她心中自然恼恨，却终于忍住了，未动声色。

金无望颔首道：“不错。”

朱七七道：“约在什么时候？”

金无望道：“约定便在此刻。”

朱七七四下瞧了一眼，咬着樱唇，道：“约在什么地方？”

金无望扬了扬眉道：“就在这里等。”

一句话竟似有两个声音同时说出来的。

朱七七一惊，回首，已有个人笑吟吟站在她身后，那笑容是那么潇洒而亲切，那不是沈浪是谁。

朱七七又惊，又喜，又恼，跺足道：“是你，你这阴魂不散的冤鬼，你……你是何时来的？”

沈浪笑道：“金兄眉毛一扬，我便来了。”

朱七七道：“你来得正好，我正要问，你……你为什么做事总是鬼鬼祟祟地瞒住我，你要他去追查展英松那些人，为的什么？”

沈浪道：“此事说来话长……”

朱七七道：“再长你也得说。”

沈浪道：“我是见到那王夫人后，与她一夕长谈，她便将展英松、铁化鹤、方千里等人，俱都放了出来，我一来怕展英松、方千里等人与你宿怨不解，二来与仁义庄约期已到，是以便请展、方等人，立刻赶到仁义庄去，将此中曲折说明，也免得我去了，此乃一举两得之事……”

朱七七道：“这个，我知道，但你为何又要他去监视？”

沈浪道：“只因我始终觉得此事中还有蹊跷。”

朱七七道：“自然有些蹊跷，这我也知道。”

沈浪笑道：“你既知道，我便不必说了。”

朱七七怔了一怔，红着脸，跺足道：“你说，我偏要你说。”

沈浪微微一笑，道：“试想那王夫人对展英松等人既是完全好意，为何定要等到我来后，才肯将他们自地下窖中释放出来？”

朱七七眼睛一亮，道："是呀，这是为什么？"

沈浪笑道："事后先见之明，你总是有的。"

朱七七娇嗔道："你以为我真的糊涂么，我告诉你，她暗中必定还有阴谋，但行藏既已被你发现，便只有索性装作大方，将他们俱都放出……"

沈浪颔首笑道："好聪明的孩子，不错，正是如此，但还有，她将展英松等人放出后，自己也说有事需至黄山一行，匆匆走了。"

朱七七道："是以你便生怕她要在途中拦劫展英松等人，是以你便要他一路在暗中监视，何况，你表面既已与她站在同一阵线，金……兄留在那里，也多有不便，自是不如在暗中将他支开的好。"

沈浪笑道："你果然愈来愈聪明了。"

朱七七"哼"了一声，面孔虽仍绷得紧紧的，但心中的得意之情，已忍不住要从眉梢眼角暴露出来。

沈浪道："这些事，我本无意瞒着你，但当着王怜花之面，我却不能向你说出……唉，幸好你在此遇着金兄，否则……否则……"

朱七七眼睛更亮了，道："否则怎样？"

沈浪道："否则又要令人担心。"

朱七七痴痴地呆了半晌，轻声道："你会为我担心？鬼才相信哩……"话犹未了，梨涡隐现，已忍不住笑了出来，方才的悲哀、苦恼、委屈、难受……却早已在沈浪这淡淡一句话里，消失得无踪无影。

金无望冷眼瞧着他两人的神情，脸上又似已结起一层冰来，此刻干咳了声，沉声道："展英松等人一路赶到仁义庄，路上并无任何意外，我目送他一行人入庄之后，便立即兼程赶回。"

沈浪失声道："这倒怪了……"

他皱眉沉思良久，方自展颜一笑，抱拳道："多谢金兄……"

金无望道："多谢两字，似乎不应自你口中向我说出。"

沈浪笑道："不错，这两字委实太俗。"

金无望道："那王夫人既未对展英松等人有何图谋，你今后行止，又待如何？"

沈浪沉吟半晌，反问道："金兄此后行止，又待如何？"

金无望仰天长长叹了口气，道："仁义庄之约既了，展英松等人亦已无恙，无论如何，此事总算告一段落，我……我也该回去了。"

沈浪动容道："回去？"

金无望垂首道："不错，那柴玉关虽凶虽恶，但他待我之恩情不可谓不厚，终我一生，总是万万不能背弃于他……"

霍然抬起头来，目注沈浪，缓缓道："却不知沈相公可放我回去么？"

沈浪苦笑道："人以国士待我，我以国士报人……金兄对那柴玉关，可谓仁至义尽，我又岂会学那无义小人拦阻你的义行。"

金无望长长吐了口气，喃喃道："人以国士待我，我以国士报人，但……"

再次抬起头来，再次目注沈浪，凝目良久，厉声道："从今而后，你我再会之时，便是敌非友，我便可能不顾一切，取你性命。你今日放了我，他日莫要后悔。"

沈浪惨然一笑，道："人各有志，谁也不能相强，今后你我纵然是敌非友，但能与你这样的敌人交手，亦是人生一乐。"

金无望缓缓点头道："如此便好。"

两人相对凝立，又自默然半晌。

忽然，两人一起脱口道："多多珍重……"

两人一起出口，一起住口，嘴角都不禁泛起一阵苦涩的笑容，朱七七却不禁早已瞧得热泪盈眶。

她但觉脑中热血奔腾，忍住满眶热泪，跺足道："要留就留，要走就走，还在这里啰唆什么，想不到你们大男人也会如此婆婆妈妈的。"

金无望颔首道："不错，是该走了，江湖险恶，奸人环伺，沈兄你……"

沈浪截口道："金兄只管放心，我自会留意的，只是金兄你……"

金无望仰天长笑道："但将血泪酬知己，生死又何妨……"挥挥手，踏开大步扬长而去，再也不回头瞧上一眼。

朱七七目送着他孤独的身影，逐渐在风雪中远去，又回头瞧了瞧沈浪，突然放开喉咙，大呼道："等一等……慢走。"

金无望顿住脚步，却未回头，冷冷地问："你还有什么话说？"

朱七七咬了咬嘴唇，又瞄沈浪一眼，道："我……我要跟着你走。"

金无望身子像钉子似的钉在地上，动也不动一下，既未回头，也未说话，想来他已不知该说什么。

沈浪双眉扬起，面上也不禁露出惊诧之色。

朱七七却不再瞧他了，大声道："这世上只有你一个人同情我、了解我，这世上只有你才是真正的男子汉，我不跟着你跟谁？"

金无望似待回头，只是仰天长笑一声，向前急行而去，那笑声中的意味，谁也揣摩不出。

朱七七大呼道："慢些，等我一等……带着我走……"

呼声之中，竟果然展动身形，追了过去。

沈浪伸手要去拉她，但心念一转，却又住手，望着朱七七逐渐远去的身影，他嘴角似是泛起一丝微笑……

朱七七放足急奔，奔出了十数丈开外，偷偷回头一望，呀，那狠心的沈浪，该死的沈浪竟未追来。

再往前瞧，金无望也走得踪影不见了。

漫天飞雪，雪花没头没脸地向她扑了过去，眼前白茫茫的一片，心里又是悲哀，又是气恼，又是失望……

她忍不住又哭出声来。她边哭边跑，泪水遮住了她的眼睛，她既不辨方向，也不辨路途，只是发狂向前奔……

前途茫茫，她根本不知道自己要去哪里，纵然辨清了方向，辨清了路途，又有什么用？

眼泪，好像要结成冰了。

她狠命地用衣袖擦去泪痕，喃喃道："好，姓沈的，你不拉我，看我真的死了，你对不对得住你的良心，但……但我为什么不死呢……为什么不死呢……"

她又举手擦眼泪，却突然撞进了一个人的怀里。

这一撞竟撞得她一连退出去四五步，方自站稳，她正待怒骂，猛抬头，石像般的站在她面前的，却正又是金无望。

此时此刻此地再见着金无望，朱七七真有如见到她最最亲热的亲人一般，也说不出是悲，是喜？

不管是悲是喜，她却大呼一声扑了上去，扑进了金无望的怀抱，抱住了他，比上次抱得更紧。

金无望发际、肩头，都结满了冰雪，他面上也像是结满了冰雪，但一双目光，却是火热的。

他火热的目光，凝注着远方的冰雪。

良久，他自长叹一声，道："你真的跟来了……你何苦来呢？"

朱七七的头，埋在他胸膛上，带着哭声笑道："我自然要如此，我真的跟着你……从此以后，你永远再也不会寂寞了，难道……难道你不高兴么？"

金无望道："从此你永远都要跟着我？"

朱七七道："嗯！永远都要跟着你，永远不离开，你就算赶我走，我也不会走了……但你也永远不会赶我走的，是么？"

金无望苦笑一声，道："可怜的孩子……"

朱七七道："不，不，我不可怜，我才不可怜呢，有你陪着我，我还可怜什么？你从此可再也不准说可怜了。"

金无望喃喃道："可怜的孩子……"

朱七七埋着头，不依道："你瞧你，又说了，你说，你说我有什么可怜？"

金无望叹道："你又何苦为了要气沈浪而跟着我？你又何苦……"

朱七七大声截口道："我不是为了沈浪，自己愿意跟着你的。"

金无望道："但沈浪来追你回去如何？"

朱七七道："我睬都不睬他。"

金无望道："真的？"

朱七七道："一千个真的，一万个真的。"

金无望默然半晌，忽然道："你瞧，沈浪果然追来了。"

朱七七身子一震，大喜呼道："在哪里？"

她身子立刻离开金无望的怀抱，回头一望，来路雪花迷茫，哪有沈浪的影子——连个鬼影子都没有。

再回头，但见金无望嘴角，已泛起一丝充满世故，充满了解，但又免不了微带讥嘲的笑容。

朱七七脸红了，却犹自遮掩着道："他来了我也不睬他，我……我……"

金无望摇头叹道："孩子，你的心事，瞒不了我的，你还是回去吧。"

朱七七顿足道："我不回去，我死也不回去。"

金无望道："但你又怎能真的跟着我？"

朱七七道："你不让我跟着你，我就死在你面前。"

金无望苦笑望着她半晌，喃喃道："跟着我也好，反正沈浪必定会跟来的，他任凭朱七七跟着我，只怕也是为了便于跟踪我的下落……他未曾明白逼着我带他去寻柴玉关，已算他对我的一番义气，他若要暗地跟踪，自也是天经地义之事，我怎能怪他？"

他自言自语，既像是在为自己分析，又像是在为沈浪解释，他语声低沉含混，除了他自己，谁也听不清。

朱七七道："你说什么？"

金无望道："我说……你要跟着我，唉，就走吧。"

两人急行半日，正午到了西谷。

这是新安城西的一个小镇，镇虽小，倒也颇不荒凉，只因此地东望洛阳，北渡大河来往客商，自为此镇带来不少繁荣。

朱七七一路始终拉着金无望的手，入镇之后，仍未放开，别人要对她怎么看，对她怎么想，她全不放在心上。

别人自然要对她看的，心里也自然是惊奇，又觉好笑，但只要一瞧到金无望的脸，便看也不敢了，笑更笑不出。

朱七七轻声道："你瞧，别人都怕你，我好得意。"

金无望道："你得意什么？"

朱七七笑道："我就希望别人怕我，但别人偏偏都不怕，如今我跟着你走，就好像跟着老虎的狐狸一样，可以沾沾光，也可以当作别人都在怕我了，我自然得意，只是……只是肚子太饿了，想装神气些，却又装不出。"

金无望忍不住一笑，道："你此刻便吃得下么？"

朱七七道："我又不是多愁善感的女孩子，一遇到件芝麻绿豆大的事，就吃不下喝不下了……什么事我都很快就能忘记，照吃不误，所以我五哥说我将来必会变成个大大的胖子。"

金无望不禁又为之一笑，道："胖子又有何不好？走，咱们去大吃一顿。"这冷冰冰的怪人，此刻不知为了什么，竟仿佛有些变了。

两人走了一段路，金无望突然又似想起了什么，当下问道："你五哥可就是江湖人口中常说的朱五公子？"

朱七七叹了口气道："不错，我那五哥，可真是个怪物，我家里的灵气，仿佛全被他一个占尽了，无论走到哪里，他都最得人缘，最能讨人喜欢，我真不知道这是为了什么。"口中虽在叹气，心中其实却充满了得意之情。

金无望道："我也久闻朱五公子之名，都道此人乃是浊世中翩翩佳公子，只可惜直到此刻，我仍未见过他一面。"

朱七七道："莫说你见不着他，就连我们这些兄弟姐妹，几乎有三两年未曾见着他了，他总是像游魂似的，呀，到了。"

"到了"的意思，并非说"游魂"到了，而是说饭铺到了——一间小小的门面，五张小小桌子，收拾得干干净净，酒香、茶香一阵阵从门里传了出来，只可惜桌子旁却坐满了人。

金无望道："此地生意太好……"

朱七七道："生意好的地方，酒菜必定不差。"

金无望道："怎奈座无虚席。"

朱七七道："无妨，你跟着我来吧。"

拉着金无望走进去，走到角落上的桌子边一站，这桌子上坐的是两个面团团的商人，正吃得高兴，猛一抬头，瞧见金无望，直吓得忍不住打了个寒噤，赶紧垂下头，再也吃不下了。

朱七七拉着金无望，站着不动，那两人手里拿着筷子，夹菜又不是，放下又不是，竟拿着筷子就去算账了。

于是朱七七与金无望便在这张桌子坐下。

金无望摇头道："果然有你的。"

朱七七道："这就叫作狐假虎威。"

金无望忍不住大笑起来，但笑了半晌，又突然停顿。

朱七七道："你为何不笑了，我喜欢你笑的模样。"

金无望默然半晌，一字字缓缓道："这半日来，我笑得实已比以往几年都多。"

朱七七呆呆地望着他，久久说不出话来，她心里究竟是酸？是甜？是苦？连她自己也不知道。

幸好这时酒菜已送来，于是朱七七放怀吃喝。

金无望却是实难下咽，朱七七便不住为他夹菜，别的人既不敢瞧他们，又忍不住要偷偷来瞧。

只因这两人委实太过奇怪，男的太丑，女的太美，又似疏远，又似亲密，这两人之间究竟是何关系谁也猜不出来。

朱七七只作不知不见，笑道："这一块你非先吃下去不可，空着肚子喝酒，要喝死人的。"

伸出筷子，夹了块排骨，要送到金无望碗里。

但，突然间，她身子一震，筷子夹着的排骨，"噗"地掉进酱油碟里，她目光直勾勾瞧着座前面的窗子，面上竟已无血色。

金无望动容道："什么事？"

朱七七用筷子指着金无望身后的窗户道："你……瞧……"语竟已无法成声，筷子不住地"喀喀"直响，显见她的手竟抖得十分厉害。

金无望变色回首，窗外却是空空荡荡，什么也没有。他又是奇怪，又是着急，沉声道："瞧见什么？"

朱七七颤声道："窗……窗外有个人。"

金无望道："哪有什么人？你眼花了么？"

朱七七道："方才有的，你一回头，他就走了。"

金无望道："是谁？"

朱七七道："就……就是那恶魔，那害得我又瘫又哑的恶魔。"

金无望动容道："你可瞧清楚了？"

朱七七道："我瞧得清清楚楚，他的脸，我一辈子都不会忘记。"直到此刻，她竟仍未定过神来，语声竟仍有些颤抖。

金无望面上也变了颜色，双眉皱起，沉思不语。

朱七七道："你可要追出去？"

金无望摇头道："此刻必定已追不着了。"

朱七七惶然道："那……那怎么办呢？我此刻一见着他，吃也吃不下，睡也睡不着了，他好像随时随地都跟在我背后，还要来害我，我只要一闭起眼睛，就好像瞧到他正冲着我狞笑……"突然放下筷子，用手掩面，几乎哭出声来。

金无望沉思半晌，霍然站起身来，拿出锭银子，抛在桌上，拉起了朱七七的手，沉声道："你跟我来。"

朱七七道："哪……哪里去？"

金无望面色铁青，也不回答，拉着朱七七走出店外，四下辨了辨方向，竟直奔镇外最最荒僻之处而去。

朱七七又是诧异，又是惊惧，她委实已被那恶魔吓破了胆，世上她谁也不怕，可就是怕"他"。

只见金无望板着脸，大步而行，四下的地势，愈来愈是荒僻，此刻纵已雪霁日出，朱七七还是不禁冷得发抖。

她不知不觉间，用两只手扳着金无望的肩膀，倚到他身上。自后面看去，一个高大英伟的男子身旁，倚靠着个窈窕纤弱的少女，依偎而行，这景象确是令人艳羡；但走到前面一看，一个娇笑仙女与一个奇丑大汉，并肩走在灰蒙蒙的积雪荒原上，这景象却有说不出的可怖。

金无望肩上虽然多了个人的重量，走得仍是极快。

朱七七忍不住又问道："前面是什么地方？"

金无望道："我也不知道。"

朱七七一怔，讷讷道："那……那么你要走到哪里去？"

金无望道："我也不知道。"

朱七七又惊又怒，道："你……你……"

金无望道："我这是在做什么，你立刻便会知道的。"

语声微顿，突又低叱道："来了。"

朱七七倒抽了口凉气，屏息听去，只听身后果然有阵衣袂带风之声传了过来，来势迅急异常。

但金无望却未停步，也未回头。

朱七七自也不敢回头，只是在心中不住暗问自己："来的是什么人？莫非……莫非是他么？"

只听那衣袂带风之声，到了他们身后，身形便自放缓，竟始终不即不离地跟着他们，既不赶上前来，也不说话。

朱七七只觉一阵寒意，自背脊升起，当真有如芒刺在背一般，当真忍不住要回头去瞧上一瞧。

但她毕竟忍住了，只是一双手抱得更紧。

只觉金无望脚步加紧，身后那人脚步也加紧，金无望脚步放缓，身后那人脚步也放缓。

朱七七此刻已可断定，身后这人必定便是那恶魔，她也恍然发现，金无望故意走到这等荒僻之地，也是为了要将“他”引来。

但却猜不透金无望如此做法，究竟是为了什么？他若要将“他”除去，此刻便已该动手了。

他若无意将“他”除去，此刻该有些举动才是呀。

金无望脚步愈走愈快，到最后竟在这荒凉的雪原上兜起圈子来了，那人竟也跟着他兜圈子。

朱七七忍不住又要问他，但还未问出口来，耳中已传入金无望以“传音”之术说出的语声。

只听他一字字道：“此人武功虽不弱，但内力却不济，我此刻便是在故意消耗他的内力，等他内力不济，再激他动手，便可取他性命。”

朱七七又惊又喜，真恨不得抱起金无望的脖子，在他脸上亲一亲，来表示她的赞许和感激。

突然金无望仰天一笑，道：“好……好。”

那人也嘶声笑道：“好……好。”

金无望道：“我明知你要来的。”

那人也道：“我明知你要来的。”

金无望道：“你既来了，为何不说话？”

那人也道：“你既来了，为何不说话？”

金无望怒道：“你此刻可是在戏弄于我？需知我虽与你同门，却与你绝无交情，你可知我将你诱至此地，便要取你性命。”

那人似是惊“噫”了一声，但口中还是学道：“你此刻可是在戏弄于我，需知……”

金无望突然厉叱一声，道：“你是什么人？”

语声之中，霍然带着朱七七转过身去。

那人收势不及，几乎撞在他们身上——直冲到他们身前不到一尺之处，才拿桩站住——那一张又脏又丑的怪脸，便恰巧停在朱七七面前，哪是他们心中所猜想的“恶魔”，却赫然正是金不换。

这一变化，不但使朱七七大惊失色，金无望也大出意外——他们未引来狐狸，却引来了一只狼。

朱七七失声惊呼，道：“是……是你！”

金无望怒喝道：“原来是你。”

金不换“咯咯”笑道：“是我……两位未曾想到吧！”

朱七七大声道：“你鬼鬼祟祟，跟在我们身后，要干什么？”

金不换挤了挤眼睛，笑道：“我只是想瞧瞧，两位亲亲热热的，走到这荒郊来，究竟是为了什么？这里可不是亲热的地方呀。”

金无望怒喝道：“住嘴。”

金不换道：“好，住嘴，大哥叫我住嘴，我就住嘴。”仰天一阵怪笑，接道，“如今我才知道，我们的大哥，毕竟是有苗头的，三下两下，就从沈浪手上将这位朱姑娘抢了过来。”

金无望目光闪动，面露杀机。

朱七七却忍不住大骂道：“你放的什么屁？”

金不换大笑道：“好凶的嫂子……嫂子，你真凶，小弟告诉你件秘密，我这大哥看来虽老实，其实呀……哈哈，哈哈。”

朱七七忍不住问道：“其实怎样？”

金不换道：“其实我这大哥却风流得很，自他十五岁那年，就不知有多少女子为他害相思病了，到后来……”

金无望冷冷望着他，听他说话，也不阻拦，但金不换却故意像偷望了他一眼，故意顿住语声。

朱七七果然忍不住问道：“到后来怎样？”

金不换道：“咳咳，我不敢说。”

朱七七道：“你说，没关系。”

金不换嘻嘻笑道：“这些女子缠得我大哥不能练武，到后来我大哥一发狠，竟自己毁去了他潘安般的容貌。”

朱七七失声道：“呀……”

金不换道：“容貌虽是他自己毁去的，但他毁了之后，性情竟也跟着变了，非但对女子恨之入骨，对男子也不理不睬。”

朱七七呆了半晌，幽幽道：“原来是这么回事……原来你那时果然是在骗我。”

金不换道：“骗你……我可没有骗你……”

朱七七跺足：“啐！谁跟你说话。”

金不换瞧了瞧她，又瞧了瞧金无望，嘻嘻笑道：“我明白了……我明白了，原来嫂子是和大哥说话，原来大哥以前曾经骗过嫂子，却被我揭破了。”

他一连说了好几声“嫂子”，朱七七脸不禁又红了。

她又羞又恼，骂道：“放你的屁，谁是你的嫂子。”

金不换也不理她，自言接道：“嫂子，小弟向嫂子说了这么多秘密，嫂子你多多少少，也该给小弟一些见面礼才是呀。”

朱七七道：“好，给你。”

扬手一掌，向金不换脸上掴了过去。

只听“啪”的一声，金不换竟未闪避，这一掌竟清清脆脆地掴在他脸上，他也不着恼，抚着脸笑道：“嫂子所赐，小弟生受了，唉！这又白又嫩的小手，掴在脸上当真是舒服得很，大哥你当真是艳福不浅呀。”

金无望突然冷冷道：“你说完了没有？”

金不换道：“说完了。”

金无望一字字缓缓地道：“我与你虽已情义断绝，但是今日念在你自幼随我长大，我再次饶你一命……”

突然暴喝一声，道：“滚，快滚，莫等我改变了主意。”

金不换神情不动，仍然笑道：“大哥要我滚，我就滚，但是我还有句话要问大哥，问完了再滚也不迟。”

他不等金无望答话，便又接道：“不知大哥你可知道沈浪此刻在哪里？”

朱七七奇道：“你找沈浪则甚？”

金不换“咯咯”笑道：“要找沈浪的人可多啦，何止我一人。”

朱七七更奇，忍不住追问道：“还有谁要找他？”

金不换道：“仁义庄三位前辈、断虹道长、天法大师、‘雄狮’乔五，还有……便是小弟，小弟虽无用，但这些人却不是好惹的。”

朱七七道：“这些人都要找他，找他干什么？”

金不换道：“没有什么，只不过要宰他的脑袋。”

朱七七身子一震，吃惊道：“为什么……为什么？”

金不换道：“为了他违约背信，为了他多行不义，为了他外表仁义，内心险恶，为了他……唉，不用再说，也已足够了。”

朱七七惊得瞪大了眼睛，道：“但……但沈浪已将展英松、方千里这些人，全都送到‘仁义山庄’去了呀，有他们去，便已可解释了呀。”

金不换道：“展英松等人全是沈浪送去的么？”

他声音突然提得出奇的高亢，但朱七七也未留意。

她应声道：“不错，全是沈浪送去的。”

转首瞧了金无望一眼，道：“你可以作证，是么？”

金无望面上也不禁现出惊疑之色，颔首道：“不错，我亲眼瞧见他们入庄去的。”

朱七七道：“这难道还有什么差错不成？”

金无望诡笑道：“不错，他们的确都已入庄了。”

朱七七松了口气，道：“这就是了……”

金不换冷冷接道：“但他们入庄之后，一句话还未说出，便已气绝而死，哼！……死得当真是干干净净，一个不留。”

他话未说完，朱七七已不禁失声惊呼出来。

金无望也自悚然失色，道：“他……他们是如何死的？”

金不换冷笑道：“他们不先不后，一入庄门，便自同时倒地，方自倒地，便已同时气绝，全身一无伤痕，想必是毒发毙命，但仁义庄那许多见多识广的高手，竟无一人看出他们中的是什么毒。”

他仰天干笑数声，接道：“下毒倒也不奇，奇的是他竟能将时间算得那般准确……嘿嘿，哈哈，果然是好手段，好毒辣的手段。”

这番话说将出来，就连金无望也不禁为之毛骨悚然。

朱七七颤声道：“这……这绝非沈浪下的毒。”

金不换冷笑道：“人是他送去的，毒不是他下的，是谁下的？”

朱七七道：“是她……是那女子！”

金不换道："她是谁？那女子又是谁？"

朱七七跺足道："我跟你说也说不清的。"

一把拉住金无望，道："走，咱们一定要先将这消息告诉沈浪……"

金不换冷冷截口道："你们不必麻烦了，自然有人去寻沈浪，反正他是再也逃不了的……至于你们么……唉，此刻只怕也不能走了。"

金无望瞠目怒叱道："你敢拦我不成？"

金不换皮笑肉不笑，阴恻恻道："我怎敢……但他们……"眼珠子滴溜溜四下一转，金无望、朱七七不由自主随着他瞧了过去。

只见灰茫茫的雪原上，东、南、西、北，已各自出现了一条人影，缓步向他们走了过来。

这四人走得仿佛极慢，但眨眼却已到了近前——

东面的一人，长髯飘拂，飘飘如仙，但清癯的面容上，也带着层肃杀之气，赫然正是"不败神剑"李长青。

南面的人，身高八尺，虬髯如戟，圆睁的双目中，更满现杀气，亦是"仁义三老"之一，"气吞斗牛"连天云。

西面的一人，身躯仿佛甚是瘦弱，走两步路，便忍不住要轻轻咳嗽一声，却是冷家三兄弟中的大哥。

北面的一人，神情看来最是威猛，面上杀气也最重，正是当今佛门中第一高手，五台天法大师。

这四人无一不是煊赫一时、身怀绝技的武林高手，有这四人挡住路途，那真是谁也无法脱身的了。

金不换不等这四人走到近前，凌空一个翻身退出丈余，大声道："方才的对话各位可听到了么？"

连天云大喝道："听得清楚得很。"

金不换道："在下未说错吧，那些人果然全都是沈浪送去的。"

连天云恨声道："你他妈的真都猜对了，沈浪那狗蛋，饶不得他！"他年纪虽已有一把，但盛怒之下，说起话来，却仍不改昔日那副腔调。

金不换道："好教各位得知，这里有个比沈浪更精彩的人物……嘿嘿，这是各位走运，竟会在无意中撞见他。”

李长青沉声道：“谁？”

其实这时四人八道目光，早已凝注在金无望身上——金无望身形虽然屹立未动，心里已难免有些惊惶。

只听金不换大声道：“各位请看，这便是‘快活王’门下四大使者中的‘财使’金无望了，各位只怕早已久仰他的大名了吧。”

话犹未了，李长青等四人已一步蹿了过来，将金、朱两人紧紧围住，目光更是刀一般盯在金无望脸上。

朱七七身子不觉向金无望靠得更紧了些。

但见这四人瞪着金无望，金无望也瞪着他们，双方久久都未说话——此刻之情况，实已用不着说话。

金无望不问也知道四人的来意，这四人也知道自己若是问话，对方是万万不会回答的，是以不问也罢。

这相对的沉默之间，实是充满了杀机，日色却似已渐渐暗淡，寒风呼号，有如人们的杀伐呐喊。

朱七七实在忍不住了，大声道：“你们要干什么？”

四人转目瞧了她一眼——只是一眼，便又将目光移回金无望面上，似是根本不屑瞧她，更不屑回答她的话。

朱七七嘶声呼道：“你们好歹也该问些话呀，这……这样又算是什么？”

这次四人却连瞧也不瞧她一眼了。

朱七七咬着嘴唇道：“他们不说话，咱们走。”

站在外面的金不换突然放声狂笑起来。

他狂笑道：“各位听听，这丫头说得好轻松。”

朱七七怒道：“你们不说话，便该出手，你们不出手，我们自然就得走了，难道就跟你们在这里站着，站一辈子不成？”

李长青叹了口气，道：“你还要我等出手么？”他虽然终于说出话来，却像不是向朱七七说的，目光一直凝注着金无望。

金不换应声道：“对了，你还要我们出手么？你若是识相的，便该乖乖束手就缚，有问必答，也免得皮肉受苦。”

金无望冷笑不语。

朱七七却忍不住大骂道："放屁，你……"

连天云厉叱一声，截口道："跟这样的人还啰唆什么，三拳两脚，将他们打倒，用绳子绑将起来，那么再对他说话也不迟。"

金无望突也仰天狂笑起来，狂笑道："好威风呀！……好煞气，金某正在这里等着你们五位大英雄、大豪杰，一起出手……请，请！"

朱七七眼珠子一转，突也笑道："好可怜呀……好可惜，堂堂五位成名露脸的英雄，却只知以多为胜，仗势欺人……"

连天云怒喝道："臭丫头，快闭住你的嘴，且瞧你爷爷们可是以多为胜之辈……各位请退一步，待咱家先将这厮擒来。"

李长青微一皱眉，连天云却已掠了出去。

金无望道："你真敢一人与我动手？"

连天云怒道："不敢的是龟孙子。"

金无望冷冷道："我瞧你还是退下吧，'气吞斗牛'连天云，昔日武功虽不弱，但衡山一役后，你武功十成中最多不过只剩下三成了，怎能与我交手？"

连天云狂吼一声，双拳连环击出，口中怒喝道："谁来助我一拳，我连天云先跟他拼了。"

金无望轻推开朱七七，道："留意了！"

口中说话，身形一闪，便已将连天云两拳避开。

李长青是何等角色，瞧得他身形一闪之势，便知此人实是身怀绝技，当下退后几步，向冷大递了个眼色。

冷大一掠而来，咳嗽两声，道："何事？"

李长青沉声道："此人武功之深，深不可测，三弟四十招内，虽不致落败，但四十招后，气力不济便非败不可。"

冷大道："想必如此。"

李长青道："你近来自觉功力怎样？"

冷大微微一笑道："还好。"

李长青道："你那咳嗽……"

冷大含笑道："要它不咳，也可以的。"

李长青目光转动，但见金不换面带微笑，袖手旁观，天法大师虽然跃跃欲试，却碍着连天云之言，未便出手。

他两人一左一右，有意无意间将朱七七去路挡住。

李长青一眼瞧过，语声放得更低，道："金不换素来极少出手，天法上次受了沈浪之内伤，也未见完全复原，而我……唉，总之，瞧今日情况，是非你出手不可的了，你自信还能取胜么？"

冷大道："不妨一试。"

李长青道："好，但是此刻你却出手不得，老三的脾气，你是知道的，是以你唯有等他施出那一招时，便赶紧插手……如今已过了二十招了，再有十七八招，老三那一招便必定会出手的，你懂么？"

冷大道："懂。"他说话虽比他三弟多些，却也不肯多说一个字。

连天云出拳如风，片刻已攻出二十余招之多，那拳路攻将出去，当真有排山倒海之势，令人见而生畏。

金无望手脚一时间竟似被他这威猛的拳路闭死，只是仗着奇诡而轻灵的身法，招招闪避。

但见拳风动处，冰雪飞激。

飞激的冰雪，若是溅在人脸上，立时就会留下个红印子——朱七七脸上的红印子，已经有两三个了。

她瞧得既是惊骇，又是担心，暗道："谁说连天云功夫已减弱？他此刻的功力若是有昔日的三成，那么他昔日岂非一拳便可打死当时任何一位高手……金无望只怕是听信传言，弄错了，他连这一人都不能战胜，还有四个怎么办？"

要知朱七七的性子最是偏激，所以才会做出别人做不出的事，什么礼教、规矩，她是全不管的。

她若是跟谁要好，便一心只希望他取胜，至于双方谁正谁邪，谁是谁非，她更不放在心上。

至于此刻双方本就互有曲直，她自然更恨不得金无望一掌便将连天云劈死，她才对心意——连天云这人是好是坏，她从来都未想过。

而金无望却偏偏落在下风，她自然着急。

但她却不知连天云功力实已大大受损，与昔日相比实已只剩了三成，只是连天云也是火爆的性子，只要一动手，便将自己所剩的这三成功力，全都使了出来，绝不为自己留什么退路。

金无望交手经验，是何等丰富老练，他早已瞧出此点，是以绝不拼命，只在消耗连天云的气力。

他自己的气力还要留下为自己杀开血路，留下与别人动手。他狠毒的招式，也是留下来对付别人的。

再过七招，连天云攻势果然已渐渐弱了。

他额角之上，也开始露出了汗珠。

金无望招式却渐渐露出锋芒，渐渐占得先机。

突然，连天云双拳齐出，一招“石破天惊”带着虎虎的掌风，直击金无望胸膛，当真有石破天惊之势。

李长青沉声道：“这是他第三十八招了。”

冷大点了点头，全神贯注——

但见金无望脚下微错，倒退一步，他自是不愿与连天云硬接硬拼，脚下退步，力留余势，等着连天云下一招攻来。

哪知连天云身子竟突也倒退一步站住不动，口中大喝道：“住手。”

这一喝，喝声竟有如雷霆一般，震得朱七七耳鼓“嗡”的一响，脑子也都震得晕晕的，片刻间再也听不到别的声音。

金无望首当其冲，更觉得仿佛有一股气流，随着喝声而来，当胸也仿佛被人击了一锤。

他身子竟不由得晃了一晃，但身形、脚步、气势、心神，仍丝毫未动，仍保持着直攻直守的功架。

就在这时，已有一条削瘦的人影，飞身而来，像是一把刀似的，插在他两人身子中央。

原来，连天云方才那一声大喝，竟是他成名之绝技，当年武林中人，都知道这就是连天云的“舌底锤”。

这“舌底锤”有质无形，乃是气功中一种最最上乘的秘技，其威力、性质，都与佛家之“狮子吼”极为近似。

连天云号称“气吞斗牛”，气功自是不弱，昔日他功力全盛之际，这一声“舌底锤”喝将出去，对方必定要被震得失魂落魄，身法大乱，加以他喝的又是“住手”两字，这也使得对方为之一怔。

高手相争，怎容得这一乱、一怔，对方纵未被他这一“锤”击倒，但只要他跟着一招攻出，那是必定手到擒来的了——昔日武林中委实不知有多少高手，葬送在他这一招“舌底锤”下。

怎奈他此刻气功已被人破去大半，“舌底锤”的威力，十成中最多也不过只剩下两三成而已。是以金无望在他这“舌底锤”下，虽惊而不乱。

连天云也并非不知道自己这“舌底锤”已无昔日之威力，但他天生是不甘服输的脾气，每到情急之时，便不禁将这一招施将出来——李长青与他多年兄弟，自也算准了他要施出这一招的。

“舌底锤”一出，冷大立时飞身插入。

连天云怒道：“闪开，谁叫你来插手。”

冷大微微笑道：“你已叫人住手，我自然便可出手了。”

连天云怔了一怔，身子已被李长青拖了回去。

金不换嘻嘻笑道：“有趣……有趣。”

天法大师沉声道：“本座……”

金不换道：“大师为何急着出手？反正这厮已是网中之鱼，大师为何不先瞧瞧冷家三兄弟从来不肯轻露的武功秘技？”

天法大师微一沉吟，果然顿住了脚步。

原来冷家三兄弟在武功中之地位，最是奇特，他们的身份是“仁义庄”的奴仆，他们的武功却属顶尖高手。

他们从不求名，更不求利，也从不参与江湖中的是非，除非有人要危害到“仁义庄”，他们绝不出手。

但只要他们一出手，与他们动手的人，便极少能活着回去，是以江湖中便极少有人知道他们的武功来历。

他们的身世，更是个谜，他们自己从不向人提起，别人纵然四下打听，也打听不出丝毫头绪。

神秘的武功，神秘的身世，再加上他们那神秘的脾气，便使得这兄弟三人，成了江湖奇人中的人物。

是以就连天法大师这样的人，也不免动了好奇之心，要瞧瞧这冷家三兄弟中的老大，究竟有何惊人的身手。

冷大此时却在不住咳嗽。朱七七忍不住道：“你身子有病，还能与人动手么？”

冷大抬头向她一笑，道：“多谢好心，咳咳。”

朱七七叹道："这里还有这么多人，却为何要你出手，金……金大哥，你还是让他回去吧，换上个人来。"

金无望冷冷一笑，闭口不语。

金不换却冷冷笑道："朱姑娘，小嫂子，你怕他生病打不动么，嘿嘿，少时他要你变作寡妇时，你才知道他的厉害。"

朱七七满面怒容，要待发作。

第十四章

初脱虎口

金不换语意刻薄，朱七七正要发作，冷大已转身怒叱道：“住口！”

金不换怔了一怔，道：“你要我住口？”

冷大道：“正是要你住口。”

金不换道：“你……你连谁是敌人，谁是朋友都分不出么？”

冷大道：“我宁可有他这样的仇敌，也不愿有你这样的朋友。”

这句话包含的哲理，正是说：“卑鄙的朋友，远比正直的仇敌要可怕得多。”

金不换面上不禁现出羞恼之容，转目去瞧李长青，似是在说：“你家的奴仆对我这般无礼，你不说话么？”

哪知李长青却毫无反应，对他与冷大之间的对话、神情，仿佛根本就未听到，也未瞧见。

金不换再转眼去瞧冷大，冷大一双冷冰冰的目光，正在猛瞪着他，他面上的怒容，立时消失了，哈哈一笑，道：“这一次在下的马屁，只怕是拍在马腿上了，好，好，在下不说话就是，冷兄可以动手了么？”

冷大冷冷一笑，这笑声中，也说不出包含有多少轻蔑不屑之意，然后，他回首对金无望，道：“请！”

朱七七也不说话了，她已知道这满面病容骨瘦如柴的冷大，必定身怀绝技，否则欺软怕恶的金不换绝不会如此畏惧于他。

她睁大了眼睛，等着瞧他出手。

但金无望与冷大两人，却仍未出手。

两人面面相对，目光相对，身形绝未摆出任何架势，全身上下，每一处看来仿佛俱是空门。

但两人彼此都知道，对方此刻身形虽无功架，但精神、意志，却正是在无懈可击的状况之中。

两人之间，若有谁先出手，除非一招便能占得先机，否则反而会被对方以后发之势制住。

要知争先之人，出手必是攻势，而普天之下，以攻势为主的招式，防守处便必有空隙之处。

他若一招不能占得先机，对方势必会对他防守的空隙间反击而来，那么，自己攻击对方时，对方是在无懈可击的状况中，而对方攻击自己时，自己却是有隙可乘——高手相争，怎容得有这丝毫差错。

自从冷大一声“请”字出口，两人非但身子不敢动一动，连眼睛都不敢眨一眨——李长青、天法大师、金不换，无一不是当今武林的顶尖人物，自然都知道这两人虽然迄未出手，但局势却已比任何激战都要紧张得多，是以人人俱是屏息静气，不敢分散了他们的神智。

朱七七也渐渐觉察出这两人之间的情况，实是生死呼吸，间不容发，她凝注着这两条石像般木立不动的人影，但觉这实比她有生以来所见的任何一场激烈的战斗，都更要令她惊心动魄。

寒风就在他们耳畔呼号，但他们谁也听不到了。

在这一刻间，人人都觉得天地一片死寂，没有任何动静，唯有自己的呼吸渐渐急促，心跳渐渐加剧。

也不知过了多久。

冷大但觉自己的体力在急剧地消耗着，他虽还未曾动弹过一根手指，但体力的消耗，都比他一生经历的大小百十战还要剧烈。

他只觉额上已沁出汗珠，沿着他的面颊，就像是有无数条小虫在他脸上爬过似的，痒得钻心。

但他却仍咬牙忍住。

他只觉目光已渐渐蒙眬，四肢关节，也已渐渐发软，渐渐麻木——渐渐变得仿佛刀割般疼痛。

但他却也仍咬牙忍住。

只因他深知这一场争战不但是在考验他两人的武功，更主要的是在考验着他两人的意志与坚忍。

他知道自己此刻虽然受苦，对方又何尝不然。

两人之间，若有谁能多忍一刹那，便能得胜——只要多忍一刹那，便已足够。只因这一刹那已足够分别出他俩的胜负、生死。

这是何等重要的一刹那，他死也要忍住。

他告诉自己："冷大，你绝不能倒下去，此刻，说不定金无望已支持不住了，你只要再等片刻他便可倒下。"

就仗着这信心，他拼命支持着，拼命张大眼睛。

虽然，他明知自己只要轻轻闭起眼睛，所有的痛苦便会终结，这是何等容易的事，但他却不能这样做。

想来，金无望亦是如此。

又不知过了多久。

这时非但金无望与冷大两人已是苦不堪言，就连旁观着的李长青、天法大师等人，亦是满头大汗，有如自己也方经一场激战似的。

金不换突然悄悄一扯李长青衣袖。

两人交换了个眼色，身形溜过丈余。

金不换悄声道："李兄且看这一战两人是谁胜谁负？"

李长青沉吟半晌，苦笑道："若论武功之强韧，意志之坚忍，交手经验之丰富，临敌判断之冷静，他两人可说是棋逢敌手，不相上下！"

金不换颔首道："不错，他两人都可称得上是江湖罕睹的硬手，咱们这武林七大高手比起他们来，可实在要觉得有些害臊。"

李长青长叹一声，道："但两人交手，胜负之分，除了要看双方之武功、意志、经验、冷静外，体力之强弱，亦是极主要的一个因素。"

金不换笑道："李公之言，实是中肯之极。"

李长青叹道："冷大所有一切，虽都不在金无望之下，但体力……唉，他近年来似已积疾成痨，再加以酗酒过度，两人如此这般耗下去，冷大的体力……唉，只怕便要成为他的致命之伤了。"

金不换道："那……又当怎生是好？"

李长青垂首道："两人相争，优胜劣败，本是丝毫不能勉强之事，只是……"

金不换目光闪动，截口笑道："只是李公此刻还存万一之想，但愿冷大侥幸能胜，等到冷大真个不支时，再令人替换于他。”

李长青苦笑道：“不错，除此之外，还有何策？”

金不换道：“但李公昔年受创之后，至今功力仍未恢复，却不知能否……”目光凝注李长青，故意顿住语声。

李长青叹道：“不瞒金兄，在下若与此人动手，更是败多胜少。”

金不换道：“然后，自是天法大师上阵，但天法大师能胜得了他么？”

李长青沉吟半晌，目注金无望，道：“此人武功实是深不可测，除非他连经剧战之后，气力不济，否则……”长叹一声，住口不语。

金不换道：“此人功力，在下倒略知一二。”

李长青道：“请教。”

金不换道：“此人练武之勤苦，在下实未见过第二人在他之上，何况，他又素来不近女色，若论气力之绵长，在下亦未见过第二人在他之上，昔日曾有十余人与他车轮大战，连经十余战之后，他仍是面不改色。”

李长青变色道：“若真的如此，只怕……”

金不换道：“只怕天法大师也难以取胜，是么？”

李长青颔首叹道：“不错，天法大师功力虽深，但若论对敌时之机智，招式之奇诡，出手之阴毒，却万万不及此人，他实是败多胜少。”

金不换道：“天法大师若非他的敌手，在下更连上阵都不用上阵了，只因在下根本不用动手，已知绝非他的敌手。”

李长青道：“这……唉！”叹息着摇了摇头，说不出话来——只因他深知金不换此番说的，倒不是假话。

金不换道：“你我五人，显然全不是他的敌手，难道今日就只能眼瞧着他将我五人一一击败，然后扬长而去么？”

李长青道：“这……除非……”

金不换道：“除非怎样？”

李长青顿了顿足，道：“除非你我一起出手。”

金不换说了半天，为的就是要逼出他这句话来，此刻不禁抚掌笑道：“正该如此，你我对付此等恶魔，也用不着讲什么江湖道义，与其等到那时，倒不如此刻一起出手罢了。”

李长青垂首沉吟半晌，抬起头，只见就在这几句话的工夫里，冷大已更是不支，金无望目光却更明亮。

金不换连连问道："怎样……怎样……"

李长青咬了咬牙，道："好，就是如此。"

他话未说完，金不换已截口狞笑道："既是如此，金无望拿命来吧。"

笑声之中，几点寒星，暴射而出，直打金无望前胸下腹——他出手如此迅快，显然早已将暗器准备好了。

金无望此刻正是全神贯注，丝毫不能分心，这暗器骤然袭来，他怎能闪避，眼见他已要遭毒手。

朱七七放声惊呼，也援救不及。

哪知金无望竟偏偏能够闪避，一个翻身，掠空丈余，七八点寒星，俱都自他足下打过。

金无望身形凌空一转，已掠到朱七七身侧，口中厉道："金不换，我早已算定你有此一招，是以始终分心留意看你，你若想要害我，还差得远哩。"

众人一听他方才根本未曾将全部心神都用来对付冷大，冷大已是不支，俱都不觉更是吃惊。

金不换喝道："大家一起上呀，先将这两人收拾下来再说。"

他口中呼喝虽响，却还是不肯抢先出手。

天法大师瞧了李长青一眼，李长青微微颔首，两人再不说话，一左一右，夹击而上，眨眼间便各自攻出三招。

金不换这才出手，冷大却倒退了几步，唯有连天云还是站在那里，低垂着头，仿佛正在想着心事。

金无望手拉着朱七七，左迎右拒，挡了三招，突然冷笑道："李长青，你且瞧瞧连天云。"

金不换喝道："莫要回头，莫要上他的当。"

李长青心里也正如此在想，但究竟手足情深，关心太过，究竟还是忍不住要回头去瞧上一眼。

他这一眼不瞧还罢，一瞧之下，又不禁大惊失色。

原来连天云此刻非但低垂着头，连眼睛也都已闭上，面上全无血色，嘴角却吐出了些白沫，看来煞是怕人。

李长青又惊又怒，嘶声喝道：“你……你将他怎么样了？”

金无望手脚不停，口中冷笑道：“方才我与他动手之时，他便已中了我迷香毒药，若无我本门解药相救，两个时辰里，便要毒发身死。”

李长青惊呼一声，道：“恶贼，你……你要怎样？”

金无望道：“我要以他的性命，换一个人的性命。”

金不换骂道：“你想咱们放了你么？嘿嘿，你这是做梦。”急迫出手三招，招式更狠、更毒，恨不得一下就将金无望打死。

金无望轻笑避开三招，冷笑道：“做梦？”

金不换道：“咱们片刻之间，便可将你擒住，那时还怕你不拿出解药来？”

李长青心神一宽，道：“正是如此。”再次出手，招式自也更是狠辣连连，冷大在这情况下，为了相救连天云，也只有出手了。

朱七七暗暗着急，忖道：“他如此做了，岂非弄巧成拙……”

哪知金无望却突然纵声狂笑起来。

金不换道：“你笑什么？你还笑得出？”

金无望道：“你瞧瞧这是什么？”

手掌扬处，一串黑星飞出。

众人只当他也是施展暗器，不由得俱都一惊，哪知他这一串七八点黑星却非击向别人，而是打向自己。

只见他张口一吸气，竟将这些黑星俱都吸入嘴里。

众人瞧得莫名其妙，不禁问道：“那是什么？”

金无望道：“这便是解药。”他似乎并未将那些黑点吞下去，只是含在嘴里，是以说话便不免有些含糊不清，但众人还是听得清清楚楚。

李长青失色道：“解药，你……你要吞下去。”

金无望道：“不错，你们若不立刻住手，我便立刻将这解药吞下去，这种解药世上已只剩下这几粒了，我若将它们一起吞下……嘿嘿，那时纵然大罗金仙前来，只怕也休想能救得活连天云了。”

他话未说完，李长青、冷大招式已缓，终于住手。

天法大师也跟着住手，金不换若不住手，就只剩下他一个人与金无望动手了，他怎会不住手。

金不换目光闪动，道："金无望，我老实告诉你，你要咱们先放你，再等你将解药送来，那是万万办不到的，但若要你先留下解药，咱们再放你，你也未必肯，是么？那么你心里究竟在打什么主意，你就快说吧。"

金无望手掌紧紧抓住朱七七，冷笑道："某家要来便来，要去便去，谁能拦得住我，又何必要你等放我！"

这句话说出来，众人又是大出意外。

金不换道："那……那你究竟要怎样？"

金无望道："我要你们放了她。"

李长青道："放了她……放了这位朱姑娘？"

金无望道："正是放了这位朱姑娘，她与此事，本就无关，只要你们这样站着，等她走远远之后，我立刻便将解药送上。"

李长青暗中松了口气，口中却道："但……但我怎能信得过你？"

金无望冷冷道："信不信由你。"

李长青沉吟半晌，顿住道："也好。"

他转目望向天法大师，天法微微颔首。

金不换心里虽不以为然，但瞧见冷大与李长青正都在瞪着他，他纵然说"不肯"，又能怎么样。

他当然只有点头……非但点头，还大笑道："原来你只是要放了朱姑娘，哈哈，好极，其实你纵然不说，我倒也不会伤她一根汗毛的。"

金无望冷笑一声放开了手，转头望向朱七七，道："你快走吧。"

朱七七目中已现泪光，垂首道："你真的要我走？"

金无望冷冷道："你不走，反而拖累了我。"他语声虽装得冰冰冷冷，但胸膛起伏，显见心中亦是十分激动。

此情此景，若是换了别的女子，少不得必要哭哭啼啼，拖拖拉拉，说一些"我不走，我陪着你一起打……我们要走一起走，要战一起战，要死一起死"等等诸如此类的话。

但朱七七心中虽然感激悲痛，却知道这些话纵说出，也是无用的，她做事情素来痛快，素来不愿做这些婆婆妈妈、牵丝攀藤的事。

她只是跺了跺脚，道："好，我走，你若是活着我自会找你，你若死了，我……我替你报仇！”咬紧牙关，转身狂奔而去。

直到她奔出很远，金无望才转首凝注着她的背影，然后，良久良久，都未移动，直到她身影完全消失于苍茫的雪地中……

金不换突然冷笑一声，道：“可怜呀可怜，可叹呀可叹，原来这位姑娘对我们的金老大，竟是如此无情无义，说走就走，连头都不回……”

金无望怒叱道：“畜生！啐！”

“啐”的一声出口，一连串黑星跟着飞出，金不换正说得得意，全未提防，这八点黑星，便全都喷到他脸上。

他本已丑怪的面目，再加上这斑斑黑点，那模样当真又是可怕，又是滑稽，又是令人作呕。

金不换但觉脸上被打得火辣辣地发疼，惊怒之下，方待伸手去抹，但手一抬，便被冷大抓住。

金不换怒道：“你干什么？”

冷大冷冷笑道：“此刻在你脸上的，便是可救连三爷生命的解药，你若敢胡乱去动一动，我要你的命。”

金不换倒抽一口凉气，只有站着不动，任凭冷大将解药一粒粒自他脸上剥下来，那时金无望的唾沫早已在他脸上干了。

金无望仰天狂啸一声，道：“解药你们既已拿去，要动手的，只管一起来吧。”

喝声未了，已有两条人影扑了上去……

朱七七头也不回，放足急奔，直奔出数十丈开外，那强忍在眶中的眼泪，便再也忍不住一连串落了下来。

她拼命咬住嘴唇，但眼泪还是要流下，她拼命想不哭，却愈来愈是伤心，终于忍不住放声痛哭起来。

也不知哭了多久，她突然发现自己竟是站在一株枯树下，早就没有往前走了，是何时停下来的，她完全不知道。

大约还是正午，但天色却如黄昏般黝黯。

她定了定神，擦擦眼泪，告诉自己：“朱七七，你莫要哭了，金无望又不会死的，你哭什么？莫哭了……莫哭……金无望只怕早已逃了。”

话未说完，她又已放声痛哭起来，嘶声道："放屁放屁，谁说金无望不会死？谁说金无望能逃走？那四人单独虽非他的敌手，但以一敌四，谁也不行呀！"

"不对，他虽不是那四人敌手，但要逃总可逃的……不对，那四人围住他，他又能够往哪里逃呢？……"

她哭哭停停，自言自语，忽而安慰自己，忽而痛骂自己，如此翻来覆去，也不过是自己在折磨自己罢了。

又不知过了多久，到后来，也不知是因她眼泪已自流干，还是因她终于能自己忍住，反正她终能不哭了。

她咬了咬牙，辨明方向，向前大步行去。

她一面奔行，一面低语，道："我可不是去找沈浪的，沈浪那样对我，我死也不会再去找他——就算世上的人都死光了，我也不会去求他。"

这话她是对自己的脚说的，却似乎偏偏不听话，偏偏要往去找沈浪的那条路去走。

她低语道："我走这条路，又不是去找沈浪，我是去找……去找别人的，张三李四，王二麻子，我谁都可以找，我无论去求什么人帮我的忙，那人都会帮我的，那么，我就可以要他们来救金无望。"

其实她自己也知道这些话有些靠不住，但她还是要这么说——世上的女孩子，大多都有一样男人比不上的地方。

那就是她自己常常会骗自己。

一面想，一面走，不知不觉间，朱七七又来到方才他们打尖的小镇，又可瞧见那小小的饭铺。

也不知怎地，她又在不知不觉间走入了那饭铺——她的确很累，心又很乱，要找个地方休息，仔细想一想。

店伙似乎还认得她，逡巡着走过来，赔笑道："姑娘要吃点什么？方才那位大爷，怎地还没来，可是在后面？小的为姑娘摆两份椅子好么？姑娘。"

朱七七突然一拍桌子，怒道："少啰唆！"

店伙吃了一惊，站着发愣。

朱七七道："龙肝凤翼，鲍鱼排翅，蜜炙云腿，清拌熊掌，笋尖珍珠汤……好，就这四菜一汤，拿来吧。”

她心里根本在想着别的，早已神游物外，只是随口将她平时爱吃的一些菜，念经似的说了出来。

但这些菜却都是她那样的豪富之家才能吃得到的，这小镇上的店伙，却连听也未曾听过。

此刻只听得他瞪大了眼，张大了嘴，怔了半晌，方自赔笑道：“这些菜小店没有。”

朱七七道：“有什么？”

店伙精神一振，道：“小店做的是南北口味，面饭都有，阳春面、肉丝面……”

朱七七道：“好，来碗肉丝面吧。”

店伙精神立刻又没了，懒洋洋道：“好，这就送来。”心中又是好气，又是好笑，暗想：“这位姑娘方才原来也是摆阔的，弄来弄去，只要了碗肉丝面。”

面，送来得果然不慢。

但直到一碗热腾腾的面变得冷凉，朱七七还是未动筷子——这时纵然真有熊掌鱼翅摆在她面前，她也是吃不下的。

突然间，门内有呼声传来，嘶声呼道：“不得了，不得了……打死人啦……打死人啦……”

一个人狂呼着奔入，满脸俱是鲜血，只是瞧他神情、模样，显然绝非武林中的英雄豪杰。

朱七七瞧了一眼，便懒得再看，但那店伙以及店里另一些客人，俱都吃惊变色，蜂拥着围了上去，纷纷道：“王掌柜，你这是怎么回事？”

“谁敢欺负咱们王掌柜，我去跟他拼命！”原来挨揍的这人，正是这饭铺的掌柜的。

王掌柜道：“方才俺正和猪肉铺的李胖子聊天，说晌午俺店里来了两个稀罕客人，那女的可真是标致，男的却是三分有点像鬼，七分不大像人，就好像一朵鲜花插在牛粪上似的，俺将李胖子说笑了，俺也笑了，哪知就在这当口，突然冲将来一条野汉子，就将俺揍了一顿，俺……”

他话未说完，头一抬，就看见他口中说的那标致的女子，已冷冰冰站在他面前，满面俱是杀气。

这一来可又将他吓住了，张大了嘴，再也说不出话来。

朱七七双手一分，别的人就跌跌撞撞分了开去，一个个也是惊得目定口呆，朱七七冷冷瞧着那王掌柜，道："再说呀。"

王掌柜道："俺说……说……说……说……说不出了。"

朱七七一把抓住他的衣襟，道："你说谁像鬼？"

王掌柜满头大汗，道："俺……俺说自己……"

朱七七道："方才揍你的人是何模样？"

王掌柜道："浓眉毛，大眼睛，俺也瞧不……"

朱七七不等他说完，一掌将他推得直撞在柜台上，飞身掠了出去，只见街道两旁，站满了瞧热闹的人。

一条大汉，左手提着酒葫芦，旁若无人，扬长而去。

朱七七又惊又喜，大呼道："熊猫儿……熊猫儿……"

那大汉骤然回头，浓眉大眼，气宇轩昂，在寒风中犹自半敞着衣襟，却不是熊猫儿是谁？

两人相见，俱是惊喜交集，大步迎了上去，一把就抓住对方的肩膀，两旁的人，更是眼睛都瞧直了。

但熊猫儿不管，朱七七也不管。朱七七穷途之中，骤然见着熊猫儿，当真有如见到最最亲近的人一般，热泪忍不住又要夺眶而出。她紧抓着熊猫儿的肩膀，颤声道："好极了……遇着你真好极了。"

熊猫儿也抓住她肩膀，也自笑道："好极了！好极了！竟在这里遇着你。"

朱七七道："但……但你怎会到这里来的？"

熊猫儿道："来找你的……你呢？"

朱七七道："我也是来找你的。"

两人同时道："真的？"

两人不禁同时大笑起来，同时笑道："走，去喝一杯。"

于是两人笑得更是开心，扶着肩膀，又走回那饭铺，这时两人俱是心怀开畅，早已浑然忘了什么男女礼教之防。

但别人却如见着瘟神，见着怪物一般，远远就躲了开去，那位王掌柜，更是逃得不知去的。

熊猫儿与朱七七却更是得其所哉，自管在店里坐下，没有人招待他们，他们就喝自己葫芦里的酒，你一口，我一口……

朱七七笑道：“不想你居然还记挂着我，还来找我。”

熊猫儿笑道：“我记挂着你？……嘿嘿，我简直差点儿就要急疯了，虽然一路寻来，却又不知能不能寻得着你。”

朱七七道：“我也正在着急，不知能不能找着你，但听得有人在路上胡乱揍人，我一猜，就猜着必定是你了。”

熊猫儿大笑道：“那厮那样一骂，我就猜着他骂的是你，那火气就再也忍耐不住，就算他是天王老子，我也要揍他一顿。”

两人又大笑了一阵，笑声终于渐渐消沉。

朱七七忍不住道：“不知沈……”咬了咬牙，终于还是将下面的“浪”字咽回肚里。

熊猫儿道：“你可是要问沈浪？”

朱七七道：“谁问他？王八蛋才问他。”

熊猫儿叹了一口气，道：“你走了不久，沈浪也走了，我只道他要将你找回来了，哪知等了许久还是不见他的影子。”

朱七七恨声道：“这种坏蛋，你等他干什么？”

熊猫儿道：“我可不是等他，我是等你。”

朱七七眨了眨眼睛，道：“真的？”

熊猫儿道：“自然是真的，我愈等愈着急，那王怜花却不住在问我沈浪的武功、师承、来历，又问我是如何认得他的。”

朱七七道：“你倒了霉，才会认得他。”

熊猫儿道：“王怜花虽然问得起劲，我却懒得理他，但有他在一旁，我又不好意思走，幸好那时已有救星来了……”

朱七七道：“是沈……是谁？”

熊猫儿似乎又叹了口气，道：“那人不是沈浪。”

朱七七道：“我又没有问他，鬼才……”

熊猫儿截口笑道：“你问他本是应当的，你何必……”

朱七七却轻轻掩住了他的嘴，柔声道：“我从此以后，再也不问他了，真的！你……你相信我好么？从此以后，我只关心对我好的人。”

熊猫儿用他那一双宽大而坚实的手掌，将朱七七那只纤纤玉手捧在掌心里，痴痴地望着她，良久良久……

朱七七“扑哧”一笑，道：“那人是谁，你倒是快说呀。”

熊猫儿定了定神，道：“那人鬼头鬼脑，满面猾气，瞧他行路，轻功显然不弱，却偏偏装成一副生意买卖人的模样。”

朱七七道：“你可认得他？”

熊猫儿摇头道：“我根本不知道他是谁，只见他一进来，就鬼鬼祟祟地在王怜花耳畔说了两句话，王怜花面色立时就变了，匆匆向我告了个罪，便随着那人去了，走得非但匆忙已极，而且还似乎有些张皇。”

朱七七皱眉道：“那人说些什么，你可曾听到？”

熊猫儿道：“我堂堂男子汉，怎会偷听别人的话？”忽然一笑，接口又道：“其实我是想偷听的，只可惜一个字也听不到。”

朱七七嫣然一笑，道：“你呀……你的可爱处，就在这些地方，从来不会假正经……”忽然皱起眉头，沉吟半晌，缓缓接道：“但那王怜花行事，倒神秘得很，他说的也仿佛从来没有一句是真话。”

熊猫儿颔首叹道：“此人端的神秘得很，昔日我本还不觉得，但我与他接近的时候愈多，便愈觉他行事诡秘难测。”

朱七七道：“每个鬼鬼祟祟的人，都是这样的，沈……沈浪还不是如此……”脸上忽然一红，垂首道：“我可不是在想他，只不过拿他作个比喻。”

熊猫儿道：“我……我相信。”

朱七七又道：“你们与沈浪接近的日子不久，还没有什么，但我……我却觉得他行事的诡秘，只怕还远在王怜花之上。”

熊猫儿沉吟半晌，叹道：“的确如此，他的行事，的确更是令人捉摸不透，就拿此番他和王怜花斗法的这件事来说……唉！这两人的确都有一套，此刻两人看来似乎都已开诚布公，结为同道，其实，我看两个人都隐藏了不少秘密。”

朱七七叹道：“谁说不是呢，起先，我还当沈浪已完全信任王怜花了，哪知他那些姿态都是装出来给别人看的。”

熊猫儿道：“如此说来，他岂非不但骗了王怜花，也骗了咱们……我真猜不透，此人究竟是何身份，所作所为，究竟有何用意。”

朱七七苦笑道："岂止你猜不透，连我也猜不透，这个人的所有一切，都被他自己锁在一扇门里，这扇门他对谁都不会打开。"

熊猫儿道："你可知他这是为什么？"

朱七七道："谁知道，鬼才知道。"眨了眨眼睛，又道："我真不懂，世上为什么会有像他这样的人，仿佛对任何人都没有信心，假使世人都像你我这样坦白，那有多好。"

熊猫儿失笑道："都像你我这样，可也天下大乱了。"笑容渐敛，沉声又道："坦白虽是美德，但有些人心中有着极大的苦衷，肩上担负着极重的担子，你却叫他如何坦白。"

朱七七目光出神地瞧着自己的指尖，沉默了半晌，幽幽叹了一口气，道："你这人真好，竟还在为他说话……"

突然之间，她觉得此人坐在自己的面前，这带着满身野气的汉子，实在比世上任何男人都要可爱得多。

虽然，就在片刻之前，她还觉得金无望的冷漠、坚定、沉默与善于了解，是她最喜爱的性格。

但此刻，她却又觉得熊猫儿明朗、热情、狂野与难以驯服，才是真正男子汉该有的脾气。

她幽幽地出着神，暗自思忖："若说世上有个人能在我心里代替沈浪的位置，一定就是这只熊猫，他既然如此爱我，我何必再想沈浪。"

抬头望去，熊猫儿也正在出着神，也不知在想什么，他的浓浓的双眉微微皱起，使得他那明朗而豪迈的面容，又平添几许稚气的忧郁之意，正像是玩倦了的野孩子，正坐在街头等着他母亲抓他回去。

朱七七突然觉得有一种母性的温柔自心底升起，浪潮般的温暖掩没了她的全身，不由得轻轻问道："你在想什么？"

熊猫儿道："想你。"

朱七七甜甜地笑了，一只手轻抚着熊猫儿微微皱起的眉结，一只手紧抓着他的手掌，柔声笑道："我就在你身旁，你想我什么？"

熊猫儿道："我在想，这一天来你在干什么？是否寂寞。"他自远方收回目光，凝注着朱七七，朱七七也正在凝注着他。

朱七七道："我不寂寞，有个人陪着……"突然跳了起来，大声道："不好。"

在这充满了柔情蜜意的情况中，她竟会跳起来，当真是有点杀风景，熊猫儿又惊又奇，又有些失望道："什么事不好了？"

朱七七道："这一日来，金无望都在陪着我，但此刻，他却被金不换那些恶人困住了，咱们得去救他。"

熊猫儿还是坐着，动也不动。

朱七七娇嗔道："你听到了么？快走呀。"

熊猫儿道："原来他一直陪着你，原来你和我在一起的时候，心里还会想着他，好……好，算我错了。"

他的话酸酸的，带着醋意，而世上的多情少女们，又有哪一个不喜欢男子为她吃醋呢。

朱七七的娇嗔立刻化作柔情，嫣然一笑，抚摸着他的头，柔声道："傻孩子，就是因为我看到你太高兴，所以才将什么事情都忘了，但……但别人有难，咱们总该去救他呀。"

熊猫儿抬头道："你见着我，真的高兴？"

朱七七道："真的……真的……"

熊猫儿突然惊呼一声，一跃而起，道："咱们走。"拉着朱七七的手，急奔而出。

朱七七摇头笑道："真是个小孩子……"

两人携手急奔，朱七七不断指点着路途。

这雪原本有人踪，朱七七与金无望方才奔行一深一浅两行足迹，还残留在雪地上——浅的足迹自是金无望留下的，深的是朱七七，到了荒僻处，突又多了一人足迹，便是那时跟在他们身后的金不换所留了。

熊猫儿追着这足迹奔了许久，突然驻足道："不对。"

朱七七道："什么不对？"

熊猫儿道："这足迹在兜着圈子，只怕又是你们……"

朱七七一笑接道："是我们的，只因……"

她这才简略地将方才经过之事说了出来，熊猫儿愈听愈是惊奇，两人边走边说，突然瞧见一片雪上，足迹纷乱。

朱七七道："就在这里。"

熊猫儿道："这就是你们方才动手之处？"

朱七七道："不错……但他们却已走了，莫非金无望已被……已被他们所擒……”

突听熊猫儿惊呼一声，道：“你瞧那里。”

朱七七顺着他目光瞧去，面色亦是大变——雪地上零乱的足印间，竟赫然有一摊鲜血。

热血渗入雪中，便化开了，颜色变得极淡，再加上足底泥污，若不仔细去瞧，实难觉察得出。

两人掠了过去，熊猫儿抓起一团染血的雪，凑在鼻子上嗅了嗅，浓眉便又皱了起来，沉声道：“不错，是血。”

朱七七颤声道：“如此说来他……他莫非已遇害了么？”

熊猫儿且不答话，俯首去瞧地上的足印。

他瞧得极是仔细、谨慎，朱七七先也不敢打扰，但过了盏茶时分，她却终于忍不住了，问道：“人家急死了，你在瞧什么呀？”

熊猫儿沉声道：“这些足印，骤眼看来虽然是一模一样，但仔细分辨，它们之间的差异却仍可看得出来。”

朱七七虽是满心惊惶悲痛，但仍不免起了好奇之心，亦自垂首望去，瞧了半晌，却也瞧不出所以然来。她愈是瞧不出，那好奇之心也愈盛，愈是想瞧个明白，索性蹲了下去，又瞧了半晌，终于道：“这有什么不同……难道你真的瞧出了么？”

熊猫儿道：“难道你瞧不出？”

朱七七道：“我……我……好像……有些……”

她实不愿说出认输的话，只望熊猫儿快些接下去说，哪知熊猫儿含笑望着她，却偏偏不开口。

她只有站起来，跺足道：“好，我认输了，我瞧不出。”

熊猫儿笑道：“你仔细瞧瞧看，只因你还没有捉摸到观察事物的方法……”

朱七七娇嗔道：“你捉摸到了，你厉害，你倒是说呀。”

熊猫儿指着一个足印道：“你瞧，这个足印最大，想见此人身材最是魁伟，而这几人之中，身材最最魁伟的便是……”

朱七七拍掌道：“不错，这足印是连天云的。”

熊猫儿又指着另一足印，道：“这足印与别的足印形状俱不同，只因此人穿的是多耳麻鞋，而多耳麻鞋通常是出家人穿的。”

朱七七喜道："天法大师！这是天法那老和尚的。"

她也指着一个足印，道："这是草鞋的印子，冬天穿草鞋的，只有乞丐……金不换呀金不换，这双足印是你留下的么？"

举起脚来，狠狠在那足印上踩了几脚。

熊猫儿笑道："举一反三，触类旁通，你不但可爱，而且还聪明得很。"

朱七七道："但还有三个足印，我又看不出了。"

熊猫儿道："这三个足印，看起来都无特异之处，的确难以分辨，但……你瞧瞧这里，就又可分辨出了。"

他指着的是两只特别深而清晰的足印，两双足印，相隔数尺，入雪之深，仿佛用刀刻的一般。

朱七七拍手道："呀！是了，这就是金无望与冷大在比武时留下的，那时两人许久都站着不动，而且都费劲得很，留下的足印，自然特别深了！"

熊猫儿接口道："而冷大既然落败，这最深的一双足印，自然就是他的。"

朱七七喜道："不错，不错。"

其实她也知道纵然认出每个人的足印，也未必有什么用处，但她弄懂了一件事，还是忍不住要十分欢喜。

她说别人像个孩子，其实她自己才真像个孩子。

熊猫儿又道："还有一点，冷大终年足不出户，所以他的足印，还有麻线的印子，而金无望近来马不停蹄，东走西奔，足底早被磨得光光滑滑了。"要知那时皮革尚不通行，鞋底通常都是用麻线纳成的，取其坚韧柔软，穿着舒服，而武林人士穿着的薄底快靴，更是大多属于此类。

朱七七听得又是欢喜，又有些佩服，不住颔首笑道："不错……不错……"

熊猫儿道："别人的足印都分出了，剩下的一双，自然就是李长青的……你那双女子的足印，更是不用说了。"

朱七七笑道："你这小猫猫，你真是愈来愈聪明了。"突然伸出手来，在熊猫儿面颊轻轻拧了一下。

这“小猫猫”三个字，当真有说不出的亲密，说不出的爱娇，那轻轻一拧，更是令人灵魂上天。

熊猫儿痴痴地大笑一阵，又道：“其实我这观察事物之法，多是自沈浪那里学来的，他……”

朱七七突然抬起头，大声道：“你又说起他……你又提起他了，我听到这名字，就头疼。”

其实她疼的不是“头”，却是“心”，她自觉自己早已忘了那沈浪，但只要一听到这名字，她的心就好像被针刺着。

熊猫儿忽然见她发这么大的脾气，倒呆住了。

呆了半晌，讷讷道：“你不愿听，以后我……我再也不说就是。”

朱七七道：“再说……再说你是什么？”

熊猫儿道：“再说就是王八蛋。”

朱七七这才回嗔作喜，展颜笑道：“好，脚印都分出了，然后呢？”

熊猫儿指着金无望的足印道：“你瞧，这同一足印有的在六人中最轻最淡，有的却又是最深最重，这表示金无望之轻功，本是六人中火候最温的，但到了后来，却因气力不继，显然他必定是经过了一番浴血苦战。”

朱七七笑容立又敛去，焦急地问道：“还有呢？”

熊猫儿又指着一行足印，道：“这些足印，足尖向外，显然是他们离去时留下的，但这其中，却少了金无望的脚印……”

朱七七惊呼道：“如此看来，莫非他已被人制住，抬着走了。”

熊猫儿苦笑一声，道：“想来只怕是如此的了。”

朱七七急出了眼泪，顿足道：“这怎么办呢？那他落入他们手中，那……那真比死还要难受。”金无望的脾气，的确是宁愿死，也不能屈服。

熊猫儿默然半晌，沉声道：“这些脚印，都比他们来时深得多了，显见他们的气力也耗损了不少，尤其是连天云和冷大……”

朱七七截口道：“但……但金不换从来不肯出力与人动手，足印怎地也变得这么深？”

熊猫儿接道：“金无望想必就是被他抬着走的，两个人的重量加在一起，那脚印自然要深了。”

朱七七跳了起来，拼命践踏着金不换的脚印，流着泪骂道：“恶贼……畜生！你们……要是敢在路上故意折磨他，总有一天，我要把你切成一块块的来喂狗。”

熊猫儿伤感地望着她，却不知是在为她伤感，还是在为自己伤感——看见自己的心上人在为别人如此着急，心里的确不知是何滋味。

朱七七已一把拉住了他，颤声道：“求求你，帮我去救他好么？”

熊猫儿垂首道：“我……我……”

朱七七流泪道：“我世上的亲人，只有一个你，你难道忍心……”

熊猫儿突然顿了顿脚，大声道：“走。”

熊猫儿其实早知自己纵能追着他们，但要想自天法大师、金不换这些人手中救回金无望，实是难如登天。

然而，世上又有哪个男子能拒绝自己心上人的流泪哀求，更何况是熊猫儿这样热情的男儿。

他索性什么话也不说，到时候只有拼命。

两人追着足迹而奔，心中俱是心事重重，一时间，谁也没有说话，但朱七七的手掌一触熊猫儿，两只手便又握在一起。

足迹北去，并非去向洛阳，却到了一座山麓，山虽不高，但站在山脚下往上瞧去，还是要教你瞧得头晕。

熊猫儿木立山下，突似发起呆来。

朱七七道：“上山呀，发什么怔？”

言语虽然有些责怪之意，但语气仍是亲切而温柔的——她何尝不知道好歹，她何尝不感激熊猫儿对她的心意。

熊猫儿沉声道：“我只是在奇怪，他们擒了金无望后，纵要拷问，也该回到仁义庄去，却为何来到这里？”

朱七七失色道：“莫非……莫非他们要将他带到山上害死？”

熊猫儿苦笑道：“他们若是要下毒手，又何必定要到山上，雪地之中，还不是一样可以动手？这其中必定另有蹊跷。”

朱七七惶然道：“是呀，雪地上一样可以动手，为何要将他带到高山上……唉！我心里实在已全没了主意。”

其实熊猫儿心里又何尝有什么主意。

两人显然都没有什么主意，只有上山瞧个明白。

但山路崎岖，有的岩石、藤草间，积雪甚少，有的地方雪花被山岩挡住，地上根本就无积雪。

于是他们追查足迹，便无方才那么容易。

两人走走停停，张张望望，到了一座山坪，山坪上有个小小的八角亭，朱栏绿顶，衬着满山白雪，更是赏心悦目。

但足迹到了这里，竟突然踪影不见。两人全神贯注，找了半天，却再也找不出一只脚的印子。

熊猫儿皱眉道："奇怪……奇怪……"

朱七七道："奇怪，奇怪……这些人难道突然在这里飞上天去了不成？"突然一拍手掌，大喜接口道："原来如此。"

熊猫儿奇道："你猜出了？"

朱七七道："这种情形，我已遇到过一次，即是我和沈……我和铁化鹤、胜滢、一笑佛这些人，追查古墓的秘密时，也是有一行足印，半途中突然没有了，那时就有人说，他们莫非是飞上天去了不成？"

熊猫儿道："结果是怎么样了？"

朱七七道："后来我才知道，他们走到那里，又踩着自己原来的足印退了回去，教人非但再也追不出他们的下落，还要在暗中疑神疑鬼。"

熊猫儿抚掌道："呀，果然好计。"

他立时往退路追去，但走了两步，却又不禁皱眉道："但这次……这次却未必也是如此。"

朱七七道："为什么？这次为什么就不一样？"

熊猫儿道："那古墓之事，我们所知虽不多，但想见必是些诡秘的勾当，自然要装神弄鬼，故布疑阵，而天法大师这些人……"

朱七七笑笑道："这些人难道就是好人么？"

熊猫儿苦笑道："这些人是好是歹，且不说他，但终究都是有名有姓的角色，纵然藏头露尾，也跑不掉的，何况……他们根本就不知道后面有人追踪，更何况，以他们的身手，纵然有人追踪，他们也未必会躲藏。"

朱七七沉吟半晌，道："这话也不能说完全没有道理，但依你说来，这又是怎么回事呢？难道他们真的突然飞上天空了不成？"

熊猫儿叹道："这……我还是不知道。"

朱七七跺脚道："我不知道，你也不知道，那……那又该怎么办呢？难道就在这里干等着他们再从天上掉下来？"

熊猫儿道："这……我看咱们还是上去瞧瞧，说不定……"

话声未了，山上突有一阵惨呼之声传来。

一个嘶哑的声音，颤声呼道："救命呀……救命呀……"

熊猫儿、朱七七，不由得同时吃了一惊，两人对望一眼，同时展动身形，向惨呼之声传来处奔去。

这呼救之声，是从一处断崖下传上来的。

朱七七和熊猫儿到了那里，呼声已更是微弱，呼救之人，似已声嘶力竭，只是继续着，呻吟似的呼道："我……我已要掉下去啦，哪位仁人君子，来拉我一把吧，我一辈子也忘不了你老人家的好处……"

随声望去，只见那断崖边缘，果然有两只手紧紧攀在上面，指节都已经变成青色，显见已无力支持。

朱七七松了口气，道："幸好这人命不该绝，还未掉下去，我们都恰巧在山上……"

当下大声道："喂……你莫怕，也莫松手，咱们这就来救你了。"方待大步冲将过去，但手腕却被熊猫儿拉住。

熊猫儿皱眉道："且慢，我瞧此事……"

朱七七着急道："人命关天，救人如救火，还等什么？"那人呼救之声愈是嘶哑微弱，她心里便愈是着急。

熊猫儿道："我瞧此事总有些……"

朱七七跺脚道："无论有些什么，总也得先将人救起来再说，再等，等到别人掉下去了，你对得起你的良心么？"

熊猫儿还待说话，但已被朱七七一把推上前去。

他只得颔首道："好，我去救他，你在这里等着。"脱开朱七七的手腕，一步跃到崖前，俯身捉住了那人两只手腕。

朱七七道："用力……快……"

话犹未了，突见本自攀住断崖的两只手掌，向上一翻，双手细指，已扣住熊猫儿右腕脉。

他用的是最犀利之“分筋擒拿手”。

熊猫儿骤出不意，哪里能够闪避，既被捉去，哪里还能挥开，但觉双臂一麻，浑身顿时没了气力。

朱七七一句话还未说完，熊猫儿已惊呼一声，整个人被抡了出去，直落入那百丈绝崖之下！

这变化委实太过突然。

朱七七如遭雷轰电击，整个人都怔在当地。

只听熊猫儿惨叫之声，余音未了，断崖下却已有狞笑之声发出，一条人影，随着笑声翻了上来。

这时天色已晚，沉沉暮色中，只见此人身穿大棉袄，头戴护耳帽，全是一副普通行商客旅在严冬中赶路的打扮。

朱七七惊魂刚定，怒极喝道：“你这恶贼，还我熊猫儿的命来。”

喝声中她亡命般扑了过去。

那人却不避不闪，只是笑道：“好孩子，你敢和我动手？”

语声说不出的慈祥，说不出的和缓。

但这慈祥、和缓的语音一入朱七七之耳，她身上就仿佛狠狠挨了一鞭子似的，跳起来又落下，却再也不会动了。

山风凛冽，大地苦寒。

但见朱七七脸上，却有汗珠粒粒迸将出来，每一粒都有珍珠般大小，她身子虽不能动，手脚却抖个不停。

那人笑道：“好孩子，难为你还认得我。”

朱七七道：“你……你是……”

她咽喉似已被封住，舌头似已被冻结，纵然用尽全身气力，却只见她嘴唇启动，再也说不出一个字来。

那人笑道：“不错，我就是你的好姑姑，天寒地冻，姑姑我穿了这件大棉袄，模样是不是就有些变了？”

朱七七道：“你……你……”

那人柔声道：“姑姑对你那么好，替你穿衣服，喂你吃饭，你却还是要跑走，你这个没良心的。”

他口中说话，脚下已一步步向朱七七走来。

朱七七道："求……求……"

那人笑道："你走了之后，可知姑姑我多么伤心，多么想你，今日总算又遇着你，你还不过来让姑姑亲亲……"

朱七七骇极大叫道："你滚……滚……"

那人笑道："你怎么能叫姑姑滚，姑姑这正要带你走了，替你换上好看的衣服，喂你吃些好吃的东西……"

说到最后一字，她已走到朱七七面前。

朱七七嘶声喝道："你过来，我打死你。"

举手一掌，向那人劈了过去。

但她全身的气力，已不知被骇到哪里去了，这一掌虽然劈出，掌势却是软绵绵的，连只苍蝇都打不死。

那人轻轻一抬手，就将朱七七手掌抓住，口中笑道："你还是乖乖地……"

朱七七耳朵里只听到这六个字，头脑一晕，身子一软，下面的话，便再也听不到一个字了。

山风强劲，片刻间便将她吹醒过来。

刚张开眼，便发觉整个人都已被那"恶魔"抱在怀里，这感觉当真比死还要难受，比死还要可怕。

虽然隔着两重衣服，她却觉得好像是被一条冷冰、黏腻的毒蛇，缠住了她赤裸的身子……

她颤抖着嘶声呼道："放开我……放开我……"

那人笑道："小宝贝，我怎舍得放开你？"

朱七七抬手要去推，却又发觉自己身子竟又瘫软了。

往昔那一段经历，她本已当作是段噩梦，从来不敢去想，然而此刻，她竟又落入那相同的噩梦里。

此刻她心里的感觉，已非恐惧、害怕、悚栗……这些字眼可以形容——世上已无任何字可以形容。

她反抗不得，挣扎不得，满眶眼泪泉涌而出。

她只有颤声道："求求你……求求你，放了我吧，我和你无冤无仇，你何苦如此害我？何苦如此害我？……"

那人笑道："我这样温柔地抱着你，你怎么能说是在害你？这样若是害你，那么你也来抱抱我，你来害害我吧。”

朱七七嘶声道：“何苦不肯放我，求求你，你就杀了我吧，你若是肯杀了我……我做鬼也要感激你的……”

那人笑道：“我杀了你，你怎会感激我？你这是在说笑吧？”

朱七七道：“真的……真的……真的……”

第十五章

同入牢笼

那人再不答朱七七的话，抱着她走到断崖旁，垂首瞧了两眼，忽然笑道："你那痴心的猫儿，倒真有些本事，居然用他那猫儿爪子抓住了一样东西，居然直到此刻还未掉下去。"

朱七七惊喜冲口道："他还未死？"

那人道："嗯，还未死，他还想挣扎着往上爬哩，只可惜他是再也爬不上来的了……你可要瞧瞧他么？"

朱七七一直不敢瞧"他"，一直不敢张开眼睛。

此刻但觉"他"抱着她的身子，悬空往外一送。

她颤抖着张开眼来，只见山下云雾氤氲，深不见底，在那如刀削一般的绝壁上，果然有一条人影在挣扎着，蠕动着……

朱七七瞧了一眼，头就晕了，赶紧闭起眼睛，道："求求你！救救他吧。"

那人道："救他？我为何要救他？"

朱七七道："他……他是为了救你，才掉下去的。"

那人大声道："我一路跟踪你们，直到这里，才想出这妙计，送他的终，你难道还以为我方才真是在求救么？"

朱七七道："你……你这恶魔，畜生。"

那人笑道："不错，我是恶魔，但你方才为何不想想，在此等地方，怎会有人呼救？你方才为何要他来救我？这岂不是你害了他？"

朱七七想起方才的情况，想起熊猫儿几番要说话，却被自己拦了回去——她不觉更是心如刀割，嘶声惨呼道："熊猫儿……熊猫儿，是我害了你……是我害了你……"

绝崖之下，突然也有熊猫儿的呼声传了上来。

“七七……朱七七……你在哪里？……你安好么？”

这呼声中充满了一种绝望的焦急与关切——这焦急与关切并非为他自己，而是为了朱七七。

当一个人自己挣扎在生死边缘时，却还要去关心别人，这又是一份何等伟大而强烈的情感。

朱七七的心都被撕裂了，血淋淋地撕裂了。

她嘶声大叫道：“猫儿，我在这里……猫儿……”

她拼命挣扎着，不顾一切要跳下去，此刻在她心里只有一个念头，单纯的一个念头，跳下去，和这男人死在一起。

别的事她早已不再顾及，她早已全都忘记。

但那恶魔的一双手，却像是钢钳似的，抱着她，她哪里能挣得脱，她哪里能跳得下去。

朱七七嘶声呼道：“放手……放开我。”

那人咯咯笑道：“宝贝儿，我不会放手的，我辛辛苦苦，才又把你得到手，怎会这么容易让你死？从此以后，最好你连死这个念头都不要想起。”

朱七七终于放声大哭道：“天呀，我连死都不能死么？”

那人道：“死，这件事最奇怪了，不错，有些人是要死，却困难得很，但另一些人想死，却是说不出有多容易……”

语声之中，突然飞起一足，对崖边一块巨石踢下。

这石块带着一阵摄人魂魄之声滚了下去，接着，崖下便有一阵摄人魂魄的惨呼声传了上来。

朱七七嘶声而呼——但呼声突然中断，有如被人扼住了她喉咙似的，只因崖下的惨呼声也突然中断。

然后是一段死一般的静寂——风也似突然停了，低暗的苍穹，青灰的岩石，积雪的枯枝……

天地间的一切，都似已在这死寂中突然凝结，而全都凝结成一幅令人窒息的、惨白的画面。

但在朱七七满含痛泪的双目中，所见到的却似乎是另一幅画面——一幅活生生、血淋淋的画面。

她仿佛眼见熊猫儿被那巨石击中，落下。于是这生气勃勃、充满活力的男子，在瞬息间就变为一团肉泥。

朱七七全身所有的感觉，在这瞬息间也全都麻木，也不知过了多久，她才能感觉出抱着她的那“恶魔”，脚步已在移动。至于他此刻是走向哪里，已走到哪里，她全不知道，也不想知道。

只因无论“他”走向哪里，对她来说，已全无分别——她已落入魔掌，无论走哪条路，反正都是通向地狱。

但这地狱却在山巅。

那人抱着她，竟走上山去。

山路崎岖而曲折，有时根本无法觅路，但这恶魔却走得甚是轻松，对这曲折的山路竟是熟悉得很。

这条路莫非他已走过多次了？

这条路又是通向哪里？

冷僻的山巅上，竟有一片松林，自积雪的松林中望过去，竟隐约可以看到高墙、屋脊。

朱七七突然大声道：“站住。”

那人诧声道：“站住？”

朱七七道：“不错，站住，我有些话要问你。”

那人更是奇怪，道：“有些话问我？”

“他”看到朱七七苍白的面容，突然因兴奋而发红，她那绝望的目光，也突然变得激动得意，而有生气。

这情况正如在无情海中即将淹死的人，突然抓住一块木板一般——但朱七七却又抓住了什么？她莫非想起了什么？

只听她大声道：“我叫你站住，你就得站住，我有话问你，你就得回答，知道么？”

那人忍不住笑了起来，笑道：“小宝贝儿，什么时候你竟变得可以向我发施命令了，你心里究竟在转些什么奇奇怪怪的念头？”

朱七七道：“你难道以为我还不知道你是谁？”

那人道：“知道又怎样？”

朱七七道：“你是快活王门下，你姓司徒，你就是专门为快活王在外面寻找美人的色魔，你此刻就是要把我送到他手里去，做他的……他的姬妾。”

那人笑道：“不错，这又怎样？”

朱七七道：“你此刻若不听我的话，等我做了他姬妾之后，必定想尽一切法子，来……来博得他的宠爱……”

这些话她显然是花了很大的气力，咬住牙才能说出口的，但仍然不免说得有些结结巴巴。

此刻她喘了口气，勉强装出笑声，道：“我若变了他宠爱的人，我说的话，他必定言听计从，我就算要他杀了你，想必也容易得很。”

那人果似呆了一呆。

朱七七接口笑道：“这些话，你想必也该知道我不是吓你的，我说得出，必定做得出，你再仔细想想，就该害怕……”

那人道：“不错，我好怕呀。”

朱七七道：“你既知害怕，此刻便该……”

那人突然大笑起来，大笑道：“小宝贝儿，这些话，真亏你是怎么想得出的，你真是个聪明的伶俐人儿，我真该亲亲你。”

果然俯下头来，狠狠亲了朱七七一口。

朱七七面上骤然又失却血色，颤声道：“你……你……你不……不在乎？”

那人再不说话，纵声大笑，扬长走入了松林。

松林中的庄院，竟是出人意外的宏伟，但见红墙高耸，屋脊栉比，那积雪的飞檐，如龙如凤，更显示出这庄院气象的豪华。

黑漆门前，静寂无人。

那恶魔竟扬长推门而入，宛如回到自己家里似的。

朱七七虽然又已完全绝望，但仍不禁在心中暗惊，忖道：“这里莫非是那快活王在中原早设下的巢穴？……”

转念之间，但觉一阵暖气袭来，瞬即包围了她全身——他们已走入一间雅室，面对了一盆熊熊炉火。

炉火烧得正旺，室中却还是瞧不见人影。

那人在一张柔软的短榻上放下了朱七七——朱七七立刻感觉到“他”那满怀恶意的目光，正凝注着她蜷曲的身子。

她心房“怦怦”跳动，闭起眼睛，不敢接受这双眼睛，在这温暖如春的无人小屋里，她不敢想象会发生什么事。

直到此刻为止，她还不能断定这“恶魔”是男是女，但她总觉得“他”目中的恶魔是淫猥的。

尤其这一次，她只觉“他”目中的淫猥之意似乎比上次更为明显，这虽然明明是同样的一双眼睛，但前后两次的差别却又不少，这是为了什么？这其中想必总有些暧昧的、空虚的问题。

这些问题，她此刻又怎会有心去深思？

她紧闭双目，紧闭牙关，来等待着一切最坏的事情发生，在这残酷的等待中，她只望她的躯壳已不属她自己。

哪知过了许久，那恶魔竟仍然毫无动静。

她咬牙忍耐着，身上每一根毛发，都似已直立起来，在这充满春意的雅室中，她但觉比冰天雪地还要寒冷。

突然间，她感觉到“他”在转身，“他”竟似已在缓步走了出去，她不敢相信，她忍不住张开眼睛。

于是，她便瞧见“他”已经走出门外的背影。

他竟果然真的走了，竟没有任何事发生，虽使得她几乎要高呼出声，却又不禁使她大感吃惊。

“‘他’怎会如此轻易便放过我？

“哦，是了，反正我已落在‘他’手中，‘他’无论想在什么时候动手都可以，又何必着急？

“呀，莫非‘他’表面上虽装得毫不在乎，心里却真的被我方才那番话吓住了，所以不敢对我无礼。

“不对，这样的恶魔，怎会被我吓住？‘他’此刻虽走了，等一下却说不定会用什么恶毒的手段对付我。”

在这一刹那间，她心中忽惊，忽喜，忽忧，忽惧。

也就在这一刹那间，她忽又感觉到“他”背影看来似乎有些异样，似乎与上次有些不同。

她暗忖道：“莫非‘他’不是上次那个人？”

但转瞬间她便为自己的疑问作了否定的答复：“朱七七呀朱七七，这明明是同一个人，你胡思乱想些什么？”

她开始转动目光，只见这雅室中，无论一案一几、一瓶一碗，都布置得极为华丽雅致。

她忍不住又暗惊忖道：“不想快活王在中原竟也暗中布置有这样不凡的落脚之处，他自己既未入中原，这地方又是谁布置的？”

她暗中猜测：“这恶魔胸中绝不会有这样的丘壑，绝对布置不出如此雅致，而不显俗气的地方。

“那么，这莫非是金无望布置的？嗯，他倒有点像，但……但此地若是他布置的，为啥未听他提起？

“嗯，还有，天法大师等人的足迹，亦是走向此山，他们的足印在半山小亭前突然消失，只因那小亭中另有密道通向此处，他们走入密道，足印自然不见，他们虽未飞上天，却入了地下。

“但……但这也不对，以金无望的性子，纵然被擒，被逼，也绝不会把他们带来这里，更不会把这密道告诉他们。

“呀，莫非他们非但未曾制伏金无望，反被金无望所擒，所以金无望便把他们带来这里？

“金无望若在这里，我也就有救了……有救了。但……但金无望又怎能胜得那四人？这简直是绝无可能的事。”

她虽叫自己莫要胡思乱想，却忍不住还是胡思乱想起来，愈想心愈乱，愈想愈不知是忧？是喜？是惧？

忽然间，门外似有人影一闪。

虽只匆匆一瞥，但朱七七已感觉这身影竟是如此熟悉：“是谁？这是谁？是谁有这样的身影？”

她拼命在千头万绪、纷乱如麻的思潮中捕捉记忆……忽然，她心头灵光一闪，脱口呼道：“这是李长青。”

那颀长而潇洒的身影，那在她眼角中匆匆飘过的一拂长须，一点不错，正像是李长青的。

但“不败神剑”李长青又怎会在这里。

他若是真的被金无望擒来这里的，行动又怎能如此自由？他若是威逼金无望把他带来这里的，那么方才早已该和那恶魔对打起来，无论谁胜谁负，总会发出声响，又怎会未曾听得丝毫动静？

莫非他已与这恶魔同流合污？

不，以他的身份，这是绝无可能的事。

但若非如此，他行动为何又如此鬼祟？

朱七七还是想不通，还是愈想愈糊涂，在这些事当中，当真是充满了悬疑的、矛盾的、不合情理的问题。

这时，两个人大步走了进来，打断了她一切思潮。

前面的一人，身材瘦小，长衫及地，头上蒙着个黑布罩子，连双手都缩在袖中，朱七七非但看不出他形貌，甚至根本分不出他是男是女。

后面的一人，身材高大，如同半截铁塔，浓眉环目，面如锅底，一看就知道是条空有几身笨力气的莽汉。

朱七七虽知道两人来意不善，但除了那“恶魔”外，她是谁也不认得，当下大喝一声，道：“你们是谁？干什么来的？”

那长衫人道：“我是谁，你管不着，我此来只是问你一句话……”语声尖锐，简短，刺耳，似是故意装作出来的，又似是天生如此。

朱七七大声道：“你若不取下面罩，无论你问什么，都休想得到我一个字答复。”

她全身虽然瘫软，说话的声音却仍不小。

长衫人道：“你真要如此？”

朱七七道：“信不信由你，不信你就……”

长衫人突然冷笑一声，道：“大黄，上。”

那大汉咧嘴一笑，露出狼狗般的森森白齿，狼狗般一步蹿到朱七七面前，一把抓起了朱七七衣襟。

朱七七小鸡般被提了起来，嘶声呼道：“你……你要怎样？”

那大汉龇牙道：“他问你话，你就回答，知道么？”

朱七七道：“我……我偏不……”

那大汉嘿嘿笑道：“你不？”五根手指一用力，朱七七前胸衣裳就裂开了，他若再一用力，朱七七胸膛便要露出。

朱七七恨不得把这狼狗般的大汉一脚踢死，但此刻……唉，此刻她却只有忍住眼泪，咬住牙，颤声道：“你……你……你问吧。”

长衫人冷冷笑道：“这就是了，又何必自讨苦吃……我且问你，你是否愿意做我家王爷殿下的第二十七姬妾？”

朱七七大怒道：“放屁，放你……”

那大汉暴喝一声，道：“你敢。”

朱七七嘶声道："朱姑娘既已落在你们手中，要杀要剐，都只有由得你，但是你若要朱姑娘说'愿意'，你这是做梦。"

长衫人道："你真的不愿？"

朱七七狠狠瞪着他，再不开口。

长衫人冷冷道："大黄……"

那大汉咧嘴又一笑，但闻"哧"的一声，朱七七前胸一块衣襟，便整个被撕了下来，晶莹的胸膛，立时露出。

她仰天倒了下去，倒在软榻上，嘶声大骂道："恶贼，恶狗，你……"

那大汉双手一沉，又抓住了朱七七双肩的衣服，这时只要他双手一分，朱七七身子就要变为赤裸。

长衫人道："你愿不愿意？"

朱七七拼命低着头，想挡住那大汉狼狗般在她前胸搜索的目光，只因她竟已无力抬起手，掩住胸膛。

她流泪道："我反正已是你们的掌中之物，你们无论要怎样，我都不能反抗，我愿不愿意，又有什么不同？"

长衫人道："这其中自有不同的。"

朱七七道："我……我……"

长衫人道："你究竟怎样？"

朱七七心一横，嘶声大呼道："我不愿意，死也不愿意，你叫这恶狗撕光我的衣服，凌辱我，我还是不愿意，你们……你们要怎样，就怎样吧，反正这身子已不是我的了，但我的心，你们这群恶狗谁也休想碰一碰。"

她口中嘶声大呼，眼泪早已如雨而下。

那长衫人默然半晌，似乎也被她这种激烈的性子惊呆了——他未发令，那大汉自也不敢动手。

过了半晌，长衫人方自缓缓道："大黄，送她入地牢，让她好好想想。"

是地牢，又是囚禁，又是绝望，厄运似乎对朱七七特别多情，总是接连不断地照顾到她身上。

天下所有的地牢，都是阴森、潮湿而黝黯的，这山巅华宅的地牢，其阴森潮湿更在别的地牢之上。

那大汉果然全无怜香惜玉之心，在地牢上的洞口就将朱七七重重摔了下去，摔在坚冷石板的地上。

这一摔直摔得朱七七全身骨头都似被摔散了——她一声惨呼尚未出口，人已当时晕了过去。

也不知过了多久，她晕迷之中，只觉有个亲切而熟悉的语声，在她耳畔轻轻呼唤，呼唤着道："七七……七七……醒来。"

这语声缥缥缈缈，像是极为遥远。

这语声虽因长久的痛苦，痛苦的折磨而变得有些嘶哑，但听在朱七七耳里，却仍是那么熟悉。

她心头一阵震颤，张开眼来，便瞧见一张脸，那飞扬的双眉，挺秀的鼻子，那不是沈浪是谁。

朱七七一颗心似已跳出腔外，她用尽全身气力，抬起双手，勾住沈浪的脖子，颤声道："沈浪，是你，是你。"

沈浪道："七七，是我，是我。"

朱七七热泪早已夺眶而出——这是惊疑的泪，也是欢喜的泪，她满面泪痕，颤声地道："这……这是真的？不是做梦？"

她拼命抱紧沈浪，仿佛生怕这美梦会突然惊醒。

沈浪道："是真的，不是做梦。"

朱七七道："我早就知道你会来救我的，我真的早就知道……你绝不会让我受恶人欺负，你一定会救回我的。"

沈浪默然半晌，黯然叹道："但我并未救出你……"

朱七七心神一震，失声道："什么，你并未救我？那……那我怎会见到你，莫非……莫非你也被关在这地牢中了……"

这问题已无须沈浪答复，只因她此刻已瞧见那岩石砌成的牢壁——沈浪竟早已被人关在这地牢中了。

这发现宛如一柄刀，"嗖"地，刺入朱七七心里，没有流血，也没有流泪，只因她连血管与泪腺都已被切断。

她整个人，完完全全，都已被惊得呆在当地。

沈浪嘴角也早已失去他那份惯有的、潇洒的微笑。

他黯然垂首叹道："我实在无能……我……我实在无用，你想必也对我失望得很，早知……唉，我死了反而好……"

朱七七突又泪如泉涌，颤声呼道："不，不，不，你不能死，你不会死的，我只要能见着你，我已完全心满意足了，我怎会失望？"

沈浪道："但……但在这里……"

朱七七道："不要说话，求求你不要说话，紧紧抱着我，只是紧紧抱着我，只要你紧紧抱着我，我，我……什么都不管了。"

这是真的，在沈浪怀抱中，她真的什么都已忘怀。

金无望的体贴，熊猫儿的激情，她真的已全都忘得干干净净，她甚至也已忘记就在片刻前，她还要跟着熊猫儿一起死的。

她热情，她也多情，别人对她好时，她就会不顾一切去回报那人，但那只不过都是一时热情的激动而已。

但她对沈浪的情感，却似一根柔丝，千缠百绕，紧缚住她，那真的纠缠入骨，刻骨铭心，挣也挣不开，斩也斩不断。

黝黯的地牢，光线有如坟墓中一般灰暗，阴森的湿气寒气，正浮漫而无情地侵蚀着人的生命。

但在沈浪怀中，朱七七却宛如置身天上。

她絮絮地诉说着她的遭遇，她的痛苦，她的思念——仿佛只要能向沈浪诉说，她所遭受的一切便都有了报偿。

沈浪却只是不住长叹，垂首无语。

此时此刻此地，他又有什么话好说。

朱七七仰首望着他，在秋雾般惨淡凄迷的光线中望着他，几番嘴唇启动，几番欲言又止。

她终于还是忍不住道："你……你是怎么……来的？"

沈浪黯然道："迷药，我再也未想到，在那荒林野店里所喝的一碗豆浆中，也有迷药，唉！一招失算，大错便已铸成，等我醒来时，已在这里了。"

朱七七流泪道："你一定受了许多苦，你瞧……就连你的声音都已被那班恶贼折磨成如此模样，我恨……我好恨……"

沈浪黯然道："恨……恨……唉，恨又如何？"

朱七七哽咽道："告诉我，那些恶贼究竟用什么法子来折磨你，你究竟受了些什么样的苦？告诉我吧，求求你。"

沈浪咬紧牙关，无语。

朱七七道："我知道，无论受了什么苦，你都不会说的，你不是会向别人诉苦的人，但是我……你连对我都不肯说？"

沈浪喃喃道："说……说又如何？"

朱七七嘶声道："他们怎样对付你，我就要怎样应付他们，我要再加十倍来对付他们，好教他们知道我……"

突然顿住语声，怔了半晌，放声大哭道："我连死都不能死，还说什么对付他们，还说什么报仇，我真是呆子、疯子……我……我真恨自己。"

沈浪柔声道："七七，莫哭，仇总要报的。"

朱七七身子一震，顿住哭声，抬起头，颤声道："你能……"

沈浪缓缓道："机会，只要有机……"

突然，一道亮光，自上面笔直照了下来。

沈浪抱起朱七七，身子一动，便避开数尺。

那狼狗般大汉的头，已自洞口露出——这洞口离地至少也有五丈，自下面望上去，他看来更是不像人。

朱七七嘶声呼道："看什么？"

那大汉咯咯一笑道："你们饿了么？"

朱七七道："饿死最好，你快滚！"

那大汉又是一笑，举手在洞口晃了晃，口中道："这里是咱们喂狗的馒头，要不要，随便你。"

朱七七怒道："你才是恶狗，你……"

她话未说完，嘴已被沈浪掩住。

沈浪竟仰首道："如此就麻烦大哥将馒头抛下来。"

那大汉狂笑道："不吃白不吃，到底是你聪明。"

手掌一扬，果然抛了几个馒头下来，落在地上，竟发出"嘣、嘣"的声音，那馒头硬到什么程度，自是可想而知。

牢洞阖起，沈浪也松开了掩住朱七七嘴的手。

朱七七又气又急，又惊又怒，道："你……你真的要吃这馒头？"

沈浪缓缓道："纵不吃它，也是有用的。"

朱七七道："有什么用？"

沈浪道："机会来了，便有用了。"

竟将那些馒头全都拾了起来，放在怀中。

朱七七呆望着他，半晌，突然道："你气力还未失去？"

沈浪道："还好。"

朱七七目中现出狂喜之色，道："难怪你说你能报仇，只要你气力未失，纵然将你关在十八层地狱里，你也是一样能逃出去的。"

沈浪道："你真的这么相信我？"

朱七七道："真的，真的……"

挣扎着爬了一步，倒入沈浪怀抱中。

过了半晌，朱七七突然又道："对了，你瞧我有多糊涂，我见到你委实太过欢喜，竟欢喜得忘记将一件最重要的事告诉你。"

沈浪道："什么事那般重要？"

朱七七道："金无望虽将展英松等人送入了仁义庄，但展英松等人一入庄之后，便全都毒发而死，李长青他们只道是你做的手脚，正在到处找你。"

沈浪失声道："有这等事？"

朱七七道："此事乃他们亲口说出的，想必不会假。"语声微顿，又道，"你可猜得出这是怎么回事？"

沈浪叹道："一时之间，我委实还不敢断言……"

朱七七截口道："我却敢断言，这一定是王怜花搞的鬼，我真不懂，你明知他是坏人，为何还要和他那般亲近？"

沈浪苦笑道："敌我之势，强弱悬殊，我已有快活王那般的大敌，又怎敢再与王怜花结仇，无论如何，他总非快活王一路的。"

朱七七道："哼，依我看来，他比快活王还坏得多，你宁可先暂时放却快活王，也不能让他母子太过逍遥。"

沈浪默然半晌，缓缓道："与他母子作战，我胜算委实不多。"

朱七七道："你何必长他人之志气，灭自己的威风？你哪点不比王怜花强，王怜花又凭哪点能胜得过你？"

沈浪叹道："别的不说，单以财力、物力而论，我便与他相差太远，唉……我如今才知道，双方作战，钱财之力量，有时委实可决定胜负……唉，只恨我昔日对这些铜臭之物，瞧得太过轻贱。”

朱七七道：“钱财又算什么，我有。”

沈浪道：“你有又如何？”

朱七七道：“我的就是你的，我……”

沈浪微怒道：“我岂是会接受你钱财之人。”

朱七七道：“但……但我有岂非等于……”

沈浪怒叱道：“莫要说了。”

朱七七默然半晌，幽幽道：“就算我的你不能接受，但此次争战，我也是有份的，常言说得好，有钱出钱，有力出力，我难道就不能为此战尽一份力么？”

沈浪道：“但我又怎能要你……”

朱七七截口道：“做大事的人，不可拘泥小节，你若连这点都想不通，不如到深山里去做和尚好了，还谈什么别的。”

沈浪道：“这……这……”

朱七七“扑哧”一笑，道：“还‘这’什么，这一次你总算被我说服了吧……告诉你，我爹爹虽然小气，但对我却不错，因为我大哥、二姐、三姐、四姐、五姐、六姐，自己也都生财有道，而我却只是个只会花钱，不会赚钱的没有用的人……”

沈浪一笑道：“这话倒不错。”

朱七七娇嗔道：“你听我说呀……所以我爹爹就将本该分给七个人的家财，全都给了我，这数目可真不少哩。”

沈浪道：“难怪江湖中人都道朱七小姐乃是女中邓通。”

朱七七道：“你瞧你，又来刺我了，人家好心好意，你却……”

沈浪道：“好，好，你说吧。”

朱七七回嗔作喜，道：“这才像话……告诉你，这份钱财，我十二岁那年已可随意动用，但放在爹爹那里，我拿着总是不方便，所以我就跟爹爹歪缠，缠到后来，他只有将这份钱财全都交给了我，我就将它们全都存到我三姐夫那里去。”

她娇笑一声，接着：“我三姐夫是山西人，算盘打得嘀呱响，但却最怕我，我跟他言明在先，我不要他的利息，但我若要银子使用，我白天要，他就不能在晚上给我，我要十万两，他也不能给我九万九。”

沈浪道：“你三姐夫可是人称‘陆上陶朱’的范汾阳么？”

朱七七道：“奇怪奇怪，你居然也知道他？”

沈浪笑道：“江湖中成名之辈，有谁我不知道？何况这范汾阳非但长袖善舞，掌中一柄铁骨扇，招数也不弱。”

朱七七反笑道：“好，算你厉害……告诉你，我为了方便还和他约定好了，只要我信物一到，便可在他四省三十七家钱铺中随意提取金银，认物不认人……”

沈浪摇头道：“他怎会如此信得过你？”

朱七七道：“嘿，他的钱虽不少，但我的可比他还多，他为何信不过我？”

沈浪道：“如此说来，你那信物倒要小心存放才是。”

朱七七笑道：“我这信物是什么，别人做梦也猜不到，更莫说来抢了，这信物终日在我身上，可也没有被人取走。”

沈浪诧声道：“就在你身上？”他知道朱七七内外衣裳，都曾被人换过，这如此贵重之物若是在她身上，又怎会未被别人取走？

朱七七却笑道：“不错，就在我身上，那就是……”

沈浪道：“你莫要告诉我。”

朱七七道：“我非但要告诉你，还要将它给你。”

沈浪道：“我不……”

朱七七道：“嗯——你莫忘了，你方才已答应了，为求此战得胜，将此信物放在你身上又有何关系，你难道又要迂了么？”

沈浪长叹一声，默然无言。

朱七七声音突然放低，耳语道：“我耳上两粒珠环，便是信物，这两粒小珠子看来虽不起眼，但将珠子取下那嵌珠之处，便是印章，左面的一只是阴文‘朱’字，右面的一只是阳文‘朱朱’两字，凭这两只耳环，任何人都可取得约摸七十万两……七十万黄金，不是白银，这数目想必已可做些事了吧。”

这数目无论在何时何地，当真都足以令人吃惊，就连沈浪都不禁觉得有些意外，口中都不禁发出惊叹之声。

朱七七笑道：“我随身带着这样的珍贵之物，只可笑那些曾经将我擒住的人，竟谁也没有对它多瞧上一眼。”

要知那时女子耳上全都穿孔，是以女子耳上戴有珠环，正如头上生有耳朵同样普遍，同样不值惊异。

只因那是无论贫富，人人都有一副的。

沈浪终于拗不过朱七七，终于将那副耳环取了下来。

朱七七笑道：“这才是乖孩子……但这耳环在你们男子身上，可就要引人注意了，你可千万要小心些。”

沈浪道：“你不放心我么？”

朱七七柔声道：“我自是放心你的，莫说这耳环，就算……就算将我整个人全都交给你，我也是放心得很。”她紧紧依偎着沈浪，真的恨不得将整个人都融入沈浪身子里，这时，她反而有些感激那“恶魔”了。

若不是“他”，她此刻又怎会在沈浪怀抱里。

又不知过了多久，沈浪突然大喝道：“水……水……”

朱七七虽吃了一惊，但已料想出他此举必有用意。

只听沈浪呼喝了半晌，那牢洞终于启开。

那狼狗般的大汉，又探出头来，怒道：“兔崽子，你鬼吼个什么劲？”

这厮竟敢骂沈浪“兔崽子”，朱七七真给气疯了，方待不顾一切，破口大骂，却被沈浪悄悄掩住了嘴。

沈浪非但毫不动怒，反而赔笑道：“在下口渴如焚，不敢相烦兄台倒杯水来，在下感激不尽。”

那大汉咯咯笑道：“你要水么，那倒容易，只可惜人喝的水不能给你，猪槽里的水倒可分给你一些，你说怎样？”

沈浪道：“只要是水，就可以。”

那大汉哈哈大笑道：“好，你等着。”

他倒是极为小心，又关起牢洞，方自离去。

沈浪手一松，朱七七便忍不住颤声道：“你……你怎能受这样的气？”

沈浪道：“忍耐些，你等着瞧……”

话未说完，牢洞又开，那大汉伸了根竹竿下来，竿头绑着个铁罐子，那大汉咯咯狞笑道：“要喝水的，就凑到这铁罐子上来，大爷们喂猪，就是这样的。”

沈浪缓缓站起，突然手掌一扬，一道风声，直击而出，“噗”地，打在那大汉伸出来的头颅上。

那大汉狂吼一声，一个倒栽葱，直跌下来，打落他的暗器也掉在一旁，竟正是个又冷又硬的馒头。

朱七七又惊又喜，只见沈浪随手点了那大汉的穴道，拾起那根竹竿，突然头顶上有人喝道：“什么事？”

沈浪手掌再扬，又是一个冷馒头，又是一个人跌落下来，沈浪左手夹起朱七七，右手将竹竿一撑。

朱七七但觉耳畔“呼”的风声一响，眼睛不由得一闭，等她张开眼睛，人已到了牢外平地之上。

上面是间小屋，桌上仍有酒菜，但方才饮酒吃菜的人，此刻已直挺挺地躺在地牢下面了。

朱七七再也忍不住心头的欢喜之情，狂喜道：“沈浪，你真是……”

沈浪沉声道：“噤声，你我此刻还未脱离险境！”

朱七七悄声道：“是！”但还是忍不住接了下去，悄笑道：“你真是天下最聪明的人，难怪我这么喜欢你。”

沈浪却是面寒如水，此时此刻，他实无半点欣赏她这份撒娇的情趣，朱七七只有嘟起嘴，不再说话。

只见沈浪扣起了牢洞，轻掠到门前，伸手将门推开了一线，侧目窥探了半晌，身子微偏，一掠而出。

外面是条长廊，仍然瞧不见人迹。

朱七七悄声道：“咱们的运气不错，这里的人像是都已死光了。”

沈浪哼了一声，左转而行，方自掠出一步，只听长廊尽头，竟已有人语脚步声传了过来。

只听一人道：“你怎能将她与沈浪关在一起？”

这人语声难听已极，竟是那“见利忘义”金不换的声音。

另一人道：“地牢只有一间，不关在一起，又当如何？”

这人语声尖锐简短，却是方才那长衫人的。

沈浪早已顿住身形，朱七七虽然瞧不见他的脸，想见他面上已变了颜色，身形一转，便待退回。

却听另一人道："咱们到地牢去瞧瞧。"

这人语声雄壮粗豪，正是"气吞斗牛"连天云。

沈浪若是退回原处，势必要撞上这几人。

他既不能进，亦不能退，神色更是惊惶。

朱七七悄声道："怕什么，和他们拼了。"

沈浪咬一咬牙，双手抱紧了朱七七，用出全力，冲了过去，身法之快，当真有如离弦之箭一般。

金不换、连天云等人方自转弯，瞧见一条人影，箭一般冲来，惊惶之下，不及细想，身形下意识地向旁一闪。

就在这间不容发的刹那间，沈浪已自人丛中冲了过去，头也不回，展开身法，向前急奔。

只听身后叱咤、呼喝之声大起。

金不换道："哎呀，那是沈浪！"

连天云怒喝道："快追！"

接着便有一阵阵衣袂带风之声，紧追而来。

沈浪在别人的房子里，路径自然不熟，何况他此刻情急之下，已是慌不择路，奔出数丈才发现前面已是死路。

幸好尽头处左边，还有道门户。

沈浪想也不想一脚踢开了门，飞身而入。

但后面的人还是穷追不舍，而且愈追愈近，要知沈浪既要留意路途，手里又抱着个人，身法自不免减缓。

连天云喝道："你还往哪里逃？"

金不换冷笑道："今日你背插双翅，也是逃不出的了，还不乖乖束手就缚。"

沈浪自掠入门里，这呼唤冷笑声已在门外。

朱七七道："和他们拼了……拼了……"

沈浪也不理她，眼角瞥见这屋子前面，有扇窗子，左面还另有道门户，他微一迟疑，突然伸手抓起张椅子，向窗外抡出，自己身形一转，却轻烟般向左面那道小小的门户掠了进去。

只听窗户“砰”的一震，金不换、连天云等人已自追来，沈浪闭息静气，躲在小门后，动也不动。

外面连天云怒喝道：“哪里去了？”

金不换道：“想必已破窗逃出。”

连天云道：“这厮逃得倒快，咱们追。”

接着，便是衣袂带风声，窗户开动声。

然后，便什么声音都没有了。

沈浪这才松了口气，悄声道：“咱们从原路退出，再设法脱身，他们便再也追不着了。”

朱七七悄声道：“好个声东击西之计，这妙计我小时捉迷藏也用过。”

此时此刻，情况如此惊险危急，她却反似觉得有趣得很，居然还想得起小时捉迷藏的事。

沈浪不禁叹了口气，道：“真是个千金小姐。”

朱七七悄悄笑道：“什么千金小姐，只不过是我只要有你在一起，便什么危险也不怕了。”

沈浪苦笑一声，拧身拉门。

哪知他门户方自拉开一线，便瞧见金不换、连天云与那长衫人面带冷笑，并肩当门而立。

沈浪这一惊更是不小，竟似已呆住了。

金不换大笑道：“你只当咱们已走了么……嘿嘿，你这声东击西、金蝉脱壳之计，瞒得过别人，却又怎瞒得过我金不换。”

连天云厉声笑道：“你还待往哪里逃？”

长衫人冷哼道：“还是乖乖地出来吧。”

沈浪又咬了咬牙，却非但未曾冲出，反而退了回去，“砰”的一声，紧紧关上门，翻身后掠，哪知这间屋子，非但再无其他门户，连个窗子都没有，黑黝黝的，除了陈设华丽得多外，与那地牢全没有什么两样。

只听金不换等人在门外纵声大笑，竟未破门追来。

又听得“当”一声，竟将这扇门在外面落了锁。

那长衫人道：“此屋四壁俱是精钢所制，比那石牢还要坚固十倍，你们乖乖地在里面待着吧，再也莫想打脱逃的主意。”

金不换冷笑道：“等你们饿得有气无力时，大爷们再进去，反正这里有的是好酒好菜，大爷们多等几日也无妨。”

于是人声冷笑，一起远去。

沈浪一步掠到门前，举掌拍去，但闻金属之声一响，他手掌被震得生疼，长衫人并未骗他，四壁门户，果然全属精钢。

一时之间，他怔在当地，再也不能动了。

朱七七恨声道：“他们只有三个人，加起来也必定不是你的对手，你方才为何不和他们拼了，到如今……唉！”

重重叹了口气，闭住了嘴。

过了半晌，沈浪方自长叹道：“我方才若是和他们一拼生死，胜负姑且不论，但……但你……唉。”亦自长叹住口。

朱七七也半晌没有说话，却突然放声痛哭了起来。

沈浪柔声道：“七七，别哭，算……算我错了。”

朱七七嘶声痛哭道：“你没有错，你没有错……你处处为着我，我却反而怪你，我……我真该死，我真该死。”

沈浪轻抚着她满头柔发，黯然道：“该死的是我，你对我那般信任，而我……我却无法救你，你本就应当责怪我，骂我。”

可是这屋子看起来竟是间卧房，他轻轻将她放在屋角一张大而柔软的绣榻上，朱七七满面泪痕，道：“求求你，莫说这样的话好么？你这样说，我更是伤心，你知道，无论如何我都不会怪你的。”

沈浪垂首道：“我此刻实已身心交瘁，再也无奋斗之力，这间小小的屋子，只怕已是你和我的毕命之地了。”

朱七七道：“不，不，你还能振作的，你……”

沈浪黯然叹道：“以此刻情况看来，我纵能振作又有什么法子能脱得出去，我又何苦再自欺欺人下去。”

朱七七还想说什么，却终于只有轻轻啜泣，只因她也看出，在此等情况下，无论是谁也休想逃得出了。

沈浪道：“我不能救你，累得你也死在这里，你不怪我？”

朱七七流泪道：“我怎能怪你，我怎会怪你，就算我立刻死在这里，也不是你连累我的，何况……何况……”

她轻轻阖上眼帘，凄然笑道：“何况我能和你死在一起，已是我生平最最快乐的事……”

沈浪默然半晌，道：“但你还年轻，你还……”

朱七七以手捶床，嘶声道：“不错，我还年轻，我还不想死，只因我还想和你永远厮守在一起，过几十年幸福的日子，但……”

说到这里，语声突然顿住。

只因她发现自己身上，气力竟已恢复了一些，她以手捶床，竟将床打得“扑通扑通”地响。

她大喜道：“呀，那恶魔这次用的迷药，竟和上次不同，这药力竟会渐渐消失的，此刻我已可站起来了。”

朱七七身子一震，怔了半晌，黯然道：“不错，已太迟了，我此刻纵能站起，也逃不出去了，也是一样要死在这里……”

她的一双明如秋水的眼波，已凝注在沈浪面上。

也不知过了多久，她轻声道：“但我还是感激苍天，让我此刻能够动弹……”

沈浪道：“这又如何？”

朱七七垂首道：“我虽已不能和你永远厮守，但在我们临死之前，这短短三两天，总还是……还是属于我们的。”

她语声又已颤抖起来。

但那却非惊惧的颤抖，而是一种销魂的颤抖。

沈浪道：“你……你……”

朱七七突然伸出双手，紧紧勾住他沈浪的脖子，沈浪一个站不稳，也倒在那大而柔软的床上。

朱七七将头深深埋在沈浪胸膛里，呻吟般低语道：“你还不明白吗？你……你这呆子，可恨的呆子，可爱的呆子，在我没有死之前，我要将一切都交给你。”

沈浪道：“你……你……”

他几乎除了“你”字之外，别的话都不会说了。

朱七七温暖的胸膛，自撕开的衣襟中，紧贴着他的胸膛，她发烫的樱唇，也贴上了他的耳背。

她梦呓般呻吟，低语道：“我们剩下的时候已不多了，你还顾忌什么，你还等什么……”

沈浪突然一个翻身，紧紧抱住了她温暖的、娇小的、正向上迎合着的、正在不住簌簌不停颤抖着的身子……

四片唇，火热。

火热的唇，紧紧贴在一起。

这是狂热的时候，是搜索、迎合、体贴的时候。

朱七七身子颤抖着，不停地颤抖着。

她怕，但她还是鼓足勇气。

她给予，她也承受，她承受着雨点般落在她眼帘上、唇上、耳上、粉颈上、胸膛上的热吻。

忽然，她感觉一阵奇异而熟悉的热潮掩没了她全身，直通过她心底最深处，她心一阵颤抖……

她猛然一口，咬在沈浪嘴唇上，用尽全力，向前一推，将沈浪推得直由床上滚了下去。

沈浪骤不及防，惶然失措，道：“你……你疯了么？”

朱七七抢过一床被，紧裹住她的身子，疯狂般嘶声大呼道：“你不是沈浪……你不是沈浪……”

沈浪道：“你疯了，我不是沈浪是谁？”

朱七七嘶声道：“你这个，畜生，恶贼……你……你这卑鄙无耻，猪狗不如的东西，我已知道你是谁！”

沈浪道：“我是谁？”

朱七七咬牙道：“王怜花！你这恶贼，你……你……你害得我好苦，幸好我现在已知道，幸好我还……还来得及。”

“沈浪”茫然笑道：“我是王怜花？”

朱七七道：“王怜花，你好狠，你设下如此毒计害我，你……你……你不但骗了我的钱，还想要我的人……”

“沈浪”道：“哦？我骗你？”

朱七七道：“你明知你的易容术虽妙，但因我和沈浪太熟，还是怕我认出，所以只好在黑黝黝的地方见我。”

她牙齿咬得吱吱作响，接道："你学不像沈浪的声音，所以才装出语声嘶哑的模样，好让我以为你是被折磨得连声音都变了。"

"沈浪"道："是这样么？"

朱七七道："你易容之后，不能微笑，就故意装出沉重之态，哦，天呀，那天我就该知道的，我那沈浪无论在多么危急的时候，面上总是带着那份微笑的，我从未见到他有任何时候笑不出来。"

"沈浪"道："真的么？"

朱七七道："还有，你既能想出那法子逃出来，早就该逃出去了，为何偏偏要等我来了后再用出那法子……"

"沈浪"道："还有么？"

朱七七道："那大汉纵要给你水喝，用绳子吊下来就行了，又何必用竹竿？这明明是早就安排好的，好教你能用竹竿逃出。"

"沈浪"笑道："还有哩？"

朱七七咬牙道："恶贼，你骗了我的钱还不够，还想骗我……你……你还嫌那地牢不……不好，再用点手段，将我骗来这里，你……你……"

"沈浪"笑道："不错，那地牢阴湿寒冷，在那里，任何人都不会想到这勾当，我将你带来这里要你自己就送上门来。"

直到此刻，他话中才肯承认自己是王怜花。

朱七七嘶声骂道："恶贼，畜生，你的心只怕早已被狗吃了，你想将我完全骗去之后，再想个法子脱身，然后我便会恨沈浪一辈子，我就会不顾一切，找沈浪报仇，这样你不但害了我还害了沈浪。"

王怜花笑道："正是，这就叫作一石二鸟之计，你懂么？"

朱七七道："除了你这恶贼，还有谁使得出这样的毒计，普天之下，只怕再也找不出比你更卑鄙更恶毒的人了！"

王怜花笑道："但我却还有件事不懂。"

他不等朱七七答话，便接口道："我这妙计既已瞒了你这么久，为何你又会突然识破？"

朱七七恨声道："只因我……我……"

语声微顿，大呼道："你莫管我是如何识破的，总之我识破了就是。"

她如此嘶呼，只因这问题非但王怜花百思不解，她自己也回答不出——也许是无颜回答出来。

原来她方才与“沈浪”亲密时，突然感觉出对方的“行动”，竟是那么熟悉，竟与那日在地牢中被王怜花轻薄时完全一样。

她这才能在那千钧一发时，识破了秘密。

要知男人在与女子亲密时，所做的“行动”常常会有一定的“步骤”，他对象纵不同，但这“步骤”却不会改变。

而女子在这一方面的感觉，又总是特别敏锐。

不知何时，王怜花竟将室中灯火燃起了。

他站在床前，那面容果然与沈浪有九分相似，只是那双眼睛，那双盯着朱七七瞧的眼睛，却是说不出的险恶、淫猥。

朱七七将身子裹得更紧，咬牙切齿，却不敢回头望他，她恐慌悲愤的怒火已渐消失，恐惧已渐渐升起。

王怜花笑道：“你很聪明，你很聪明，委实超出我想象之外，但你此刻自以为什么事你都已知道了么？”

朱七七恨声道：“我还有什么事不知道，我……”

突然似乎想起了一件事，抬头一望，便瞧见王怜花那双恶毒而淫猥的眼睛，她身子立刻为之一震，失声呼道：“这双眼睛……是这双眼睛。”

王怜花微微笑道：“什么眼睛？”

朱七七颤声呼道：“是你，是你，方才害死熊猫儿的，也是你，那……那恶魔也是你改扮成的，是么？是么？”

王怜花哈哈大笑道：“不错，你心目中那恶魔的容貌，本就是江左司徒门人易容而成的，我也曾瞧过一眼，我为何不能扮成那容貌？江左司徒门下易容之术虽高妙，却也未必能及得我王怜花王大少爷。”

朱七七嘶声道：“恶贼，你……你……好……”

王怜花大笑截口道：“我的好姑娘，你虽聪明，却还是什么事也不知道的，你可愿我将这些事从头到尾告诉你。”

朱七七身子抖得如风中秋叶，道：“你……你说……说……”

王怜花道：“我在那荒郊外遇见了金不换、李长青等人，他们虽不识我，我却识他们，便上去和他们搭讪。”

朱七七道：“这些人居然也跟你说话？”

王怜花笑道：“只因我一句话便已把他们说服了。”

朱七七道：“你……你说的可是沈浪？”

王怜花大笑道：“不错，又被你猜着了，我故作也要寻沈浪算账之态，他们自然对我大是亲近，于是我便指点路途，令他们先到此地来等候于我，他们走的是小径密道，足印自然平地失踪，却害得你与那猫儿疑神疑鬼。”

此点朱七七倒是早已猜到，但另一件事她却想不出。

她忍不住又问道：“他们又怎会如此听信你的话，先来此地？”

王怜花笑道：“只因他们急需我这帮手来对付沈浪，只因他们都道我是个仁义英雄，那沈浪却是个大恶贼。”

朱七七恨声道：“该死，瞎了眼睛！”

王怜花道：“我自他们口中，得知你也在左近，所以便留在那里，过不半晌，便瞧见你与那猫儿施施然来了！”

他大笑一声，道：“到那时我才知道你外表虽装得三贞九烈，其实却是水性杨花，竟与那猫儿那般亲密，想也做了些不可告人之事。”

朱七七怒骂道：“放屁！我与熊猫儿正大光明，只有你……你这双脏眼睛，把人家干干净净的事也瞧脏了。”

王怜花也不理她，自己接道：“你与那猫儿手拉手走在前面，我便远远跟在你们背后，你与那猫儿上了山，我灵机一动，片刻间便扮成你心中那恶魔的模样，抄近路上了山，然后，我略施妙计，不费吹灰之力，便叫那猫儿化作肉泥，哈哈，牡丹花下死，做鬼也风流，他能为你而死，也算死得不冤了。”

第十六章

阴狠毒辣

朱七七见王怜花如此说，这才知道“他”为何对此山路途如此熟悉，也终于知道这庄院中的一切是谁布置的了，这庄院想必是王怜花的别业。

王怜花道：“我将你送来这里，立刻赶到后面，改扮成沈浪的模样，又和金不换等人定下了这一石二鸟的妙计。”

朱七七恨声道：“金不换且不说他，李长青、冷大这两人也会帮你来行这无耻的毒计，倒真是令人想不到。”

王怜花微笑道：“冷大已脱力晕迷，李长青已负重伤，这两人都老老实实躺在那里，至于那连天云么……嘿嘿，只不过是条笨牛，我只是说服了金不换，还怕骗不倒那笨牛，还怕他不乖乖地为我做事？”

朱七七道：“你……你这样做事，总有一天不得好死的，活着的人就算奈何不得你，死去的鬼也要扼死你。”

王怜花哈哈大笑道：“若是女鬼，在下倒也欢迎，若是男鬼么……他活着时我尚且不怕，他死了后我难道还会怕他不成。”

朱七七咬牙道：“你等着吧，总有一日……”

王怜花截口笑道：“我等不及了，我此刻便要……”

朱七七大骇道：“你此刻便要怎样？”

王怜花道：“我要怎样，你难道会不知道？”

朱七七是知道的，她瞧见他那双眼睛便已知道。

她躲入床角，颤声道：“你……你敢？”

王怜花笑道：“我为何不敢，我若不敢，也不会将那许多秘密告诉你了。”

朱七七道：“我知道你这许多秘密，你还不杀我灭口？”

王怜花大笑，道："我名唤怜花，委实名副其实是个怜香惜玉之人，像你这样娇滴滴的女子，我怎舍得杀你？"

他微笑着，又走到床边……

朱七七嘶声大呼道："滚，快滚，我宁可死，也不能让你碰着我一根手指。"

这时外面似乎隐约传来一阵呼叱撞击之声，但朱七七在如此情况下，她是什么也听不到的了。

王怜花也只是皱了皱眉头，还是接口道："你方才还与我那般亲密，此刻为何又……"

朱七七怒喝道："狗，我杀了你。"

她怒极之下，便待扑过去和他拼命，但手一动，那丝被便落了下去，她除了拉紧被子，还能做什么？

王怜花笑道："动手呀，动手呀，为何不敢了？"

朱七七颤声道："求求你，放了我……甚至杀了我吧，天下的女人那么多，你……你为何一定要我？"

王怜花道："天下的男人那么多，你为何定要沈浪？"

朱七七道："我……我……唉，沈浪，沈浪，来救我吧。"

王怜花道："沈浪不就在你面前么？你瞧，我不就是沈浪，那么，你就将我当作沈浪吧。"

语声之中，他终于扑上床去。

朱七七嘶喊着，挣扎着，躲避着，哀求着……

她用尽一切气力，怎奈她气力尚未完全恢复，又渐渐微弱……

王怜花喘息着，笑道："你莫挣扎，挣扎也无用的，从今而后，你就是我的了，你若成为我的，那时……那时只怕用鞭子也赶你不走。"

她只觉王怜花那双眼睛——那双险恶而淫猥的眼睛，已离她愈来愈近，他口中喷出的热气，也愈来愈近。

终于，她躬起的身子，"噗"地倒在床上。

终于，王怜花那火烫的唇，已找着她的……

终于，她也无力挣扎、抵抗。

她晕了过去。

朱七七晕迷的这段时候，也许很长，也许很短，但这段时候纵然短暂，也已足够发生许多事了。

而朱七七自己在晕迷之中，这段时候是长？是短？这段时候里究竟发生了什么？她是全不知道的。

总之，她总要醒转过来——她自己虽然宁愿永远莫醒来，只因她委实不敢，也不能面对她在晕迷中发生的事。

但此刻，她还是醒了过来。

她一张开眼，还是瞧见了那张脸，“沈浪”的那张脸——这张脸此刻正带着微笑，瞧着她。

这张脸还在她面前，还在微笑。

晕迷中究竟发生了什么？“他”究竟做了什么？

朱七七心都裂了，整个人都已疯狂，再也顾不得一切——以眼前的情况来看，她委实也没有什么好顾忌的了。

她拼尽全力，一跃而起，一掌往这张脸上掴了过去，奇怪的是，“他”竟未闪避，也未抵抗——这也是因为“他”已完全满足了，挨两下打又有何妨。

只听“啪”的一响，她整个人已扑到“他”身上，疯狂般地踢“他”，打“他”，痛哭着嘶声道：“你这恶贼……你……你毁了我，我和你拼了……拼了……”

突然，她一双手却已被人捉住。

她一挣，未挣脱，回首大骂道：“你们这些……”

突然，她瞧见捉住她手掌的两个人——捉住她左手的竟是熊猫儿，捉住她右手的，赫然竟是金无望。

朱七七这一惊，可真仿佛见了鬼似的。

她整个人都呆住了，脑海中却闪电般转过许多念头：“呀，他两人竟未死？……但他两人怎会未死，又怎会来到这里？……莫非这又是王怜花令人扮成他两人的模样来骗我的？”

她颤声道：“你们是谁？”

熊猫儿瞪大眼睛，骇然道：“你莫非疯了，连我们你都已不认得？”

朱七七嘶声道：“你们都是假的，我知道……我知道，你们再也休想骗我。”她拼命挣扎着，还是挣不脱。

金无望道：“假的？你且瞧瞧我们是真是假？”

熊猫儿叹道：“她神智只怕已有些不清，否则又怎会打沈兄，沈兄如此辛苦，救了她，她却说沈兄毁了她。”

朱七七凝目望去，光亮之下，只见金无望目光深沉，熊猫儿满面激动，这目光、这神情，岂是别人可以伪装得出。

再听他两人这语声……不错，这两人确是真的，千真万确，再也不假，但……但他们又怎会来到这里？

再瞧被她压在下面的那人——目中那充满智慧与了解的光芒，嘴角那洒脱的，对任何事都不在乎的微笑。

不错，这更不会假，这更假不了。

这竟是真的沈浪。

但……但假的又怎会突然变成真的？

这究竟是怎么回事？

朱七七又惊，又喜，又奇，道：“我……我这莫非是在做梦么？”

熊猫儿道：“谁说你在做梦？”

朱七七茫然站起来，“噗”地跪下，流泪道：“我若是在做梦，就让这梦一直做下去吧，我宁愿做梦，我……我再也受不了啦……再也受不了啦。”

沈浪这才站起，目光中充满怜惜与同情之意，他面上虽已被打得又红又紫，但嘴角仍带微笑，轻叹道：“好孩子，莫哭，你现在并非做梦，刚刚才是做梦，一个噩梦。”

这语声是那么温柔，那么熟悉，也全没有故作的嘶哑。

朱七七再无猜疑，痛哭着扑到他身上，道：“是你救了我？”

沈浪轻声道：“只恨我来得太迟，让你受了许多苦。”

朱七七痛哭着道：“你救了我，我反而打你……你辛辛苦苦救了我，换来的反是一顿痛打，我真该死……该死……”

她突然回手，自己用力打着自己。

沈浪捉住了她的手，柔声道：“这又怎能怪你。”

朱七七道：“这要怪我……噢，沈浪……沈浪，你方才为何不抵抗，不还手，你方才为何要让我打？”

沈浪微笑道："你受了那么多苦，我就让你打两下出出气，又有何妨，何况你那双手根本就打不疼我……"

朱七七瞧着他的脸，流泪道："打得疼的，你瞧，你的脸，都被我打成如此模样，而你非但全不怪我，反而……反而……"

她又一把抱住沈浪，嘶声道："你对我这么好，我永远也不会忘记，我……我永远也不能宽恕自己，永远……永远……永远……"

她忘了一切，抱着他，亲着他的脸——她的眼泪沾湿了他的脸，却不知她的吻是否能融化他脸上的疼痛。

熊猫儿、金无望，并肩而立，瞧着这动人的一幕，两人面上也不知是何表情，心里也不知是何滋味。

沈浪微笑道："好了，莫要再哭了，起来吧，莫要叫金兄与熊兄瞧了笑话……好孩子，听话，快起来。"

朱七七这才想起金无望和熊猫儿就在身旁，她站起身，心中不免有些羞涩，也有些歉疚……

她垂着头，不敢去瞧他们。

只见一双莹玉般的纤细玉手伸了过来，手里捧着盏茶——白玉的手掌，淡青色的茶盏，碧绿的茶。

一个娇柔、清脆而妩媚的声音，在她耳畔说道："姑娘，请用茶。"

朱七七猛抬头，便瞧见一张秋水为神玉为骨，花一般娇艳，云一般温柔的面容，她失声道："原来是你。"

白飞飞嫣然一笑，道："是我……"

朱七七盯着她，道："你也来了？"

白飞飞柔顺地应声道："是，姑娘，我也来了。"

朱七七道："沈……沈浪无论到哪里，难道都要带着你么？"

白飞飞垂下头，不敢答话，苍白的面颊已红了，眉宇间微现凄楚，那可怜生生的模样，当真是楚楚动人，我见犹怜。

朱七七道："说呀，你怎么不说话了？"

白飞飞垂首道："姑娘，我……我……"

她虽然忍着没有让眼泪流下，但语声已有些哽咽。

沈浪道："飞飞你还是到外面去看着他们去吧，只要他们稍有动弹，你便出声呼唤。”

白飞飞道：“是。”

这女孩子真有绵羊般的温柔，燕子般的可爱，到现在还未忘记，向朱七七敛衽一礼，才垂首走了出去。

朱七七瞧着她窈窕的背影，冷笑道：“飞飞……哼，叫得好亲热。”

沈浪叹道：“她是个可怜的女孩子，你为何总是要这样对她，她孤苦伶仃，无依无靠，我难道能将她抛下不管么？”

朱七七道：“她可怜，我就不可怜么？她孤苦伶仃，无依无靠，我难道就有许多依靠？你为何总是抛下我？”

沈浪道：“你……你总比她……”

朱七七跺脚道：“你总是为她说话，你总是想着她，你……你……你为何要来救我？我永远也不要见你了。”

沈浪道：“好，好，算我错了，我……”

朱七七突又扑到他身上，痛哭道：“不，你没有错，是我错了，但是我吃醋……真的吃醋，我没有办法，一点办法都没有。”

熊猫儿瞧得痴了，喃喃道：“你只知道自己吃醋，可知别人也会吃醋的么？”

朱七七猝然回首，道：“你说什么？”

熊猫儿一惊，强笑道：“我说沈兄其实总在想着你，否则又怎会冒险前来救你。”

朱七七破涕为笑，道：“真的？”

熊猫儿垂首道：“自然是真的。”

朱七七跳到他面前，笑道：“你真好……”转过头，望向金无望，接道：“还有你……你们两人都是对我最好的人，你们若是死了，我真不知要多么伤心……噢，对了，我还忘了问你们，你们是如何脱险的？”

金无望面上毫无表情——他最大的本事，就是能使任何情感都抑制在心中，绝不流露出来。

他缓缓道：“你走之后，我力不敌四人，沈兄突如天神飞降，将我救走，那四人非但追赶不及，甚至根本未瞧见沈兄之面。”

朱七七道："还有呢？"

金无望道："没有了。"

朱七七瞪大眼睛道："就……就这样简单么？"

沈浪笑道："金兄说得虽简单，但却极为扼要，那些无关紧要的细节，金兄是不会说的，其实也用不着说了。"

朱七七含笑轻叹道："他不说，我只有去想了。"

她轻轻阖起眼睛，缓缓道："那时战况必定十分激烈，金不换那厮一定在不住笑骂，金大哥头上想必已现汗珠，眼见已将……将落败，你便以最快的身法，一掠而来，带着金大哥，自拳风掌影中冲了出去，金不换那些人，一定大大吃惊，但以他们的武功，又怎能拦得住你，又怎能追得上你。"

她张开眼，嫣然笑道："我想得可对么？"

沈浪笑道："真的比亲眼瞧见的还可靠。"

朱七七道："但后来怎么，我可想不出了。"

沈浪道："我先前本不知此中详情，是以虽将金兄救出，却不愿被那些人瞧见面目，更不愿与他们发生冲突。"

他苦笑了笑，接道："到后来我才知道那些人竟是为我而来，也知道展英松等人暴毙之事，于是我便与金兄回头来找他们，哪知他们竟已远走，幸好雪地上还留有足迹，于是我便与金兄追踪而来。"

朱七七道："你可瞧见我和猫儿的足迹了么？"

沈浪笑道："自然瞧见了，我与金兄还猜了许久，才猜出那足迹必是你与熊兄的，这发现使得我们更是着急。"

朱七七道："真的？你真的为我着急了？"

沈浪避不作答，接道："我与金兄上山之后，足迹突然中断，只剩下你与熊兄的足迹，走到绝崖那儿，你足迹仍在，熊兄的却不见了，然后你足迹在雪地上绕了两圈，竟也不见了，却换了另一人足迹，走上了山。"

朱七七恨声道："我是被那恶贼抱上来的。"

沈浪道："当时我也猜出情况必是如此，但熊兄的下落却费人猜疑，我考虑许久，终于决定先下去探看探看。"

朱七七失声道："呀，你下去了，那……那岂不危险得很。"

熊猫儿突然叹道："不错，那下面确是危险得很，这个我比谁都清楚，沈兄确是不该冒那么大的危险来救我的。"

朱七七道："我……我不是……不是这意思。"

她脸也红了，话也说不出了。

只因她突然想起，熊猫儿就是为了自己才跌下去的，如今他才自死里逃生，自己怎能如此说话。

她又羞又愧，又恨自己，眼泪不禁又流下面颊。

熊猫儿也不瞧她，目光直视着前方，接道："我听你在上面呼喊，心里实在着急，怎奈又无法上去救你，等到后来那块大石击下，若非那山崖上有尖岩挡了一挡，我险些就被打下去，但我虽未被打下，却实也无力往上爬了，我只能攀着一根山藤，在那里等死，只因我身子悬空，根本无法使力。"

沈浪叹道："幸好熊兄未曾使力，否则那枯藤早已断了，唉，熊兄那时情况之危险，实有九死而无一生。"

朱七七早已听得泪流满面，咬唇垂首，道："我……我……"

熊猫儿截口道："起先我但觉手指有如刀割，全身酸痛不堪，到后来我全身都已麻木，脑子也晕晕沉沉，不知有多少次，我想放开手算了，也落得个痛快，但我还不想死，只因……只因我……"突然叹气咬牙，住口不语。

朱七七再忍不住痛哭失声，道："我对不起你……我对不起你。"

熊猫儿出神半晌，淡淡一笑，道："那也没什么。"

他说得愈平淡，朱七七愈是痛苦，嘶声道："其实我那时真想跳下去，陪你一起死了算了，我……全是我害了你，我真不如死了倒好，也可少受些痛苦。"

熊猫儿突然掉转头，不让别人瞧见他面容，但他那颤抖着的身子，还是泄露了他的秘密……

沈浪叹道："我以绳缚腰，下到半山，便瞧见熊兄，哪知熊兄业已晕迷，但我将他抱上来后，他说的第一句话便是要我救你。"

朱七七身子一软，倒了下去。

沈浪道："于是我等三人，便追踪上山，一入此屋，便瞧见金不换与连天云正在外面，我三人合力制住了他们，唉……白飞飞，幸好我带她来了，全是她发觉这扇锁住的门，我们毁锁而入，才发现你。”

朱七七道：“那恶魔王怜花……”

金无望冷冷道：“他怎逃得了！”

熊猫儿突然回身，大笑道：“那厮倒也乖巧，一见沈兄，便笑道：‘真的沈浪来了，假的只有束手就缚。’他明知既打不过，也逃不了，真的束手就缚了。”

就在这片刻之间，这热情的少年便已恢复了平日的豪迈与洒脱，竟似已将过去发生的那些事，全都忘记。

朱七七见他如此模样，心下又是高兴，又是感动，呆呆地望着他，也不知究竟是何滋味。

嗯，熊猫儿当真是条好汉子。

沈浪笑道：“我见他如此，倒也不好十分难为于他，便请他与金不换等人坐在一起，他更是有问必答……”

朱七七道：“那……我经历的事，你全都知道了。”

沈浪道：“知道了。”

朱七七突然失声道：“呀，我的……”

她突然想起自己未曾晕迷前的模样，但头一低，瞧见自己身上的衣服，早已又穿得整整齐齐。

她忍不住抬起头，目光悄悄自这三个男子面上飘过。

沈浪笑道：“这又全亏白飞飞。”

他又瞧破了朱七七的心意。

朱七七的脸，晚霞般的红了起来，恨声道：“这恶贼，我，我呀，你可点了他的穴道？”

沈浪笑道：“他那般模样，我怎好出手。”

朱七七道：“那么，你绑住了他们？”

沈浪含笑道：“李长青、天法大师俱是前辈英雄，金不换也是成名人物，就算王怜花，我也不便对他无礼。”

朱七七吃惊道：“你既未点他穴道，又未绑住他，却叫白飞飞守着他们，你……你难道存心要他们逃跑？”

沈浪微微笑道：“我只不过借用了金兄的‘神仙一日醉’请他们每人用了一点而已，但想来他们也是无法逃跑的了。”

神仙一日醉的滋味，朱七七是尝过的，她自然清楚得很，也自然放心得很，这才松了口气，喃喃地道："王怜花呀王怜花，你报应的日子已到了……"

突然放步向外奔去。

众人在后相随，哪知朱七七方自出门，便发出一声惊呼，众人加急赶了出去，也不觉都被惊得怔住了。

李长青、连天云、天法大师、金不换、冷大都还瘫坐椅上，但王怜花却已站起，已将逃了出去。

此刻他一手抓着满面惊慌的白飞飞，笑道："各位已谈完了么，好极好极。"

熊猫儿喝道："你……"

王怜花不等他说话，便已截口笑道："事情的发展，有些出乎各位意料，是么？但各位虽然吃惊，也还是莫要动弹的好，否则，这位姑娘就要吃亏了。"

沈浪居然也还能面带微笑，道："放下她来。"

王怜花大笑道："放下她？沈兄说得倒容易，但这位姑娘此刻已是在下的护身符，在下怎能轻易放得了手？"

沈浪道："你放下她，我放你走，也不追赶。"

王怜花道："真的？"

沈浪道："是否真的，你自己可作决定。"

王怜花大笑道："好，这话若是别人说的，在下必然不信，只因在下天性多疑，但这话是沈浪说的却大大不同了。"

他转目瞧着白飞飞，接着笑道："说实话，我真有些舍不得放你，好在我迟早还是见得着你的。"竟在白飞飞脸上亲了一亲，大笑着转身而去。

他手一松，白飞飞便已跌倒在地，痛哭失声。

众人眼瞧着王怜花扬长而去，俱是咬牙切齿。

朱七七顿足道："我恨……我好恨。"

沈浪微笑道："你也莫要气愤，我既能捉住他一次，便能捉住两次。"

朱七七道："但愿……"

突然惊呼道："哎呀，不好，我那耳环他可曾还给你？"

沈浪道："什么耳环？"

朱七七道："那耳环乃是我提金银的信物，被他骗去的，他凭那对耳环，立刻便可提取百万金银，这一下他更可作恶了。"

说话间，她便要放足追去。

但沈浪却一把拉住了她，朱七七着急道："莫非你，你真的要眼看他走？"

沈浪道："莫非你要我们做食言背信之徒？"

朱七七怔了半晌，叹了口气，突又指着白飞飞道："都是你，都是你，若不是你，也不会放了他。沈浪，我真不懂你怎会如此轻易放了那十恶不赦的……"

沈浪冷冷道："莫非你能眼见她死在王怜花手中……"

他面上第一次敛去了笑容，朱七七只有咬着嘴唇，空自生气，却终是再也不敢说一句话。

金无望皱眉道："神仙一日醉，药力万无一失，这厮怎能逃走的，我当真不懂。"

白飞飞痛哭着道："这全要怪我……全要怪我。"

金无望道："怪你？"

白飞飞道："方才他本好好坐在那里，却突然呻吟起来，像是十分痛苦，我听得不忍，便问他这是为了什么，他说他……他……"

金无望道："他怎样？"

白飞飞流泪道："他说他自幼便有此病，一发便痛苦不止，我就问他可有什么法子止痛，他便求我替他取出那桌子下暗屉中一个小箱子里的一瓶止痛药……"

朱七七失色道："你……你答应了他？"

白飞飞颔首道："我见他实在太过痛苦，便……便只好答应了他，哪知他服药之后过了半晌，竟突然一跃而起。"

金无望跌足道："我早该想到，这厮连江左司徒秘制的迷药都有解方，又怎会无药破解这'神仙一日醉'？"

白飞飞伏地痛哭道："但我那时的确不知道，我……我只是瞧他可怜，我……”

朱七七脸都气红了，道：“你……你倒好心得很。”

白飞飞道：“姑娘，求求你原谅我，我……”

朱七七跳了起来，道：“原谅你？就为了你那该死的好心，我们便不得不眼见这恶贼逃走，眼见他不知要做多少害人的事……”

沈浪叹道：“这也怪不了她，她本性柔弱仁慈，瞧不得别人受苦……”

朱七七嘶声大呼道：“这还不能怪她，这难道怪我？你可知道王怜花害得我多么惨……多么惨，你可知道我宁可砍断我自己的双手双足来出这口气，你……你……你可曾为我想一想……”竟也整个人扑倒在地，放声痛哭起来。

众人瞧着这两个伏地痛哭的女子，都不觉为之失措。

突然间，风吹入窗，一股烈焰，随风卷了进来。

熊猫儿失色道：“不好，火。”

沈浪道：“快冲出去。”

金不换颤声大呼道：“你们要逃，可不能将我们留在这里，你们……”

金无望怒叱道：“畜生，懦夫。”反手一掌，掴在他脸上，但却终于抱起了他，又挟起了连天云。

连天云嘶声道：“放手，我死也不要你救。”

金无望冷冷道：“我偏要救你，你能怎样？”

连天云果然不能怎样，只有闭起了嘴。

沈浪双手却抱起冷大、李长青、天法大师，笑道：“熊兄，你……”

熊猫儿苦笑道：“我知道。”

他只有抱起白飞飞与朱七七，但朱七七却摔脱了他，道：“我自己走，你放心，我还不想死。”

只见那火焰烧得好快，就在这刹那时间，整个窗户都已被火燃着，众人已被烟熏得呛出了眼泪。

沈浪沉声道：“沉住气，跟我来。”

缩腹吸气，突然一脚飞出，这一脚竟生生将窗边的墙，踢崩了一角，他身子一闪已冲了出去。

火焰来势虽凶猛，但沈浪、金无望、熊猫儿，却无一不是武林中顶尖儿的绝顶高手，朱七七跟在他们身后，自然省力不少。

这几人竟自火焰中冲了出去——窗外便是个小小的院落，院中虽也有火，但易燃之物究竟不多，火势终于小些。

几个人一口气冲到院墙外，方才驻足，抬头望见那冲天火势，低头望见自己被火星烧焦的衣襟，都不觉倒抽一口凉气。

熊猫儿叹道："王怜花好毒……好毒的王怜花。"

沈浪道："火势如此凶猛，倒真不知他是用什么东西起的火……唉！此人之机智毒辣，当真是天下少有。"

突然一阵凄厉的呼声，隐约自火海中传出，这呼声虽然隔得遥远，十分微弱，但其中所含的惊恐、绝望、凄厉，却令人听得毛骨悚然。

熊猫儿高声道："有什么人还在火窟中？"

朱七七恨声道："我知道，那也是王怜花的手下，方才……"

她以最简单的几句话叙出了王怜花如何用计，如何将那大汉关在地窟中，然后咬牙恨声接道："他对自己的门下都这样狠毒，他简直不是个人。"

沈浪突然道："你们稍候，我去救他。"

朱七七道："你去救他，你可知他也是……"

沈浪沉声道："不管他是什么人，至少他总是个人，只要是人，我便不能眼见他被活活烧死。"他说得斩钉截铁，绝无犹疑。

说话间他已撕下身上的衣服，在雪地上浸了两浸。

火窟附近冰雪已融，那衣服顿时湿了，沈浪便将这件湿了的衣裳，一半披在头上，一半卷成布棍，不等别人开口，已投身烈焰之中。

沈浪竟然身怀"束湿成棍"的内家绝顶功夫，但见衣棍到处，火舌四裂——但瞬即分而复合，他身影也瞬即消失在火焰之中。

朱七七急得连连跳脚，流泪道："这人真是个疯子，竟……竟不顾自己性命，只为了去救王怜花那恶贼手下的一个走狗，他真是……"

金无望冷冷道："他真是我金无望平生所见第一条男子汉、大丈夫，金无望今生能得此人为友，当真死亦无憾。"

熊猫儿大声道："我熊猫儿至今才算佩服了他。"

李长青、天法大师、连天云、冷大也不禁齐地为之动容。

李长青叹道："不想沈浪为人，竟如此侠义。"

金不换冷冷笑道："这也没什么了不起，沈浪这小子，最会做作，他这也不过是做给咱们看的，好教咱们……"

连天云怒道："放屁，如此舍生忘死，岂能作假？"

天法大师叹道："何者为真？何者为假？他此举纵是沽名钓誉，但他肯如此不顾性命地去做，也可算难得的了。"

金不换冷笑一声，道："他……"

朱七七突然转身，怒喝道："你再说一个字，我现在就宰了你。"

金不换果然乖乖闭起了嘴，半个字也不敢说了，对付这种人，朱七七的法子当真比什么都有效。

李长青叹道："但愿吉人天相，沈公子莫要……"

熊猫儿大喝道："嘿！这区区一把火，又怎烧得死沈浪。"

熊猫儿口中虽说得硬，心里却还是为沈浪担心的——此时此刻，又有谁不在为沈浪担心。

只见火焰愈来愈大，愈来愈猛。

但沈浪却还未出来，甚至连他的声音都听不到。

朱七七颤声道："莫非他……他……"

熊猫儿道："你放心，他立刻就出来了。"

朱七七道："不错，他立刻就会出来的……立刻……"

于是又过了半晌。

火势更大，更猛。

朱七七道："你……你看他……会不会……"

熊猫儿道："不会，像他这样的人，怎会身遭不测？"

朱七七道："不错……不会的……不会的……"

一阵风吹来，扬来了一股火焰，一股热气。

众人不由得向后退了几步。

朱七七道："好……好大的火，我们在……在这里都受不了，他……他……"

熊猫儿道："我们虽受不了，但他可不同，凭他的本事就算到了十八层地狱，也照样可以闯得出，我放心得很，哈哈……放心得很。"

他竟放声大笑起来，但那笑声之中，可全无半点开心的意思，那笑声简直比哭声还要令人难受。

朱七七亦自笑道："不错，他这样的人，连鬼见了都要害怕……"她虽也在笑，可是眼泪早已不觉流下了面颊。

放眼望去，眼前什么都看不到了，只有火……火……

冲天的火势，已将苍穹烧得血红。

朱七七道："他……他……他……"

她再也说不出第二个字来，转首去瞧熊猫儿。

熊猫儿铁青着脸，闭紧了嘴，那些安慰别人、也安慰自己的话，他也实难再说得出口来。

金无望双拳紧握，指甲俱都嵌入肉里。

朱七七瞧瞧他，瞧瞧熊猫儿，终于大哭起来。

白飞飞更早已泣不成声。

这样的大火，若说还有人能活着从里面出来，有谁相信？沈浪虽强，究竟不是铁打的金刚呀。

何况，纵是铁打的金刚，也要被火烧化了。

猛烈的火势，必难持久。

这山庄孤零零地矗立在山巅，与树林间还隔着一大片地，后面便是山岩，是以火势并未连绵。

突听李长青道："呀，火小了。"

朱七七嘶声道："不错，火小了……他可以出来了。"

她虽然明知任何人也无法在火焰中逗留这么久，虽然明知沈浪已无生望，但口中却绝不肯说出绝望的话。

强烈的火势，终至尾声。

众人瞪着眼睛瞧，眼睛都瞧疼了。

沈浪呢？瞧不见，连影子都瞧不见。

人人心中，都早已绝望了，再也没有一个人还认为沈浪能出来，只是谁也不敢提起一个字。

金无望突然大声道："有所不为，宁死不为，有所必为，虽死无惧，古之义侠也不过如此，沈浪，你……你且受金无望一拜。"

他冷漠的面容上，竟已有了泪痕。

他竟真的跪了下去。

这冷如冰山的人，竟会流泪，竟会跪倒——他自己实也不信自己这一生中还会为人流泪，为人下跪。

熊猫儿道："你何必如此，他还不见得真的……"突然"噗"地跪下，热泪夺眶而出——他要哭，便放声痛哭，绝不会无声流泪，这杀了头也不流一滴眼泪的男儿汉，便真的放声痛哭起来，这哭声中所包含着的是何等巨大的悲痛，这悲痛中又包含着何等深厚的敬爱。

李长青喃喃道："沈浪呀沈浪，你今日能得这两人为你流泪……你……你纵死也算无憾了，你死得总算不差。"

天法大师道："义士之死，重于泰山。"

这两人虽本对沈浪不满，此刻竟也不觉热泪盈眶。

连天云已泪流满面，大声道："沈浪，连天云若是早知你是这样的人，打破头也要交你这个朋友，只恨……只恨连天云昔日错看了你。"

只有冷大，仍咬紧牙关，不说话，但嘴角却已咬得沁出了鲜血——每一滴鲜血中所含的悲痛，都胜过千言万语。

白飞飞泣不成声，道："沈……"

她用尽气力，才说出一个字。

她方自说出一个字，朱七七已痛哭着嘶声喝道："你哭什么？沈浪就是被你害死的，你还哭什么？若不是你，王怜花怎会逃走，怎会起火？若不起火，沈浪又怎会……怎会……"

白飞飞颤声道："不错……是……是我……我……我也不想活了！"突然挣扎着爬起，向那犹未完全熄灭的火窟中奔去。

但她方自奔出两步，已被金无望与熊猫儿夹住，她又怎能挣得？她唯有痛哭，哭出的不但有泪，还有血。

朱七七痴痴自语道："好，你不想活了……我难道还想活么……"

突然展动身形，奔向火窟。

她身形较之白飞飞何止快了十倍，才拉住白飞飞的金无望与熊猫儿，哪里还能拉得住她。

等到两人奔出时，朱七七身子早已投入火窟之中。

火势虽已衰微，但余焰仍足燎人，若有人决心要死，在这火焰中寻死，委实不知有多么容易。

金无望失色道："七七，回来。"

熊猫儿更是面色惨变，呼道："七七，你死不得，死不得！"

呼声虽响，但再响的呼声，却也拦不住决心要死的人。

朱七七简直连头都未回，便纵体入火！

眨眼间，她衣裳、头发都已被燃着。

她竟一头向那犹自烧得通红的框木撞了过去。

熊猫儿嘶声大呼道："七……"

突然间，一条人影飞也似的跃了出来，恰巧挡住了朱七七——朱七七一头竟撞入这人怀里。

这人是谁？除了沈浪还有谁。

只见他肩头扛着条大汉，这大汉满身湿淋淋的，像是方自水中捞起，沈浪面上，也满是汗珠。

这冲天的大火，竟真的烧不死沈浪。

众人这一惊，一喜，俱是非同小可。

朱七七退步，抬头，又抬头，揉了揉眼睛，再揉了揉眼睛，终于纵体入怀，放声大哭起来。

沈浪拖住她一掠而出，众人俱都围了上去。

白飞飞又哭又笑，道："沈相公……你……"

金无望手足颤抖，道："你……可……好？"

熊猫儿仰天大呼道："老天……噢，老天……"

沈浪微微笑道："各位莫非都当我死了？"

熊猫儿道："奇迹，简直是奇迹。"

朱七七却捶打着沈浪的胸膛，流着泪笑道："你没有死……你没有死……你真的没有死。"

沈浪道："虽未被烧死，却快被你打死了。"

朱七七"嘤咛"一声，娇嗔着笑道："你还说俏皮话，你可知人家为你多么着急，你若真的死了，我……我……"泪痕未干初笑，笑容未敛，眼泪又流下面颊。

沈浪面上也不禁现出感动之色，喃喃道："幸好我早出来一步……”

金不换眼珠子转了转，突然大声道：“沈相公，你可知道方才要为你死的，可不只朱七七一个人，那位白姑娘，可也是要为……”

眼角瞥见金无望冰冷的目光，再也不敢往下说了。

沈浪道：“在下累得各位担心，抱歉抱歉。”

朱七七道：“只就抱歉就算了么？”

沈浪笑道：“你还要我怎样？”

朱七七眼波流转，轻轻道：“我要你……”

附在沈浪耳畔，又说了几个字，众人都已听不见了。

这惊喜与激动平静之后，金无望道：“那般大火，你……你怎脱身的，这端的令人想不透。”

沈浪笑道：“我寻着地窟，救起此人，火势已十分猖狂，我已无法闯出，心念一转，便想到了那间救命的屋子。”

朱七七奇道：“什么屋子能救命？”

沈浪笑道：“就是困住你的那间屋子，我早已瞧出那四壁乃是精钢所制，烈火也难伤及，当下便躲了进去。”他说得倒也轻松，但众人却也知道当时情况之严重。

熊猫儿叹道：“除了沈浪外，若是换了别人，只怕早已被烧死了。”

金无望道：“不错，在那般危急情况中，四面大火，若是换了别人，早已慌得不知所措，哪里还能想到这一招。”

熊猫儿笑道：“若换了我……嘿，我根本就未瞧出那屋子四壁是什么，到时纵不惊慌，可也不会躲将进去。”

金无望叹道：“因此可见，所谓奇迹，大多也都是要依靠自身的智慧与力量，绝非侥幸取巧可以得来的。”

沈浪笑道：“但在那间铁屋子里，罪可也不好受……四面大火之中，那铁屋当真有如煨在火炉上的铁一般。”

朱七七“扑哧”笑道：“那你莫非就是锅里的鸭子了。”

沈浪大笑道：“不错，当时我那模样倒当真有几分和挂炉烤鸭相似，又有些像是太上老君炼丹炉中的孙悟空，房门一关，这位老兄就再也喘不过气来，到后来索性晕了过去，倒也受了些活罪。”

众人虽都不禁失笑，但想到那铁房中的焦热、闷气，又不禁暗中感叹，真不知沈浪是如何挨过来的。

只见沈浪虽是满头大汗，却仍神采奕奕。

朱七七笑道：“倒也亏得你，还未被炼成火眼金睛。”只要沈浪不死，她能把所有的不幸忘掉，一时之间，但听她叽叽呱呱，又说又笑，全听不到别人的声音，就连熊猫儿都实在插不进口去。

那大汉终于醒了过来，四望一眼，目光便眨也不眨，直瞧着沈浪，生像沈浪脸上长满了花似的。

沈浪微笑道：“如何？”

那大汉嗄声道：“我在等着瞧。”

沈浪笑道：“瞧什么？”

那大汉道：“瞧你要将我怎样？”

沈浪失笑道：“你说我要拿你怎样？”

那大汉厉声道：“你虽救了我的性命，但我却丝毫也不感激你，你若想要我说出什么来，那你却是做梦。”

朱七七、熊猫儿，面上都已现出怒容，齐声叱道：“你这不知好歹的畜生，你……”

那大汉道：“我就是不知好歹，随便你要拿我怎么样都无妨，你方才虽然救了我的性命，但此刻不妨再杀了我。”

沈浪微微一笑，挥手道：“你走吧。”

那大汉怔了一怔，道：“走……你要我走？”

沈浪道：“不错。”

那大汉满面惊诧，道：“你……你不逼我说……”

沈浪笑道：“我为何要逼你？”

那大汉道：“那……那你为……为何要救我？”

沈浪道：“我之所以救你性命，只不过是为了要救你性命而已，全没有别的原因。”

那大汉更惊奇，道：“就……就只这么简单。”

沈浪笑道：“本就简单得很。”

那大汉不信，又不得不信，站起来，走了两步，瞧见果然没有人拦他——他反而站在那里，动也不动了。

沈浪笑道：“你为何还不走？”

那大汉道：“施恩不望报的事，我虽未见过，倒也听过，但像这样全不为半点原因，便冒了生死危险去救人，而且是素不相识，甚至是对头的人……这样的事我却连听都未曾听过。”

朱七七笑道：“但如今你却亲眼瞧见了，便有些奇怪是么？告诉你，这位沈相公的行事，奇怪之处还多着哩。”

那大汉道：“我的确有些奇怪，我……我……”突然跪下，垂着头道：“我不想走了。”

沈浪道：“快快请起。”

那大汉道：“水往低处流，人往高处走，鸟栖暗林，人择明主，我杨大力虽是条莽汉，但这几句话却还懂的。”他喘了口气，接道：“我杨大力瞎眼活了几十年，直到今日遇着沈相公，才算睁开眼睛。我杨大力跟着王怜花，只道世上就只有人吃人、人骗人，直到今日，才知道世上也有些光明磊落的人，专做光明磊落的事。”

朱七七笑道：“你说了半天，到底要怎么？”

杨大力道：“我只求沈相公收容我，从此我就算是沈相公的奴才，但从此我也就可以睁开眼睛，挺起胸膛做人了。”

沈浪笑道：“这……这……”

杨大力道：“无论相公怎么说，我都跟定相公了。”

朱七七望着沈浪笑道：“你就答应他吧。”

沈浪道：“这……这……也罢，你就站起来吧。”

杨大力大喜道：“多谢相公。”

他徐徐站起，笑道：“小人昨日是王怜花的奴才，只知对王怜花忠心，今日成了沈相公的奴才，相公无论要问什么，小人知无不言。”

沈浪笑道：“我若问你，岂非成了……”

杨大力道：“相公纵不问，小人也要说的。”

他微一寻思，道：“王怜花的母亲，便是昔日云梦仙子的妹妹，他父亲是谁，却没有人知道；王怜花的一身本事，全是向他母亲学的，但他母亲的武功是哪里学来的，可也没有人知道了，小人只知道有许多武林早已经失传的功夫，他母子两人全会。”

朱七七恍然道：“呀！不错，紫煞手……那日在古墓中，被紫煞手害死的几个人，想必就是王怜花的手脚。”

杨大力也不管她说什么，只是接道：“这座房子，不过是他母子的密窟之一，据小人所知，他母子约摸总有五六十处类似的密窟，遍布江南江北。”

熊猫儿动容道：“五六十处，此人好大的野心。”

杨大力道：“他母子两人究竟有何野心，小人也不知道，只知道他们的确搜罗了许多成名的人物收作部下。”

他瞧了朱七七一眼，道：“方才和我一起去拷问你的，那头上蒙了一块布的青衫人，就也是武林中一位成名人物。”

朱七七急问道：“他是谁？”

杨大力道：“他好像叫作……叫作什么金鱼……”

朱七七变色道：“可是‘无鳞金鱼’白宋三。”

杨大力拍掌道：“不错，就是他，听说此人总是行走高贵人家，受人奉养，就好像金鱼似的……金鱼不也总是被高贵人家养着的么？至于那‘无鳞’两个字，就是他身法滑溜，就像是没有鳞的鱼，谁也抓不着，就拿今日来说，他岂非就早已溜了。”

朱七七怒声道：“难怪王怜花想到打我的主意，难怪他不敢以真面目见我……”

熊猫儿道：“他认得你？”

朱七七道：“他也是被我家老头子养着的武师之一，对我家什么事都熟悉得很……其实他对江南一带的豪富人家，每一家都熟悉得很，王怜花之所以收买他，想必就是要从他身上，来打那些富户的主意。”

熊猫儿道：“不想此人竟如此处心积虑。”

金无望却瞧着李长青，冷冷道：“这些话你可听到了么？”

李长青笑道：“我虽未听见这些话，但瞧见沈相公之为人行事，也足够了，我弟兄昔日，当真是错怪了他。”

沈浪笑道：“往事再也休提，今日么，今日在下却当真对三位前辈多有失礼，但望三位莫要恨我才好。”

此时此刻，还有谁会怪罪于他？

李长青道："展英松等人暴毙之事，委实令人难以了解，此刻冷三犹自在看守着他们的尸体，不知沈相公可否去瞧个究竟？"

连天云怒道："反正是王怜花下的手，还瞧什么？"

李长青笑道："话虽如此，但……但世界上竟会有那样的毒药，我委实难以相信，想来此中必定还有些隐秘。"

沈浪道："前辈说得不错，此中定有隐秘，但瞧那尸身，也未见能瞧出端倪，要揭破隐秘，需得自根本着手。"

李长青道："但……但不知沈相公要从何着手？"

沈浪道："这……不瞒前辈，在下此刻委实尚无一定之计划，唯有见机行事，是以'仁义庄'，在下一时间只怕是无法分身前去了。"

李长青笑道："江湖大乱眼见又将起风波，放眼江湖能赴此难，能挑起这副重担的，除了沈相公，实无他人，沈相公之辛劳，老朽自可想见，但愿沈相公此去，能有所斩获，老朽兄弟在'仁义庄'中静候佳音。"

他转目望向金无望，口中虽未说话，但意思自然是要金无望快快解了他体内"神仙一日醉"的药力。

这意思金无望自然知道，但"神仙一日醉"他虽能使用，却不能解。李长青的意思，他也只有装作不知。

李长青干咳一声，道："今日老朽就此别过，但……"

沈浪只得苦笑道："神仙一日醉，一日自解，但未到一日时，在下与金兄，都……唉！但请前辈多多恕罪。"

李长青怔了一怔，道："这……"

熊猫儿瞧了瞧朱七七，瞧了瞧沈浪，突然笑道："在下反正无事，不如由在下相送两位前辈回返'仁义庄'，也免得两位前辈久等不便。"

沈浪喜道："如此最好……大力可携扶天法大师与冷兄下山，然后便在天法大师处，等候于我，就此也可自大师处得到些教训。"

杨大力心中虽想跟着沈浪，但口中只有发声道："是。"

天法一直默然不语，此刻方自沉声道："沈浪，贫僧敬的只是你仁义心怀，以及你武功绝技，你我昔日恩怨，虽可一笔勾销，但我与花蕊仙的事，你也莫管。"

沈浪躬身道："是。"

天法道："只是，你也可放心，贫僧绝不乘人于危，花蕊仙武功未复之前，我天法绝不会动她半根手指。"

沈浪道："多谢大师。"

金不换突然冷冷道："我呢？谁送我？"

金无望冷冷道："我来送你。"

金不换忍不住打了个寒噤，道："你……你……李兄，李老前辈，你们可不能丢下我不管呀，你们……"语声突顿，只是金无望已卸下了他的下巴。

李长青瞧了他一眼，摇头苦叹，终未言语。

于是熊猫儿扶起李、连，杨大力扶起天法、冷大。

朱七七突然掠到熊猫儿面前，道："你……你就此走了么？"

熊猫儿扭转头，不敢瞧她，口中却笑道："走了……已该走了。"

朱七七垂首道："你……你……我……"

熊猫儿仰天大笑道："今日别过，后会有期……沈兄，救命之恩，猫儿不敢言谢，日后……日后……"笑声语声突然齐顿，扶着李、连两人，头也不回地大步走下山去。

朱七七望着他的背影，喃喃道："猫儿……我对不起你……对不起你……"

语声未了，泣下数行。

金无望道："这猫儿，倒是条好男儿。"

沈浪叹道："能被你称赞的人，自是好的……"

朱七七突然顿足道："咱们为何还不走？这里莫非还有什么值得留恋之处？"

沈浪道："我留在这里，一来只因还要在火场中搜寻搜寻，再者……金兄也可乘此时候，在这里处置了金不换。"

朱七七道："如何处置？"

沈浪道："如何处置，全由金兄了。"

金无望恨声道："如此恶徒，我恨不得将之碎尸万段！"跺了跺脚，一把抓起金不换，自山岩后飞掠而去。

第十七章

扑朔迷离

白云悠悠，雪已霁，日已出，但山风仍冷如刀。

白飞飞身子蜷成一团，垂首弄着衣角，只是眼波却仍不时瞟向沈浪——已走入火场，四下寻找。

他细心寻找时，地上又有什么东西能逃得过他的眼睛？

朱七七仰着头，瞧着天，似在出神，但是只要白飞飞瞧了沈浪一眼，她就不禁要咬一咬嘴唇。

突然，金无望一个人大步走回，面色铁青。

朱七七忍不住问道："金不换呢？"

金无望道："嗯……"

朱七七道："你……你已杀了他？"

金无望默然半晌，缓缓道："我放了他。"

朱七七失声道："你……你放了他？他那般害你，你却放了他？那极恶之徒，留在世上，还不知要害死多少人……"

突听沈浪笑道："我却早已知道金兄必定会放他的。"

他不知何时，已自掠回，接着笑道："金不换虽对金无望不仁，但金无望却不能对金不换不义……是么？若换了我是金无望，我也要放他的。"

金无望惨然一笑，道："多谢……"

沈浪对他种种好处，他从未言谢，直到此刻这谢字才说出口来，这只是为了沈浪对他的了解。

能了解一个人，有时确实比救他性命困难得多，而一个孤僻倔强的人被人了解，心中的感激，更非言语所能形容。

朱七七瞧瞧金无望，又瞧瞧沈浪，跺脚叹道："你们男人的事，有时真令人不解。”

沈浪笑道：“男人的事，女人还是不懂的好。”

过了半晌，金无望道：“火场之中，是否还有些线索？”

沈浪道：“东西倒找着两样，但是否有用，此刻不敢说……”语声微微一顿，不等金无望说话，便又接道：“金兄以后何去何从？”

金无望仰首去瞧天上白云，喃喃道：“何去何从？何去何从？……”突然大喝道：“沈浪，金无望贱命今已属你，你还问什么？”

沈浪又惊又喜，道：“但你故主之情……”

金无望道：“哦，金无望难道不如杨大力？”

沈浪大喜道：“沈浪能得金兄之助，何患大事不成……金兄，沈浪必定好自为之，必不令你后悔今日之决定……”

两人手掌一握，什么话都已尽在不言之中。

朱七七瞧得眼圈儿似又有些红了，也笑道：“沈浪，你今后又何去何从？”

沈浪道：“先寻你姐夫，那巨万金银，总是不能落在王怜花手中的。”

朱七七又惊又喜，道：“你……你……”突然抱住沈浪，大呼道：“原来朱七七的事，沈浪还是时常放在心上的。”

这欢喜的呼声，方自响遍山岭，已有一片阴霾，掩没了冬日，天气方才晴朗半日，另一场暴风雪眼见又要来了。

阳光既没，风更寒，娇弱的白飞飞，早已冻得簌簌地抖了起来，连那樱桃般的嘴唇，也都冻得发白。

但她还是咬紧牙，忍住，绝不诉苦，在她那弱不胜衣的身子里，正有着一颗比钢铁还坚强的心。

金无望瞧了瞧她，又瞧了瞧正在跳跃、欢呼着的朱七七，他那冷漠的目光中，不禁露出一丝怜惜之色。

这怜惜固是为着白飞飞，又何尝不是为着朱七七。

也许只有他知道，在那倔强、好胜、任性、决不肯服输的外表下，朱七七的一颗心，却是多么脆弱。

这是两个迥然不同的女孩子，这两人每人都有她们特异的可爱之处。她们将来的命运，也必因她们的性格而完全不同。

白飞飞始终没有抬头，也不知她是不愿去瞧朱七七欢喜的神情，还是她不敢再多瞧沈浪。

她很了解自己的身份，她知道自己在这里唯有听人摆布，她并未期望别人会顾虑到她。

虽然她寒冷、饥饿、疲乏、颤抖……她也只有垂首忍住，她甚至不敢让别人瞧见她的痛苦。

只听金无望沉声道："咱们下山吧。"

朱七七道："好，咱们走。"

在她欢喜的时候，什么事也都可依着别人的，于是她伸手想去拉沈浪，但沈浪却已走到白飞飞面前。

白飞飞手足都已冻僵，正不知该如何走下这段崎岖而漫长的小路，忽见沈浪的一只手，伸到她面前。

她心头一阵感激，一阵欢喜，一阵颤抖——这只手正是她心底深处所等待着，希冀着的，但是她偷偷瞧了朱七七一眼后，她竟不敢去扶这只手，她垂下头，忍住眼泪，咬着牙道："我……我自己可以走。"

沈浪微微一笑，道："你真的能走？"

白飞飞头垂得更低，道："真……真的……"

沈浪笑道："傻孩子，莫要逞强，你哪里走得动？"

伸手扶起了白飞飞的腰肢——这腰肢亦正在颤抖。

朱七七脸色又变了，眼瞧着依偎而行的白飞飞与沈浪，她心头又仿佛有块千斤巨石压下，压得她不能动。

沈浪回笑道："走呀，你为何……"

朱七七咬牙道："我也走不动。"

沈浪道："你怎会走不动，你……"

朱七七大声道："人家明明说走得动，你却偏要扶她，我明明说走不动，你却偏偏要说我走得动，你……你……"

她突然坐了下去，就坐在雪地上，抽泣起来。

沈浪怔住了，唯有苦笑。

白飞飞颤声道："你……你还是去扶朱姑娘，我……我……我可以走，真的可以走，真的可以走……"

她挣扎着，终于挣脱了沈浪的手，咬牙走下山去，有风吹过，她那娇弱的身子，仿佛随时都可被风吹走。

沈浪轻叹一声，道："金兄，你……"

金无望道："我照顾她。"

沈浪木立半晌，缓缓走到朱七七面前，缓缓伸出了手，他目光并未去瞧朱七七一眼，只是冷冷道："好，我扶你，走吧。"

朱七七垂首痛哭，哭得更悲哀了。

沈浪道："什么事都已依着你，你还哭什么？"

朱七七嘶声道："我知道，你根本不愿意扶我，你来扶我，全是……全是被我逼得没有法子，是么……是么？"

沈浪沉着脸，不说话。

朱七七痛哭着伏倒在地，道："我也知道我愈是这样，你愈是会讨厌我，你就算本来对我好的，瞧见我这样，也会讨厌。"

她双手抓着冰雪，痛哭着接道："但是我没法子，我一瞧见你和别人……我，我的心就要碎了，什么事都再也顾不得了……我根本再也无法控制自己。"

她抬起头，面上冰雪泥泞狼藉。

她仰天嘶声呼道："朱七七呀朱七七，你为什么会这样傻……你为什么会这样傻，总是要做这样的傻事。"

沈浪目中终于现出怜惜之色，俯身抱起了她，柔声道："七七，莫要这样，像个孩子似的……"

朱七七一把抱住了他，用尽全身气力抱住了他，道："沈浪，求求你，永远莫要讨厌我，永远莫要离开我……只要你对我好，我……我就算为你死都没关系。"

饭后，炉火正旺。

这虽然是个荒村小店，这屋里陈设虽是那么简陋，但在经历险难的朱七七眼中看来，却已无异于天堂。

她蜷曲在炉火前的椅子上，目光再也不肯离开沈浪，她心头充满幸福，只因她与沈浪的不愉快都已成了过去。

方才，在下山时，沈浪曾经对她说："白飞飞是个可怜的女孩子，孤苦伶仃地活在这世上，无依无靠，我们都该对她好些，是么？"

他这话正无异委婉地向朱七七说出他对白飞飞的情感，只不过是怜悯而已，并非喜欢。

朱七七的心境，立刻开朗了。

于是，她也立刻答应沈浪："我以后一定会对她好些。"

此刻，白飞飞远远地坐在角落中——她虽然最是怕冷，却不敢坐得离火炉近些，只因沈浪就在火旁。

朱七七想起了沈浪的话，心中不觉也有些可怜她了，正想要这可怜的女孩子坐过来一些。

沈浪道："飞飞，你怕冷，为何不坐过来一些？"

朱七七脱口道："怕冷？怕冷为何还不去睡，被窝里最暖和了。"

这句话本不是她原来想说的话，她说出之后，立刻便觉后悔了，但在方才那一刹那，她竟忍不住脱口说了出来。

沈浪瞧了她一眼，苦笑摇头。

白飞飞却已盈盈站起，垂首道："是，我正已该去睡了……朱姑娘晚安……"柔顺地走了出去，连头都不敢抬起来瞧一眼。

朱七七瞧瞧沈浪，又瞧瞧金无望，突也站了起来，道："我要她去睡，也是对她不好么？"

沈浪道："我又未曾说你……"

朱七七大声道："你嘴里虽未说，但心里呢？"

沈浪道："我心里想什么，你怎会知道？"

朱七七跺足道："我知道，我知道，你们心里，都在说我是个坏女人……好，我就是个坏女人，就偏偏做些坏事给你们瞧瞧，我……"

语声突被一阵敲门声打断了。

沈浪道："什么人？"

门外应声道："是小人，有事禀报。"

朱七七一肚子没好气，怒道："深更半夜，穷拍人家的房门，撞见了鬼么？"重重拉开房门，一个人踉跄撞了进来，却是那店小二。

他左手提着大茶壶，右手里却有封书信，此刻似已被朱七七的凶相骇呆了，站在那里，直翻白眼。

沈浪目光一闪，含笑道："什么事？莫非是这封信？"

那店小二偷偷瞧了朱七七一眼，赶紧垂首道："不错，就是这封信，方才有人叫小的送来交给沈相公。"

沈浪接过书信，沉吟道："那人是何模样？"

店小二道："小的未曾瞧见……"

朱七七怒道："你接了他的信，却未瞧见他的人，莫非你是瞎子……莫非那人是个活鬼，迷了你的眼睛？"

店小二道："这……这……这封信是门口卖面的刘方送来的，说是个吃面的客人交给刘方的，小的也曾问刘方那是什么，刘方他……他……"

朱七七道："他说什么？"

店小二苦着脸道："他什么也没说，他是个真瞎子。"

这一来朱七七倒真的呆住了，当真是又好气又好笑，那店小二再也不敢惹她，蹑着足走了出去。

只听沈浪缓缓念道："机密要事，盼三更相候，切要切要。"

朱七七忍不住问道："机密要事……还有呢？"

沈浪道："没有了，信上就只这十三个字。"

朱七七道："是谁写来的？"

沈浪道："未曾具名，笔迹也生疏得很。"

朱七七喃喃道："这倒怪了……这会是谁呢？"

她的气来得虽快，去得也快，此刻早已忘了与沈浪赌气的事，又依偎到沈浪身旁，凑首去瞧那封书信。

只见那信封、信纸，俱都十分粗糙，墨迹淡而不均，字迹潦草零乱，显见是在市街之上，借人纸笔匆忙写成的。

朱七七皱眉道："这笔字当真写得跟狗爬似的，我用脚都可比他写得好……由此看来，写这封信的，必定是个粗人……"

她自觉自己现在也已能自小处观察事物了，心里不禁甚是得意，只等沈浪来夸奖她几句。

哪知沈浪却道："粗人……未必。"

朱七七瞪大眼睛，道："未必……难道斯文人物，也会写得出这样的字来？”

沈浪道：“此人字迹虽陋，但语句却通顺得很，若是胸无点墨之人，那是万万写不出这样的语句来的。”

朱七七想了想，笑道：“不错，若真是粗人，就会写：‘我有紧要的事和你说，三更时等着我，一定，一定’了。”

沈浪道：“正是如此。”

朱七七双眉又皱起，道：“但看来这却又不似能假装得出的。”

沈浪道：“你再仔细瞧瞧，这字迹有何异处。”

朱七七凝目瞧了半晌，喃喃道：“没有呀……噢，对了，有了，他写的每一笔，每一横，都往右边斜歪……每个字都像是被风吹得站不住脚似的。”

沈浪道：“正是如此。”

朱七七道：“这……这又可看出什么？”

沈浪道：“这可看出他这封信，乃是以左手写的……常人以右手写字，笔迹虽各有不同，但以左手写来，便差不多了。”

朱七七垂首沉吟道：“他以左手写信，要我们辨不出他的笔迹，又要瞎子传信，好教我们猜不出他究竟是谁……”突然抬头，接道：“如此看来，他必定是我们的熟人……我们不但知道他的容貌，而且还认得他的笔迹。”

沈浪道：“想来必是如此。”

朱七七道：“他如此做法，自然是要我们猜不出他是谁来，但……但三更时，他既要来与我们见面，却为何又要弄这些玄虚？”

沈浪道：“这其中，想必自有原因……”

朱七七突然拍手道：“对了，这想必是金蝉脱壳、声东击西之计，他以这封信将咱们稳住在这里等他，他便好去别处办事。”

沈浪缓缓道：“他纵不写这封信来，我等今夜也是不会到什么别的地方去的，他写了这封信，岂不是画蛇添足，多此一举？”

朱七七呆了半晌，道：“是呀，这岂非多此一举？”

轻轻叹了口气，苦笑接道：“我自以为观察事物，已不错了，猜的也不会差得太远，哪知……被你一说，我猜了简直等于没猜一样。”

沈浪微笑道：“已经发生之事，观察遗迹便不难猜中，但还未发生之事，单凭一些蛛丝马迹去猜，便常会差之毫厘，谬之千里。”

朱七七道：“但你也说过这其中必有原因呀。”

沈浪道：“这件事必须自多方猜测，小心求证，未经证实之前，谁也无法断定哪一种猜测是正确无误的。”

朱七七道：“如此说来，你莫非还有什么别的猜测不成？”

沈浪道：“说不定此人正被强敌追踪，不等夜深人静时，不敢露面……说不定他右手已然受伤，是以只有以左手写字。”

朱七七又呆了一呆，失笑道：“你呀……你那颗心，真不知有多少窍，别人做梦也想不到的事，偏偏都被你想到了。”

沈浪叹道：“但他如此做法，也可能是在三更之前，要有所举动，是以要用这封信，将我等稳住在这里……至于那会是什么，此刻便谁也无法猜中了。”

朱七七道：“既然猜不中，我们也莫要猜了。”

金无望目光凝注着窗户，冷冷道：“反正三更已不远了。”

漫漫寒夜，更鼓似乎格外缓慢。

金无望目光始终凝注着窗户，始终动也不动，朱七七不禁暗暗佩服——她自己委实已坐不住了。

突然间，窗外“嗖”的一响。

紧接着，整个窗户竟在一瞬间完全燃烧了起来。

火焰飞动，窗外黑暗中，似有人影伫立。

沈浪双掌齐出，掌风过处，竟将燃烧着的窗户整个震飞了出去，金无望已抓起条棉被，飞身而出，立刻将火焰压灭。

这变化发生得本极突然，但两人丝毫不乱，一声未出，瞬息间便已将什么事都做好了。

沈浪沉声道：“七七，你在此看着白飞飞，我与金兄追查敌迹。”语声未了，人已在窗外，眨眼便已瞧不见了。

朱七七跺足恨声道：“又是白飞飞，什么事都忘不了白飞飞，她这么大的人还要我看着她，却要谁来看着我呢？”

此刻远处传来更鼓，恰是二更。

火焰飞动时，窗外黑暗中还伫立着一条人影，但等沈浪与金无望飞掠出窗，这人影一闪便已不见。

沈浪道：“此人好快的身法。”

金无望道：“哼，追。”

两人一前一后，飞身追出，黑夜之间两人已无法分辨雪地上的足迹，也无暇去分辨雪地上的足迹。

但这人影不仅轻功高妙，而且似乎早已留下了退路，沈浪纵是用尽全力，却再也瞧不见他的人影。

金无望犹自穷追，沈浪却突然驻足，一把拉住了他，大声道：“此人来意虽不明，但我等也未受丝毫损失，何苦白花气力追他……”突然压低语声，道：“留意调虎离山之计。”

金无望目光闪动，大声道：“正是，咱们回去吧。”

亦自压低语声，道：“我回去，你追。”

沈浪微一颔首，肩头微耸，隐身一株树后，金无望大步走了回去，口中故意喃喃不停，也听不出说的是什么。

寒风如刀，夜静无声。

沈浪沉住了气，隐身树后，动也不动——他算定了那人身法必定绝无如此迅急，必定是早已看好藏身之地，躲了进去，敌暗我明，沈浪若去寻找，不但困难，而且还得随时防着那人的冷箭，自不如反客为主，自己先躲了起来，那人忍耐不住时，只有现身而出了。

谁知沈浪固是智计绝伦，那人却也不笨，竟再也不肯上沈浪的当，仍然躲得好好的，绝不露一露头。

沈浪固是沉得住气，那人的涵养功夫却也不小——沈浪直守了半个更次，仍不见丝毫动静。

金无望赶回客栈，客栈一片黑暗静寂，唯有自他们那跨院厢房中映出的灯光，照亮了窗前的雪地。

朱七七却在这片雪地上堆着雪人。

别人堆雪人，都是堆得胖胖的，像是弥陀佛；朱七七堆雪人，却堆得又瘦又长，只怕被风一吹，便要倒了。

她面庞已被冻得红红的，像是个苹果，两只手忙个不停，正在堆着雪人的头，拍着雪人的脸。

她轻轻拍一下，嘴里就轻轻骂一声："你这没有良心的……你这黑心鬼……只会记得别人，从来不想我……"

金无望已走到她身旁，她竟仍未觉察，嘴里不停地骂，手里不停地打，嘴角、眉梢，却似在笑着。

这打，这骂，正叙出她心里的恨，然而这飘飘忽忽的一丝笑，却又叙出了她心里那份浓浓的情意。

是恨？是爱？她自己都分不清。

金无望干咳一声，道："喂。"

朱七七一惊回头，嫣然笑道："是你，真吓了我一跳……"

眨了眨眼睛，瞧了瞧后面，又道："你是什么时候回来的？他……他呢？"

金无望道："还在搜索。"

朱七七道："你错了，他早已回来了。"扑哧一笑，指着那雪人，道："你瞧，他不是已站在这里了么？挨我的打都已挨了好半天了，他可连动都没有动一动，还在瞧着我笑。"

她凝目瞧着这雪人，瞧了半晌，苹果脸上的笑容，渐渐消失，垂下头，幽幽苦叹了一声，轻轻道："真的沈浪若也这么乖，那有多好。"

金无望凝目瞧着她，也瞧了半晌，冰岩般的面容上，却渐渐泛出一丝怜惜之色，口中却冷冷道："此间可有什么动静？"

朱七七抬起头来，道："什么动静都没有。"

金无望道："直至我走到你身旁，你都未曾觉察，房中若有什么变故，你更是听不到了，你……你为何不守在房里？"

朱七七瞪大眼睛，道："守在房里干什么？难道要我去做白飞飞的丫头，在床边守着她睡觉，等着替她盖棉被不成？"

金无望再不说话，转过身子。

朱七七幽幽道："为什么你现在也对我这么凶了，是不是因为那天……那天我……唉，我实在对不起你……"

金无望不等她话说完，突然一掠入窗，只留下朱七七站在雪地，呆呆地出着神，喃喃道："他对不起别人，我……我这是为什么……为什么……"一阵风吹过，雪人倒了。

朱七七目中，却流下泪来。

突然间，金无望在屋里失声呼道："不好。"

朱七七飞身而入，道："什么事？"

金无望一只手已推开了白飞飞那间小屋的门，铁青着脸，凝目瞧着门里，一字字沉声道："你去瞧瞧。"

小屋中，小床上，被褥凌乱，床边的窗也开了，一阵阵寒风吹进来，吹得窗边小床上的油灯摇摇欲灭。

棉被一角，落入了床下火盆中，小火盆里的余烬仍在燃烧，几乎便要烧着被角，一双火筷，落在火盆旁……

白飞飞的人呢？

朱七七失声惊呼道："白飞飞呢？她……她……她到哪里去了？"

金无望冷冷道："这该问你才是。"

朱七七跺脚道："这小鬼，溜到哪里去，要出去干什么，也该跟人说一声才是呀……飞飞……白飞飞……"

金无望道："莫要唤了，唤了也是无用。"

朱七七道："她听到叫唤，只怕就会……"

金无望厉声道："你这是在骗人，还是在骗自己？你瞧这窗子、这床、这被褥，她难道还会是自己起来出去的么？"

朱七七一步掠到床前，瞧了瞧，"噗"地坐到床上，喃喃道："她不是自己走出去的……她想必落入别人手中……但……但这又是谁绑去了她？为什么要绑走她？"

金无望再不说话，一双锐利的目光，却不停地在四下扫视，灯光虽暗淡，但对他却已足够。

朱七七呆在那里，眼泪又自流下，不住低语道："这怎么办呢？怎么办呢？她那么娇弱的人，竟落入别人手中，又不知是谁做的手脚……"

金无望道："你此刻既是如此着急，平日为何不对她好些？"

朱七七道："我……我……我……我也不知道为了什么。平日我虽瞧她不惯，但她真的被人绑走，我心里却难受得很。"

金无望默然半晌，缓缓道："我早已对你说过，你本心虽好，只可惜……"

他口中虽在说话，目光却一直在不停地扫视，此刻突然一步掠到床前，自床上抓起了一样东西。

朱七七道："是什么？"

金无望也不答话，凝目瞧着掌心的东西，瞧了几眼，面色更变得阴森可怖，突然厉喝一声，握紧拳头，道："是他。"

朱七七随着道："他？是谁？"

金无望牙关紧咬，自牙缝里迸出了三个字："金不换。"

朱七七跳了起来，变色道："是他？真的是他？"

金无望将紧握的拳头伸到朱七七面前，五指缓缓松开，掌心抓住的却是一缕褐色的破布。

朱七七失声道："不错，果然又是这恶贼，这就是他穿着的那件衣服，想必是白飞飞在挣扎时，将它扯下来的。"

金无望凝目望着窗外，眼珠子都似已要凸了出来，牙齿咬得吱吱作响，朱七七本来还想说话，瞧见他如此模样，一个字也不敢说了。

只听金无望恨声道："这全都怪我，我若不饶了他性命，怎有此事。"

朱七七嗫嚅着道："这全该怪我才是，我若不……"

金无望大喝一声，道："莫要说了。"

但过了半晌，朱七七还是忍不住道："你也莫要着急，等沈浪回来，我们好歹也要想个法子，将白飞飞设法救回来才是，否则……"

金无望厉声道："这本属金某之事，为何还要等沈浪，烦你转告于他，三日之中，我若不将这厮擒回，誓不为人。"

语声未了，已飞身出窗。

朱七七见金无望走了，不由心中茫然，大呼道："你等一等……你回来呀。"

追到窗外，哪里还瞧得见金无望。朱七七要待去追，终于驻足，回过头来，转向沈浪方才追查敌踪而去的方向，狂奔而出。

她一面狂呼道："沈浪……沈浪……"

"沈浪……沈浪。"

沈浪犹自隐身树后，除了目光扫视，四肢绝不动弹。

虽然等了这么久，但他面上却仍毫无焦急不耐之色，因为他深信到后来沉不住气的绝不会是他。

但就在这时，朱七七的呼声已传了过来。

只听她放声呼道："沈浪……沈浪，你在哪里，快回来呀。"

沈浪跺了跺脚，面对黑暗，沉声道："好，朋友，今日总算被你逃过了，你既有如此耐性，不管你是谁，沈浪都佩服得很。"

朱七七呼声愈来愈近，犹自呼道："沈浪，快来呀……"

沈浪叹息一声，回身向她掠去。

朱七七要找沈浪虽不易，沈浪去找朱七七却容易得很。

两人相见，朱七七便纵身扑入沈浪怀里，道："幸好你没有事，幸好你回来了……"

沈浪道："你又有什么事？"

朱七七道："金不换，金不换他……他……他……"

沈浪道："他怎样？莫非……"

朱七七道："他将白飞飞绑去了。"

沈浪变色道："金无望呢？怎地未曾拦阻？"

朱七七道："那时他还未回来。"

沈浪用力推开了她，厉声道："你呢？你难道在袖手旁观不成。"

朱七七身子被推得踉跄后退了出去，嘶声道："我不知道，根本不知道，我又不能在床边守着她，我……我……我那时一直在院子里。"

沈浪狠狠一跺足，飞身掠回客栈。

朱七七跟在他身后，一面啼哭，一面奔跑。

回到客栈房里，沈浪四下巡视一遍，道："金无望可是追下去了？"

朱七七道："嗯。"

沈浪道："他可有留话？"

朱七七道："他说……三日内，必定将金不换抓回来，他……"

沈浪跌足道："三日，这怎么等三日。"

他深知金无望武功虽在金不换之上，但若论奸狡，却万万比不上金不换，他孤身前去追赶，实难令人放心。

朱七七道："他走了没多久，只怕……"

沈浪截口道："他是自哪方去的？"

朱七七带着沈浪到了那小屋窗口，指窗口左边，道："就是……"

话声未了，突见有条人影，自她手指的方向那边如飞掠来，瞧那轻功，虽也是武林一流高手，但却绝非金无望。

朱七七语声方自一顿，又不禁失声道："呀，果然有人来了。"

她此刻已只当那封书信必定是别人的金蝉脱壳、声东击西之计，此刻真的有人来了，她反倒吃了一惊。

就连沈浪也不由有些惊奇，沉声道："这又是什么人？"

这人影竟似已知道沈浪的居处，是以直奔这窗口而来，奔到近前，沈浪才瞧出此人竟是个乞丐。

只见他满头乱发，鹑衣百结，手里拿着根打狗棒，背后竟背着叠麻袋，只是瞧不清面目。

朱七七道："莫非是金不换又来了……呀，不是。"单瞧那麻袋，已知此人乃是正宗丐帮弟子，与金不换的野狐禅大不相同。

这丐帮弟子在窗前五尺，便顿住身形，抱拳道："沈兄可好？"

沈浪一怔道："好……好。"

丐帮弟子又道："朱姑娘可好？"

朱七七更是一怔，道："好……好。"

她与沈浪两人，口中虽已答话，但心中却更是惊诧，只因他两人与丐帮弟子素无交往，却不知此人怎会认得他们，而且还似素识故友。

这丐帮弟子瞧及他两人的神情，微微一笑，道："两位莫非是不认得小弟了么？"走前一步，走入灯光映照的圈子里，轻叹一声，接道："小弟近来确是变了许多。"

沈浪与朱七七这才瞧见他面目。

只见他面容憔悴，满面污泥，看来委实狼狈不堪，但那双黑白分明的眼睛，却仍带着昔日的神采。

朱七七一眼瞧过，失声道："原来是你。"

沈浪亦不禁失声道："原来是徐兄。"

那丐帮弟子笑道："不错，小弟正是徐若愚。"

又有谁能想到昔日那修饰华丽、自命风流的"玉面瑶琴神剑手"徐若愚，今日竟已投入丐帮。

又有谁能料想到今日这形容猥琐、污秽狼狈的，竟是昔日那风度翩翩的“玉面瑶琴神剑手”。

房中灯光之下，徐若愚看来更是狼狈，他左手提着根打狗棒，右手却以白布扎住，布纹间隐隐有血迹透出。

朱七七瞧着他那受伤的右手，忍不住问道：“方才那封书信，可是你写的么？”

徐若愚道：“不错。”

朱七七瞧了瞧沈浪，含笑眨了眨眼睛，意示嘉许——在此刻之前，她委实未想到这件事又会被沈浪猜中的。

沈浪却故作不闻，道：“多日未见，徐兄怎地投入了江湖第一大帮的门下？”他说话素来处处为别人着想，是以不说“丐帮”，而以“第一大帮”代替。

徐若愚微微一笑，道：“此事说来倒也话长。”

沈浪瞧他笑容中似乎有些惨淡之意，当下转过话题，道：“徐兄今日不知有何机密之事，要和小弟相商？”

徐若愚沉吟半晌，道：“此事也得从小弟之投入丐帮说起。”

沈浪道：“小弟洗耳恭听。”

徐若愚道：“小弟自从与沈兄分别之后，自感昔日之种种作为，实是羞于见人，而前途茫茫，亦不知该如何方能洗清昔日之罪孽。”

他沉重地叹息一声，方自接道：“那时小弟百感交集，实觉万念俱灰，也不辨方向，茫然而行，不出半月，已是落拓狼狈不堪，与乞丐相差无几。”

沈浪叹道：“徐兄又何必自苦如此。”

徐若愚苦笑道：“沈兄有所不知，那时小弟委实只有以肉体的折磨，方能多少减轻一些心上的负疚与痛苦。”

朱七七眼角瞟了瞟沈浪，幽幽叹道：“这话虽不错，但我心里的痛苦，却是什么也无法减轻的。”

沈浪只当没有听见，却笑道：“丐帮乃当今武林第一大帮，门下弟子，遍布天下，声势之强，可称一时无两，徐兄若是为了要吃苦而投入丐帮，那就错了。”

徐若愚道：“小弟本无投入丐帮之意，只是意气消沉，什么事都不想做了，到后来山穷水尽，别人见我模样可怜，便施舍于我，我竟也厚颜收下。”

他又自苦笑了笑，接道：“谁知丐帮消息真个灵通，居然认出了我的来历，竟派出丐帮中那三位长老，前来寻我谈判。”

朱七七道：“有什么好谈的？”

徐若愚道：“他们说我既已有求乞的行为，便必须投入丐帮，否则便是犯了他们的规矩，丐帮门中弟子，都要视我为敌。”

朱七七道：“哪有这么不讲理的事……你难道这样就答应了他们？”

徐若愚避开了她的目光，垂首叹道：“不错，我就这样答应了他们，我……我那时对自己前途如何，根本已全不在意，若有人要我去做和尚，我也会立刻去做的。”

沈浪笑道：“丐帮如此做法，也不过是求才之意，他们如非要借重徐兄之声名武功，徐兄身后背着的麻袋，便不会有这么多了。”

他一眼瞧过，便瞧出徐若愚身后背着的麻袋，至少也有七只——这麻袋乃是丐帮中象征身份年资之物，麻袋愈多，身份愈高，由一袋弟子爬到七袋弟子，这路途本是艰苦漫长得很。

如今徐若愚初入丐帮之门，便已成为七袋弟子，这在丐帮说来，倒当真是破例优遇之事。

徐若愚却叹道：“小弟那时若非放开一切，又怎会投入丐帮？既已投入丐帮，又怎会再去计较这几只麻袋……”

他忽然抬头一笑，接道：“但若非这七只麻袋，小弟倒真还无法听得那件秘密。”

沈浪道：“徐兄今日想必就是为了这件秘密而来的了。”

徐若愚道：“正是。”

朱七七道：“究竟是什么秘密？快说呀。”

只要朱七七一说话，徐若愚就垂下了头。

他垂首道：“小弟投入丐帮之后，丐帮也没有什么任务交付给我，只是终日随着那三位长老，游游荡荡。”

朱七七道：“帮主呢？你难道……”

沈浪截口道：“丐帮自从昔年熊帮主故去之后，帮主之位，一直虚悬，帮中大事，全都是由那三位长老共同裁夺。”

朱七七眨了眨眼睛道："那又何必，干脆由他们三人中，选出一人来做帮主不就结了？"

沈浪笑道："这三位长老，无论辈分、武功、声名，俱都不相上下，是以三人互相谦让，谁也不肯登上帮主之位。"

朱七七笑道："他们三人只怕不是互相谦让吧……我就不相信江湖中会有这样的好人好事……若说他们三个人互相争夺，只是谁也无法胜得别人，于是只有三个人都不做，也不让别人做……这话我倒相信的。"

沈浪道："你倒聪明得很。"

朱七七道："我虽不聪明，但这种事……"

瞧了沈浪一眼，突然改口道："后来如何，还是你接着说吧。"

徐若愚道："就那几日中过得极悠闲，但我却已发觉了件奇异之事。"

朱七七道："什么事？"

徐若愚道："他三人自从我入帮之日开始，便寸步不离地跟着我，而且三人同进同退，纵在方便之时，至少也有两个人跟着我，我原先本还猜不透这其中原因，到后来才知道原来他三人竟是谁也不肯让别人单独与我说话。"

朱七七道："这倒怪了，你又不是女子，难道他三人还会吃醋么……"突然一拍手掌，笑道："是了，这三人互争帮主之位，谁也无法胜过别人，但其中无论是谁，只要有你相助，便可压倒其他两人，登上帮主宝座，在这种情况下，三人自然互相猜忌，生怕你被人说动，自然也万万不能让别人与你单独说话了。我早就知道这些人为了争名夺利，是什么事都做得出来的。"

沈浪沉吟道："小弟久闻丐帮三老中，除了单弓性情偏激，有时行事难免任性之外，那欧阳轮虽好饮食，却是侠义正直之人，左公龙更是大仁大义，从不苟且……他三人可说无一不是侠名鼎盛，又怎会……"

徐若愚长叹截口道："知人知面不知心，小弟若不是与他三人如此接近，实也梦想不到这三人中竟有个人面兽心的恶魔……若不是小弟在无意间窥破了他的奸谋恶计，丐帮数千弟子，便势必断送在此人手上。"

沈浪动容道："有此等事……"

徐若愚道："小弟今日前来，一来因是为了此事与沈兄多少有些关系，二来也是为了要请沈兄念在江湖同道份上，挽救丐帮此次危机。"

沈浪正色道："小弟早已说过，丐帮乃当今天下最大帮派，丐帮若入奸人之手，整个江湖也势必因此大乱，此事既然如此严重，徐兄无论有何吩咐都请快说，小弟若能尽力，焉有推辞之理。"

徐若愚道："此事要从四日之前说起。"

他深深吸了口气，沉声接道："四日之前，我与他三人夜宿荒祠，他三人鼻息沉沉，小弟却是辗转反侧，不能成眠。"

朱七七忍不住道："他三人只怕都在假睡。"

徐若愚道："那日风雪严寒，他们在荒祠中生了堆旺火，我四人围火而眠，我脚后睡的是欧阳轮，欧阳轮的头与左公龙睡在一起，左公龙的脚抵着单弓的脚，单弓的头自然便在我的头后面。"

朱七七失笑道："你四人如何睡觉，难道也与这秘密有什么关系不成？"

徐若愚道："这其中自是大有关系……夜半之时，我眼瞧那火堆火势已渐微弱，正待起来加些柴木，哪知……"

徐若愚道："哪知就在这时，我突觉单弓的手悄悄伸了过来，用手指在我前额之上，缓缓画出了几个字。"

朱七七笑道："他果然未曾睡着。"

沈浪却沉声道："这几个字必定关系重大得很。"

徐若愚道："他画出的那几个字，乃是：'你我合力，除左。'"

朱七七道："这单弓果然不是个好东西，丐帮三老中，左公龙既是最好的一个人，你可千万不能听单弓的话。"

徐若愚道："那时我虽已辨出他画出的字却故作全无感觉，于是单弓便又画道，'此人已不可信，动手当在今夜，此刻，否则……'"

朱七七道："下面呢？你快说呀。"

徐若愚道："他手指愈画愈重，显见得已有些紧张起来，哪知他方自又画出这十七个字，那左公龙突然……"

说到这里，窗外突然响起一阵衣袂带风之声。

此刻窗门早已被徐若愚紧紧关了起来，但这衣袂带风之声听来仍然十分清晰，显见得这些人来势甚是迅急。

徐若愚面容突然惨变，嘶声道："不好……"

沈浪一掌扇灭了灯火，道："你知道来的是什么人？"

徐若愚道："左公龙……"

沈浪奇道："他为何……"

突然窗外一人沉声道："丐帮三老，此来乃是为了清理门户，捉拿门下叛徒徐若愚，但望江湖朋友莫要插足此事之中。"

语声沉重，中气充足，显见此人内力竟是异常深厚。

沈浪悄声道："说话的就是左公龙么？"

徐若愚道："就是他。"

沈浪口中虽不再说话，但心中却暗奇忖道："若以武功而论，丐帮三老，声名绝不及武林七大高手之响，怎地这左公龙之内力听来却远在天法大师、断虹子、'雄狮'乔五等人之上？莫非他一直深藏不露？莫非他近来突然得着什么心法传授？"

只听窗外人又道："徐若愚，你还不出来么？我早已知道你在这里，你躲着也无用的……此间前后左右，俱已被围，你也休想逃出。"

朱七七道："他们不是一直在拉拢你么？此刻为何又要你……"

徐若愚长叹截口道："只因他已知道我窥破了他的秘密，是以必定要杀我灭口。"

朱七七道："没关系，你莫怕，有沈浪在这里，谁也杀不了你的。"

徐若愚道："我生死无妨，只恨还未说出秘密……"

突然间，风声"嗖"的一响。

一道火光，穿窗而入，钉在墙上，竟是只火箭。

沈浪举手扇灭了墙上火箭碧绿的火焰，窗外之人已沉声道："徐若愚，我说完了话，你若还不出来……"

朱七七大喝道："出去就出去，谁还怕你不成。"

飞身而起，一脚踢开了窗户，突觉衣襟被人拉住，"砰"地跌倒床上——沈浪却又飞身到了窗外。

夜色沉沉，雪光反映下，但见雪地上密压压一片，竟全是人影，少说也有七八十人。

沈浪一眼瞧过，便知道徐若愚所要说的秘密，必定非同小可，否则这些人必然不致如此劳师动众。

他身形方自掠出，人群间突然亮起了两根火炬。

火光照耀下，只见这七八十人，果然俱是蓬头散发，褛衣赤足，身后也都背着破麻袋，显见得都是丐帮中身份较高的弟子。

两只火炬间，站着个满面红光，两鬓已斑，年已五十出头的乞丐，颏下一缕花白长髯，不住随风飘拂。

他身上衣袂，既无丝毫特异之处，身形也不比别人高大，但站在群丐之间，却当真有如鹤立鸡群一般。

只因他虽然站着不动，但那神情，那气概，已和别人迥然而异，正如鱼目中的一粒珍珠一般。

沈浪一眼便瞧见了他，一眼便瞧出了他是谁。

此人一双锐利如箭的目光，也正瞬也不瞬地盯在沈浪面上，森寒的面容，仿佛已将凝出了霜雪。

沈浪道："阁下左公龙？"

那人道："正是，你是徐若愚的什么人？"

沈浪道："在下沈浪，与徐兄朋友相交。"

左公龙浓眉一挑，道："沈浪？老朽已闻得江湖之中，新近蹿起一位少年剑客，一月之间，便已名满天下，不想今日在此得见。"

这丐帮长老不但说话堂堂正正，从头到脚，再也瞧不出有丝毫邪恶之气。

而徐若愚昔日为人行事，却大有可被人诽议之处，若是换了别人，必定要对徐若愚之言大起怀疑。

但沈浪微一沉吟，却道："丐帮三老，向来焦不离孟，孟不离焦，却不知单弓单长老、欧阳长老此刻在哪里？"

左公龙道："他两人现在哪里，与你又有什么关系？"

沈浪微微一笑，道："在下只是想问问他两位，徐若愚究竟是犯下了什么错处，竟令得丐帮必定要以门规处置？"

左公龙厉声道："单凭老夫之言，便已足够，又何必再问别人？"

沈浪笑道："那么，在下便要请教……"

左公龙喝道："丐帮之事，向来不许别人过问。"

沈浪目光一转，突然笑道："既是如此，在下也不便涉身此事之中。"

竟转过了头呼道："朱姑娘，咱们走吧。"

他这句话说出来，窗内的徐若愚固是大惊失色，就连朱七七都不免吃了一惊，飞身出窗，诧声道："走？"

沈浪笑道："不错。"

朱七七道："但……但徐若愚，咱们怎能抛下他不管？"

沈浪笑道："他与我们虽是朋友，但既已犯下门规，便该听凭家法处置，这是武林规矩，咱们怎可胡乱插手？"

朱七七道："但……但……"

沈浪不等她再说话，面向左公龙，抱拳笑道："在下告辞了。"

哪知左公龙却厉声道："你也走不得。"

沈浪面上故意作出诧异之色，道："阁下叫我莫要多管丐帮之事，我走岂非正是遵了阁下之命，却不知阁下为何又阻拦于我？"

左公龙似乎呆了一呆，神情却丝毫未变，冷冷道："老夫行事，你更过问不得。"

沈浪道："但此事既与在下有关，在下为何问不得？"

左公龙厉声道："好，我告诉你，只因你在江湖中是个奸狡之徒，徐若愚做的那个不屑之事，想必也与你有关。"

沈浪道："如此说来，阁下是想将我与徐若愚一起处置的了？"

左公龙喝道："正是。"

沈浪突然仰天大笑起来，笑得竟似开心已极——这一来朱七七与徐若愚不禁大感惊异。

左公龙怒道："你笑什么？"

沈浪大笑道："我只是笑那狐狸，终于露出尾巴。"

左公龙道："你胡言乱语，究竟在说的什么？"

沈浪道："我初见你一团正气，本还不信你乃人面兽心的恶徒，只道徐兄之言，有些虚假，是以便试你一试。"

他哈哈一笑，接道："这一试之下，你果然露了马脚，只是这马脚究竟是如何露出来的，只怕你自己还未必知道，你可要听听么？"

左公龙怒喝道："你反正是将死之人，有什么话尽量说吧。"

沈浪道："你根本只是一人前来，但方才却要假借'三老'之名，显见得有些心虚情怯，你若非做了亏心事又怎会如此？"

左公龙冷笑道："还有呢？"

沈浪道："你口口声声，要我莫管闲事，等我要走时却又拦阻于我，显见是生怕徐若愚已在我面前说出了你的隐私，是以便想将我一起杀了灭口……你做的那事若非令人发指，又怎会怕人知道？"

左公龙面色终于有些变了，怒道："你……"

他话未说出，朱七七已拍掌笑道："沈浪毕竟是沈浪，凭你也想骗得过我的沈浪，那真是做梦。"

徐若愚这才掠了出来，又惊又喜，道："沈兄知我，小弟死亦无憾。"

沈浪笑道："徐兄说的当真不错，画虎画皮难画骨，知人知面不知心，又有谁能想到，以仁义闻名的左公龙，竟是……"

左公龙厉喝道："竟是你的煞星。"

突然一挥手，他身旁木立如石像的丐帮弟子，便风车般转动起来，转了两转，突然有数十道刀光。

这数十道刀光在转瞬间便将徐若愚、朱七七与沈浪围住，自刀光间瞧出去，还可瞧见有十余人站在外围。

这十余人有的腰系革囊，有的手持弩箭，显然只要沈浪等人飞身而起，这十余人的暗器便要脱手而出。

若在平地之上，这些暗器莫说沈浪，就连朱七七都不会瞧在眼里，但身形凌空时，那情况可是大不相同。

只因以沈浪等人的轻功，若要飞身脱逃，凭这些丐帮弟子，又怎能阻拦得住。

这一招正是要沈浪他们再也莫转这逃走的念头，断绝了他们的退路，正是要赶尽杀绝，一个不漏。

朱七七脸色已有些发白了，她杀伐场面虽然经历不少，但手段如此毒辣，布局如此周密的对手，她终究还是极少遇见过。

再瞧这数十条持刀的丐帮弟子，非但一个个脚步轻健，而且身形之旋转，脚步之移动也配合得丝丝入扣。

第十八章

请君入瓮

夜沉风急，刀光照眼。沈浪、朱七七、徐若愚三人，被丐帮高手团团围住，但见数十条幢幢人影，目中俱都散发着野兽般的凶光，这景象不但充满了慑人的杀机，更是说不出的令人心慌意乱。

朱七七就算再笨，此刻也已瞧出这些人久经训练，他们此刻所发动的，也必定是一种极厉害的阵法。

这些人的武功虽无一可惧，但在如此严密的配合下，实已无异将这数十人的武功混合为一。

这数十人的武功加在一起，便仿佛是一人长了一百多只手似的，这样的对手，沈浪又是否能够抵挡?

朱七七的心早已慌了，热血早已冲上头顶，她虽圆瞪着眼睛，但却连对面人的面目都已瞧不见，她眼中瞧见的，只有刀，刀，无数雪亮的长刀。

她紧握着双拳，只等着这立即爆发的血战，至于这一战是谁胜谁负，她也全不管了——她实也无法管了。

但沈浪却要管的。

他的心千万不能乱，这一战更是千万败不得的。

人影纷乱，刀光纷乱。

纷乱的刀光人影，都已进逼到他面前，若是换了别人，委实再也无法观察，更无法思索。

但沈浪一眼瞧过，便已瞧出对手共有三十六人之多，这三十六人看来虽似已融为一个整体，其实却是每三人自成一组，这三十六人的脚步看来虽一致，其实每三人与三人间又另有节奏。

这三十六人舞动长刀，刀光看来虽多，其实阵法的推动却极缓——

鱼儿已在网中，渔翁又何必急着提网。

朱七七等得心更乱了，紧握着的双拳，已微微颤抖了起来，徐若愚苍白的面容上，更早已沁出汗珠。

突然间，三柄长刀闪电般劈下。

朱七七、徐若愚绷紧了的心弦，也似立即被这长刀斩断了，两人反而松了口气，正待奋身扑上。

但两人还未出手，只见沈浪突然欺身进步，劈手夺过了当中一人掌中的长刀，顺手一个肘拳，将左面一人身子撞得飞了出去；右面一人大惊之下，方待撤身，沈浪反手一刀，刀背砍着了他的颈子，这人闷“吭”一声，便已倒下，虽然不致送命，也已够他瞧的了。

沈浪只一出手，便使得对手三个人躺了下去。朱七七虽未看清他是如何出手的，但眼睛却又已亮了起来。

只见沈浪长刀在手，如虎添翼，只听一连串“叮叮当当”刀剑相击之声，四面闪电的刀光，竟全被沈浪飞舞的人影挡住，朱七七与徐若愚虽然站在刀光之中，却连手指也不必动一动。

徐若愚瞧得目定口呆，又惊又佩。

朱七七却笑了，娇笑着对徐若愚说道：“你瞧，我早已告诉你不必害怕，有沈浪在这里，什么人都不必怕，咱们只等着瞧热闹好了。”

徐若愚轻叹道：“沈兄之武功，委实……”

一句话尚未说完，突见朱七七的头发与衣袂俱都飞舞了起来，他自己身上，也已感觉出四下刀风逼人的寒意。

“叮当”之声，犹自响个不绝。

沈浪人影，也犹在旋转飞舞。

但刀光却愈来愈耀眼，刀风也愈来愈强劲，显见这长刀阵的圈子，已愈逼愈近——沈浪莫非已抵挡不住了？

朱七七再也笑不出，喃喃道：“这……这是怎么回事？沈浪他……他……”

徐若愚道：“沈兄纵然武功绝世，但是双拳究竟难敌四手，何况……对方不但人多，而且阵法犀利，沈兄……”

朱七七跺足道：“既是如此，你还说什么？咱们还等什么……还不快去帮他动手。”她口中虽然这么说，但身子却仍站着不动。

只因此刻阵法已完全发动，四下刀光，已交织成一面刀网，她委实不知该如何插手——根本就插不下手去。

徐若愚呆在那里，亦是出手不得。

朱七七连连跺脚，大声道："沈浪，你停一停好么，好教咱们来帮你，现在咱们根本插不上手……沈浪！沈浪，你可听见我的话么？"

沈浪像是根本没有听见。

却听得左公龙在刀光外冷笑道："沈浪此刻已是骑虎难下，哪里还能罢手，但……但你也莫要着急，收拾了沈浪，自然就轮到你了。"

朱七七恨得牙痒痒的，切牙骂道："穷要饭的，老不死，有本事就和姑娘决一死战，躲得远远的说风凉话，算是什么英雄。"

左公龙大笑道："能活着的就算英雄，知道么，死人总是算不得英雄的，你三人此刻却已和死人差不多了……"

朱七七怒道："谁要死了，你才要死了哩……"

她瞧了徐若愚一眼，话声突然顿住。

只见徐若愚面色苍白而憔悴，右手上裹着的白布，不但污秽不堪，早已变成灰色，而且还不断有鲜血渗出。

他显见是新创未久，而且失血颇多，受伤过重，看他的模样，今日纵能动手，也是无法支持许久的了。

朱七七瞧了他两眼，重重叹了口气，轻轻唤道："徐相公。"

她突然称呼得如此客气，徐若愚倒不免怔了一怔，道："姑娘有何吩咐？"

朱七七埋下了头，便说道："我以前对你有许多失礼之处，但望你莫要放在心上，现在，我已知道你的确是个好人。"

她不但称呼变了，神情、语气也变得异常温柔，但此时此刻，她竟说出这种无关紧要的话来，却又不免令人惊讶。

徐若愚不免又怔了一怔，讷讷道："在下……咳咳……姑娘莫要客气。"

朱七七柔声道："我从来不会客气，我说的都是真话，譬如说……譬如说今天，沈浪一个人要冲出去，只怕还不难，但……但……"

她话并没有说完，但徐若愚已明白了，他什么都明白了，朱七七突然对他如此客气，只因她已算定了他今日已必定要死在这里——对一个将死的人说话，谁都会比平常客气得多的。

朱七七道：“沈浪是个怎么样的人，你也该知道的，他若是不知道你那秘密，是绝不会冲出去的，你……你……”

徐若愚惨然一笑，道：“姑娘不必说了，姑娘的意思，在下已知道，在下生死不足重，但那秘密总是该说出来的。”

朱七七长长叹了口气，幽幽道：“只要沈浪能知道这个秘密，只要沈浪能冲出去，我……我是死是活，也没有什么关系了。”

徐若愚仰天吐出了口气，突然沉声道：“沈兄，你听着，就在那日夜间，那荒祠之中……”

话犹未了，突听沈浪失声道：“不好。”

接着左公龙亦自大喝道：“好极，原来你还未及将秘密说出……”

突然长啸一声，啸声悠扬顿挫。

也就在这长啸声中，阵法突然改变，本自凝为一团的刀光，突然潮水般泼了开来，冲入沈浪与徐若愚两人之间。

沈浪跺一跺脚，身形冲天而起，似要与徐若愚会合，但他身影方起，弓弦骤响，长箭暴雨般飞出。

朱七七惊呼道：“呀！沈浪……”

只见沈浪长刀一圈，虽将箭雨拨开，但身子也不禁逼落下来，而这时长刀阵已化一为二。

已有十五柄长刀将徐若愚团团围住。

朱七七自刀光中冲到沈浪身旁，道：“这……这是怎么回事？”

沈浪怒道：“你还说……都是你。”

朱七七呆了一呆，目中现出幽怨之色，颤声道：“都是我？……我又做错了什么？”

沈浪却不理她，挥动刀光，要待突围而出。

然而，这刀阵力量虽已因人数减少而大为削减，但剩下的十余柄长刀却不再攻击，而将攻击之力，全都移作防守之用——他们此刻攻击的目标，显然也已由沈浪移向徐若愚的身上。

十五柄长刀，正带着尖锐的风声，攻击着徐若愚，攻击着这掌中无剑，又受了伤的“神剑手”。

十五柄长刀，有条不紊，配合无间，每一刀都带着凶猛的杀机，每一刀都想立刻便将徐若愚劈成两半。

徐若愚闪避着，招架着，竟完全没有还手之力。

在这生死存亡系于一线的危险关头，他懦弱的天性，又像剥了壳的鸡蛋般暴露了出来。

他喘着气，流着汗，突然间嘶声大呼道："沈浪……沈兄，快来……小弟……小弟已招架不住了。"

但沈浪一时之间，却冲不出这守而不攻的刀阵，只要你身子冲过去，对方立刻闪开，但刀阵却仍是不乱。

十余柄长刀，仍然紧紧地围着他。

徐若愚呼声更是惨厉，似已声嘶力竭。

朱七七咬牙道："你鬼叫什么，是生是死，好歹也该挺起胸膛一战，你这样的男人，简直连女人都不如……"

不错，她的确有徐若愚没有的烈性，只见她头发蓬乱，在刀光中左冲右突，委实早已将生死置之度外。

徐若愚颤声道："我……我不是怕死，只是那秘密……我……"

朱七七厉声道："你若真的是男子汉，此刻就该拼命地打，好歹也等说出了那秘密再死，你这一辈子才算没有白活。"

徐若愚道："但……我的手……我的手已不行了。"

朱七七怒道："什么不行了，这是你自己在骗自己，你这懦夫，你根本胆已寒了，只想倚靠别人救你，你……你根本自己不敢动手。"

徐若愚身形犹在闪动，眼泪却已流下面颊，只因朱七七这番话，实已骂入了他心底深处。

朱七七大喝道："鼓起勇气，动手，拼命动手。知道么……只要你有勇气拼命，这些人是万万杀不死你的。"

徐若愚流泪道："不行……我已完了，我……我怕得很……沈浪，沈浪，救我……救我，我还不想死……"

朱七七恨声道："懦夫，软骨头，这样的男人，难怪没有女人喜欢……我真不懂他这七大高手的名声是如何得来的。"

她却不知徐若愚武功委实不弱，只是天性中缺少了那股男子汉的豪气，在平时——在没有人可以威胁他的生命时，他那潇洒的剑法，潇洒的风度，不但掩饰了他的懦弱，也很容易地为他博来了声名……世人的眼光原本就多属短浅，这本就是不足令人奇异之事。

只是，一个人无论掩饰得多好，在面临一种重大的考验时，他的缺点，就会不可避免地暴露在别人眼前。

徐若愚此刻正是如此。

寒夜漫长，黎明前的时刻，最暗，也最冷。

突然，徐若愚一声惨呼，比刀风还尖厉，还刺耳。

沈浪失声道："徐兄，怎么了？"

徐若愚颤声道："我……"

话方出声，又是一声惨呼。

接着，是左公龙得意的大笑声。

寒风，刀光，惨呼，狂笑……

黯黑的苍穹下，一片纷乱，鲜血已染红了雪地。

左公龙狂笑道："行了么？"

刀光中有人应声道："行了，五刀。"

左公龙大喝道："叛徒已除，走。"

刀光一闪，纷纷退后，一排弩箭，射了过来，等沈浪挥刀拨开了箭雨，一群人已消失在黑暗中。

染血的雪地上，倒躺着蜷曲的徐若愚。

朱七七跺足道："追……咱们追不追？"

沈浪却不答话，只是沉重地叹息一声，俯身抱起了徐若愚——他满面满身的鲜血，在黑暗中看来有如泼墨一般，黑漆漆的，令人战栗。

还有呼吸，满身浴血的徐若愚竟还有微弱的呼吸。

沈浪大喜，轻唤道："徐兄，振作起来，振作起来。"

徐若愚身子一阵痉挛，眼帘却张开一线，迷茫纷乱的目光，在沈浪面前打着转，仿佛正在努力辨认着跟前这人是谁。

沈浪道："徐兄，是我……是沈浪。"

徐若愚目中终于现出了一线光线，但这光线，也不过仿佛风中的残烛似的，是那么微弱和不稳。

他挣扎着，张开嘴，顿声道："沈兄……我……我已不行了……真的不行了。”

沈浪道：“胡说，你不会死的，你还会活下去。”

徐若愚摇了摇头——他用尽全身力量，才能将头轻轻摇动一下，才能在嘴角挣扎出一丝惨笑。

他惨笑着道：“我自己知道……不行了……只可惜那秘密……那秘密……我……我竟已没有力气说出来了……”

沈浪道：“莫再去想那秘密了，那没什么关系。”

徐若愚道：“有关系……有关系……”

突然一阵咳嗽，一口气似已喘不过来。

朱七七再也忍不住道：“世上除了你，还有谁知道那秘密？”

徐若愚咳嗽着道：“信……我有信……咳……给柳玉……咳咳咳……”剧烈的咳嗽，剧烈的喘息，已使他说不出话来。

沈浪瞧他如此模样，也不禁为之惨然，柔声道：“徐兄，你只管放心，你既有信给柳玉茹柳姑娘，我便可寻她问个明白，绝不会让他们奸谋得逞。”

徐若愚拼命挣扎着，似乎还想说什么，却已一个字也说不出，只有一双眼睛，仍瞧着沈浪。

这双眼睛里正充满着痛苦、惭愧与歉疚。

沈浪喃喃道：“去吧，你好生去吧，莫要痛苦，莫要自责，无论如何，你已尽过力了，你已尽过最大的力了。”

徐若愚不能说话，但那双眼睛却正似在说：“是么？我已可不必自责了么……我的确已经出过力了……”

于是，这双眼睛终于缓缓阖起，这一生都在与自己的懦弱交战着的少年，临死前终于获得了短暂的平静。

东方，终于现出了曙色。

微弱的、淡青色的曙光，照着徐若愚的脸。朱七七的目光，也正在瞧着这张脸，目中似已有泪珠。

沈浪喃喃道：“不错，这正是个可怜的人。”

朱七七道：“但男人宁可被人痛恨，也不该被人怜悯的，被人怜悯的男人，就不会是真正的男人，若非他太懦弱，他今日本可不必死的……”

沈浪突然冷冷截口道：“不错，他今日本可不必死的，但却死在你的手上。”

朱七七失声道：“我？”

沈浪道：“不错，你……”

朱七七眼圈已红了，顿足道：“又是我，你什么事都要怪我，今日我又做错了什么？明明是他自己怕死，愈怕死的人愈会死，这……这又怎能怪我？”

沈浪冷冷道：“那时若不是你逼他说话，左公龙便不会知道他还未及将秘密说出，自然就不会将攻击之力全都集中在他身上，他也就不会死，左公龙本来的意思，是先要拚尽全力，将我除去的。”

朱七七道：“但……但你那时已被他们逼得招架不住了呀，你……你若是有什么三长两短，他还不是一样逃不了？”

沈浪道：“你怎知我那时已被他们逼得招架不住？”

朱七七道：“这……这是谁都可以看出来的，你……你那时和他们打了许久许久，却连一个人也未伤着。”

沈浪道：“你难道就未瞧见我在一招间就将他们三人制住。我既能在一招间制住他们三个人，此后又如何不能伤及他们一人？”

朱七七怔了一怔，道：“这……这……我又怎知是为了什么？”

沈浪沉声道：“那时我若是将他们阵法击乱，便难免有乱刀伤及徐若愚，阵法一乱，我照顾便难免不周，是以我那时只是和他们游斗，将他们阵圈渐渐缩小，只要他们的阵法不乱，我便可有轨迹可寻，便可将你们一起护住，等他们的阵圈缩小到再不能小的时候，我便可将他们一击而破。”

他叹息一声，接道：“无论什么阵法，它的圈子愈小，就愈易破，只因圈子缩小了，他们彼此就难免不互相牵制，我只要牵一发，便可动其全身，这种简单的道理，你本可想得通的，只是你从来不去想而已。”

朱七七的头，已深深垂了下去。

沈浪长叹道：“我费了许多心力，总算窥破了他们阵法的枢纽所在，眼见已将得手，哪知你……你却在……”

朱七七突然嘶声道："我错了……我是错了。"

她抬起头，脸上又满布泪痕，接着道："但你如何不想想，我是为了什么才这样做的。我……我若不是为了你，又怎会做出这样的事来？何况……你说那道理简单，我却觉得太不简单，世上的人，并非个个都和你一样聪明的呀。"

说着说着，她终于忍不住伏倒地上，放声痛哭起来。

沈浪木然瞧了她半晌，长长叹息一声，道："好了，莫要哭了，天光已大亮，金无望还无消息，咱们无论如何，也该先去找着他才是。"

金无望狂奔在寒风中，满头乱发，随风飘散，在这一片冰天雪地里，他全身却都被怒火烧得发热。

他本是谜一样的人物，有着谜一样的身世，往昔的事，他非但不愿告诉别人，甚至连他自己都不愿去想，他只记得自己从小到大，从未为别人的生死关心过，更永远不会为别人的痛哭流一滴眼泪。

他从来不去想什么是善，什么是恶，更不会去想谁是谁非，只要是他喜欢的事，他就去做，只要是他不喜欢的人，他就一刀杀死，他自己也不知道究竟有多少人死在他手下，他从来未曾为这些人的生命惋惜。"弱者本是该死的"，这在他心目中，似乎本是天经地义的事。

然而，此刻他竟变了。

他竟会为金不换的邪恶而愤怒，他竟会为一个弱女子的生命而不惜冒着寒风，奔波在冰天雪地中。

这变化委实连他自己也梦想不到。

雪地冰天，天地间一片黑暗。

金不换逃向何处，该如何追寻，金无望一无所知。

他只是凭着一股本能的直觉追寻着——这是一种野兽的本能，也是像他这样终生流浪的武人的本能。

江湖豪杰竟会有与野兽同样的本能，这乍听似乎是怪事，但若仔细一想，便可发现两者之间委实有许多相似之处。

他们都必须逃避别人的追踪，他们在被追踪中又都必须要去追捕仗以延续他们生命的猎物。

他们是猎者，也同样随时都可能被猎。

他们的生命永远都是站在生死的边缘上。

在这四下无人的冰天雪地里，金无望第一次发现他的生命竟与野兽有这么多相同相似之处。

他嘴角不禁泛起一丝苦涩的、讥讽的微笑。

但是，他的直觉并没有错。

前面雪地上，有样东西，正闪动着乌黑的光华，金无望野兽般锐利的目光，自然不会错过它。

这是根发簪，是白飞飞头上的发簪。

多么聪明的女孩子，她在如此情况下，竟仍未失去智慧与勇气，她悄悄抛落这根发簪，便已指出了金不换逃亡的方向。

金无望拾起发簪，便已知道他追踪的方向没有错，于是他脚步更快，目光的搜寻也更仔细。

数十丈开外，白飞飞又留下了一只耳环，再过数十丈，是另一只耳环，然后是一块丝帕，一根腰带。

到最后她竟两只鞋子都脱了下来，小巧的、绣着血红梅花的鞋子，在雪地上显得分外刺目。

有了这些东西，金无望的追寻就容易了。

拾起第二只绣鞋，他鼻端突然飘入一丝香气，那是温暖的、浓厚的、在寒夜分外引人的肉香。

寒夜荒原中，哪里来的人在烧肉？

金无望毫不考虑，追着肉香掠去，接连好几个起落后，他便瞧见一座屋影，隐约还可瞧见有闪动的火光。

那是座荒祠。

要知那时神权极重，子弟到处为先人建立祠堂，但等到这一家没落时，祠堂便也跟着荒废了。

富有的没落，远比它兴起时容易得多，是以在荒郊野地中，到处都可寻得着荒废破落的祠堂。

这些祠堂便成了江湖流浪人的安乐窝。

此刻，荒祠中闪动的火光，照亮了祠堂外的雪地，雪地上有一行新添的足印——旧有的足印已被方才那一场大雪掩没了。

金不换轻功虽不弱，但他既然背负着白飞飞，自然就难免要留下足印，金无望木立在墙角阴影中，凝注着这足印，脸色渐渐发青——他锐利的目光，已辨出了这足印是穿着麻鞋的人留下的。

他凝立的身形，突然飞鸟般掠起，身形一折，掠入荒祠——荒祠中有堆火烧得正旺，火上正烤着半只狗。

但金不换呢？哪有金不换的人影？

这是间小而简陋的祠堂，没有窗户，门是唯一的通路，但门外雪地上，只有进来的足迹，并无出去的足迹。

何况，这火堆烧得仍旺，还有两根柴木未被烧黑，显见得就在片刻之前，这祠堂中还有人在。

熊熊的火光，映着金无望铁青的脸。

他脸上没有丝毫表情，面对着火，当门而立——金不换必定还在这祠中，他已是万万逃不了的。

在这冰天雪地中唯一充满温暖的祠堂，在一瞬之间，便已充满了杀机——浓重的杀机。

金无望一字字缓缓道："出来吧，难道还要我找？"

静夜之中，他肃杀冷厉的语声，一个字一个字传送出去，响彻了这祠堂中每一个角落。

但四下却无人回应。

角落中唯有积尘、蛛网、陈旧残落的神龛，神案上，还悬挂着早已褪色的布幔，有风吹过，布幔吹起——

神案下露出一只脚来。

金无望箭一般蹿过去，飞起一足，踢飞了神案。

神案下赫然躺着两个人，却非金不换与白飞飞，而是两个乞丐，蓬乱花白的头发，灰腐色的脸，凸起的眼珠……

这是两张狰狞可怖，足以令人在噩梦中惊醒的脸，这两张脸此刻正冷冷地面对着金无望。

金无望胆子纵大，也不免吃了一惊，倒退两步，厉声喝道："什么人？"

两张脸动也不动，四只凸起的眼珠中，充满了惊悸、悲愤、怨毒——这哪里会是活人的脸。

金无望一惊之下，便已瞧出这两具是尸身，而且死了至少也有三日，只是在严寒之中，犹未腐烂变形而已。

他不禁在暗中松了口气，闪动的火光下，只见这两人年纪已有五十上下，仰卧的尸身肩后，露出一叠麻袋。

金无望定了定神，再仔细瞧了瞧这两人的面目，突然失声道："单弓，欧阳轮……这两人怎会死在这里，是谁下的毒手？……那左公龙又是到什么地方去了？"

"丐帮三老"武功虽非江湖中顶尖高手，但名头之响亮，交游之广阔，却不在任何一位顶尖高手之下。

久走江湖的金无望，自然是认得这两人的，但却再也想不出声名赫赫、弟子众多的丐帮三老，怎会突然有两人死在这里。

本已阴风惨惨、杀气沉沉的荒祠，骤然又出现了这两具面目狰狞的尸身，便显得更是阴森恐怖。

金无望只觉寒气直透背脊，不敢回头，缓缓退步，绕过火堆，退到门口，目光一转，全身血液顿时凝结。

火堆上烤着的半只狗，就在这刹那间竟已不见了。

这会是谁拿去的，能在金无望背后行动，而不被他觉察，这样的轻功，岂非骇人听闻。

除了鬼魅外，又有谁有这样的轻功？

金无望身子已有些发冷，但就在这时——

突然间，他身后有人"咯咯"一笑，幽幽唤道："金无望……"

金无望大喝道："谁？"

霍然回身，只见门外雪地上，一个人缓缓走了过来，瘦削的身子在寒风中飘飘摇摇，像是没有四两重。

这人每走一步，便发出一声阴森诡秘的笑声，却用一双又黑又瘦、形如鬼爪的手掌，掩住了面目。

火光闪动中，只见他褛衣蓬发，竟也是个乞丐，只是瞧他身材、模样，又绝不会是那金不换。

金无望究竟不愧是江湖枭雄，在如此情况下，竟仍沉得住气，只是凝目瞧着这人，动也不动。

这人终于飘飘摇摇走了进来，咯咯笑道："金兄，相别多年，不想你我竟在九泉之下相见。”

金无望冷冷道：“金某还好好活在世上，你装神弄鬼，吓得着别人，却吓不着我金无望。”他非但语声未变，面上亦是毫不动容。

那人咯咯笑道：“你还好好活在世上么……哈哈……可笑呀，可笑，你明明方才便已死了，却连自己都不知道。”

金无望冷冷道：“金某若是死了，自己必定会知道的，不劳阁下费心，但阁下若再装神弄鬼，金某却要叫阁下变成真的鬼了。”

那人大笑道：“真的鬼？难道我此刻还是假的鬼么？”

他虽然放怀大笑，但笑声中却充满了阴森、恐怖之意。

金无望厉声道：“你究竟是谁？”

那人道：“你不是要瞧瞧我的脸？”

金无望道：“不错，放下你的手来。”

那人咯咯笑道：“好，我就让你瞧瞧我是谁，你若未死，又怎能和我说话？活人是永远无法和死人说话的，知道么？”

语声中，缓缓放下了手掌，露出了面目。

那张灰腐色的脸，凸出的眼睛……

他赫然竟是“丐帮三老”中的单弓！

案下现尸，狗肉失踪，这些事本已令金无望有些心寒，此刻，再见到方才还冰冰冷冷躺在那里的尸身，此刻竟已活生生站在他面前。

金无望纵有天大的胆子，面目也不禁被骇得变了颜色，颤声道：“单……单弓！你……你……你……”

单弓咯咯笑道：“不错，我就是单弓，我知道你是认得我的，方才你活着时还见过我一面，但你只怕自己也未想起才死片刻就又见着了我。”

这时金无望就算再沉得住气，也难免要有些疑神疑鬼，更难免忍不住要回头去瞧一眼——去瞧神案下的两具尸身。

但是他方自回头，单弓的鬼爪，已伸了过来，闪电般点了他穴道，他惊悸之中，竟连闪避都未曾闪避。

单弓手一动，他便已倒下。

只是，在倒下之前，他眼角还瞥见神案下的那两具尸身——那边单弓的尸身，还是冷冰冰地躺在那里。

死的单弓躺在那里，这活的单弓又是怎么回事呢？

金无望心念一转，厉喝道："王怜花，是你。"

他身子虽已倒下，但气势却仍凌厉。

只见那活的单弓仰天大笑道："好！金无望，果然有你的，只是，你此刻虽然猜出了我是谁，却已嫌太迟了些。"狂笑声中，背转身去。

等他再回过身来，面对金无望时，那灰腐的皮肤、凸出的眼珠，便已变成了星目剑眉、朱唇玉面。

这不是王怜花是谁？

金无望恨声道："我早该知道是你的。"

王怜花笑道："这也怪不得你，在方才那情况下，无论是谁，都会被吓得心惊胆战，神智晕迷，又岂止是你。"

语声方了，屋顶上又传来一阵刺耳的笑声。

一个人咯咯笑道："妙极妙极，素来最会吓人的金无望，今日却被人吓得半死不活。"笑声中，一团黑影缓缓自上面垂了下来，竟是那块狗肉。

原来那狗肉上竟系着根细线，金无望进来时，只留意这荒祠中的人迹，竟全想不到狗肉上还系着细线。

荒祠中虽有火光，但究竟不会十分明亮，金无望既未留意自然不会发现，等他瞧见那两具尸身时，心神多少难免为之一震，就在那时，躲在满积蛛网的屋顶上的人，便将狗肉吊了上去。

这些事说破了虽然一文不值，但在这冷风如刀的寒夜中，阴风惨惨的荒祠里，这些事确端的足以摄人魂魄。

金无望暗中叹息一声，口中却冷冷道："原来你们早已算定我要来的。"

王怜花笑道："不错，我们的确早已算定你要来的，否则又怎会预先在这里布置下这些把戏，等着你来上当。"

屋顶上的人大笑道："这就叫作天堂有路你不走，地狱无门自来投……"一条人影，随声跃下，自然便是金不换。

他自然满面俱是得意之色，俯首瞧着金无望，又笑道："常言说得好，风水轮流转，三十年河东，三十年河西，金无望呀，金无望，你可曾想到今日也会落在我手？"

金无望冷冷道："那也没什么。"

金不换只道此时此刻，金无望心中必定充满惊怖、悔恨，哪知金无望却仍是冰冰冷冷，似是丝毫无动于衷。

这一来他不但有些惊异，更大为失望，他一心只想凌辱金无望，教金无望心中痛苦，当下目光一转又自笑道："你追踪到这里，心里必定十分得意，只道自己追踪的本事不差，但你是凭什么才能追到这里的，你自己可知道么？"

金无望道："不知道。"

金不换道："你不知道，我告诉你，那些发簪、耳环、丝巾、鞋子，并非白飞飞留下的，全是我做的手脚。"

金无望冷冷道："很好。"

他面容虽然冷漠，心里却难免有些惊异。

金不换大笑道："这一点，其实你也本该早已想到的，想那白飞飞既已被我所制，纵能悄悄拔下发簪，又怎能脱下鞋子，难道我是死人不成？"

金无望冷笑道："你此刻本该早已是死人了。"

金不换笑道："不错，那日多亏你放了我，但我却丝毫不领你这个情，我能使你放了我，那全要靠我自己的本事。"

金无望道："很好。"

金不换道："你那日放了我，今日我却要取你性命，你心里不难过么？不后悔么？你面上虽装着不怕，心里只怕已可挤得出苦水来。"

金无望冷冷笑道："我素来行事，几曾后悔过？"

金不换道："你素来不后悔今日也要后悔的，你素来不服输今日也要服输了，你自命行事不凡，但一举一动，俱都落入了我们的计算中。"

金无望道："是么？"

金不换道："你不妨细想一想，我们既然诱你前来，自然知道你是孤身一人，不会有沈浪在一旁跟着……"

金无望冷笑道："若有沈浪跟着，你怎会得手。"

金不换拍掌笑道："这就是了，我们算定了沈浪未跟着，才会下手，但我们又怎会知道沈浪那厮未曾跟着你呢？"

这正是金无望心中疑惑之事，金不换这一问正问到他心里，但他面上却更是作出冷漠之态，道："你是如何知道的，又与我何关？"

金不换怔了一怔，道："你连这都不想知道么？"

金无望索性闭起眼睛，不理他。

金不换道："你不想知道，我偏偏要告诉你。"

他一心想激怒金无望，金无望的神情愈是冷漠，他就愈是难受，到后来他自己反而先被金无望激怒了。

只见他一把抓起金无望的衣襟，大声道："告诉你，只因我们早已知道沈浪已被丐帮缠住，今夜纵然不死，也是万万无法脱身的了，只因那江湖第一大帮，已被我们……"

王怜花一直含笑瞧着他两人，此刻突然干咳一声，道："够了。"

金不换语声立刻中断，长长吐了口气。

王怜花微微笑道："金兄是否已经说得太多了？"

金不换赶紧赔笑道："是，是，我是说得太多了。"重重将金无望摔到地上，接口笑道："但反正他已是快要死的人，听进去的话，是再也不会说出来的了，多听些也没什么关系。"

王怜花道："关系总是有的。"

金不换道："是，是，小弟再也不说了。"

金无望瞧这两人神情，见到金不换对王怜花如此卑躬屈膝，不必再想，便知道金不换已被王怜花收买。

金不换本是个唯利是图的人，他无论被谁收买，金无望都不会惊异，金无望吃惊的是，丐帮竟似也与王怜花有些干系。

丐帮难道也会被王怜花收买么？

单弓与欧阳轮是否就因为不服王怜花，而致惨死。

丐帮前去缠着沈浪，又是为的什么？

此刻金无望面色虽冷漠，心中却是起伏不定，疑云重重。

只见王怜花斜倚在门口，似是在等着什么。

过了半晌，只听一阵马蹄之声奔来，但远远便已停住，接着，一个低沉的语声在门外道："公子，属下前来复命。"

王怜花道："你事已办妥了么？"

那人道："属下已遵命将白姑娘安置，此刻白姑娘想必已入睡了。”

王怜花笑道：“很好，你连日奔波辛苦，苦劳可嘉，可至柜上提取五十两银子，好好乐上半个月，再来候命。”

那人喜道：“多谢公子。”

王怜花道：“还有，你在外虽可尽情作乐，但切切不可胡乱招摇，惹是生非，更不可被江湖人查出你的底细。”

那人道：“属下不敢。”

王怜花道：“你明白就好了，本门对属下虽然宽厚，但属下若犯了规矩，身受之苦，我不说你也该知道。”

那人声音更是恭顺道：“属下知道。”

王怜花挥手道：“好，去吧。”

过了半晌，王怜花突然又道：“你为何还不走？还等什么？”

那人嗫嚅着道：“属下还有一事……”

王怜花道：“既然有事，为何不快说？”

那人道：“方自兖州办完事回来的赵明，是和小的一起来的。”

王怜花皱眉道：“既已来了，为何还留在外面？”

那人道：“赵明……说、说他不敢来见公子。”

王怜花道：“不敢？！莫非他误了事？”

那人道：“赵明兖州之行，倒还顺利得很，兖州的宋老三，两天内便如数交出了五千两银子，银子已押送回去。”

王怜花道：“既是如此，他有功无过，为何不敢见我？”

那人讷讷道：“他……他是为了另一件事，教属下先来向公子求情。”

王怜花厉声道：“快说，什么事，莫要吞吞吐吐。”

那人道：“赵明他……他和太夫人座下的牧女萍儿，两人情投意合，就……就……”

王怜花道：“就怎样？”

那人道：“萍儿就已有了身孕，如今……如今……”

王怜花“哼”了一声，道：“我已知道，莫要说了。”

过了半晌，嘴角突然泛起一丝微笑，缓缓道：“这本是喜事，他为何不敢见我，快去叫他过来。”

那人似是有些意外，呆了一呆，方自道："是！"

又过了半晌，一个少年的语声在门外道："赵明参见公子。"

王怜花微微笑道："兖州之行，倒是辛苦你了。"

赵明恭声道："那是属下分内之事。"

王怜花笑道："你的事，我都知道，不想你看来虽老实，其实却风流得很，少年风流，本是可喜可赞之事。"

赵明一时间还摸不透他的意向，唯有连连道："望公子恕罪。"

王怜花笑道："那萍儿平日看来冷若冰霜，不想竟被你搭上，看来你的本事倒不小，我倒该对你刮目相看才是。"

赵明忍不住心中欢喜，亦自笑道："常言道强将手下无弱兵，小的有公子这样的主人，对此一道，好歹也差错不到哪里去……"

王怜花大笑道："好，好一个强将手下无弱兵，原来你的风流，是学我的……"笑声未了，身子突然箭一般蹿出，只听他语声突然变得冰冷，道："你凭什么也配学我？"

说到第四字时，门外已传来赵明的惨呼，说完了这句话，王怜花又已斜倚门边，生像是什么事都未曾发生过似的。

四下突又一片死寂。

王怜花叹了口气，缓缓道："抬下赵明的尸身，厚厚殓葬于他……再去柜上支两百两银子，送给萍儿，就说他在兖州因公殉身了。"

方才那人道："是……是……"

此人竟已吓得牙齿打战，连话都说不出了。

金无望在一旁冷眼旁观，也不禁悚然动容。

他直到如今才知道，王怜花之属下组织，不但已如此庞大，而且组织之严密，纪律之森严，实在令人吃惊。

而年纪轻轻的王怜花，对属下更是赏罚分明，调度得当，隐然已有一代枭雄宗主的气概。

金无望直到如今，才知道自己往昔委实低估了王怜花——他委实从未想到王怜花图谋竟如此之大。

无可疑问的，这少年实已是今后江湖的最大隐患，此刻若无人将他除去，来日他必将掀起滔天巨浪。

突然间，一阵风吹来。

王怜花笑道："好，你也回来了。"

语声未了，眼前微花……

祠堂中又多了个满身黑衣的精悍汉子。

金无望又不免暗中吃了一惊："王怜花门下竟有轻功如此惊人的好手，却不知此人又是何来历。"

只见此人身躯枯瘦短小，不但全身都被黑衣紧紧裹住，就连头上也蒙着黑布，只露出两只精光闪烁的眼睛。

这双精光闪烁的眼睛瞧了金无望一眼，突然笑道："妙极，不想你比我来得还早。"

王怜花笑道："原来你也认得他么？"

黑衣人笑道："方才我使出那金蝉脱壳之计，这厮与那姓沈的也想用欲擒故纵之计来骗我，幸好我还未上他的当。"

王怜花笑道："若要你上当，那当真困难得很。"

这时金无望自也知道这黑衣人便是方才那人了。

只听王怜花又道："但你为何直到此时才回来？"

黑衣人道："这厮真的走了，姓沈的却始终守在那里，他倒沉得住气，我躲着不动，他竟也躲着不动。"

王怜花笑道："不错，沈浪那厮倒端的是沉得住气的。"

黑衣人微微一笑，道："但那位朱姑娘，却极端地沉不住气，竟一路呼喊着奔过来，沈浪知道再也藏身不住，也只得走了。"

王怜花笑道："如此说来，你还得感激于她才是。"

黑衣人道："正是，若不是她，只怕我等到此刻，还无法脱身。"

王怜花望了望门外天色，沉吟道："计算时刻，丐帮众人此刻已该和沈浪对上面了。"

金不换道："却不知结果如何？"

王怜花微笑道："就凭丐帮那些人，只怕无法对沈浪如何，这一点我丝毫未存奢望，但徐若愚却是逃不过的了。"

金不换道："但……但沈浪若已知道……"

王怜花笑道："沈浪纵然知道了又怎样？我反而可以利用他与丐帮互相牵制，头疼的不过只是丐帮而已，与咱们根本全无关系。"

金不换叹了一口气，道："公子神算，我可是服了。"

几个人言来言去，就仿佛身旁根本没有金无望这个人似的，金无望暗叹一声，知道他们今日是再也不会放过自己的了。

火堆不断在添着柴木，烧得更旺。

门外，却有灰蒙蒙的光线照了进来。

曙色显已来临。

王怜花在门口踱着方步，不住喃喃道："该回来了……该回来了。"

过了半晌，寒风中果然传来一阵步履奔行之声。

黑衣人霍然长身而起，道："不错，是已回来了。"

又过了半晌，步履渐近。

三个乞丐，大步走了进来，为首一人，头发花白，红光满面，身上背着八九品级麻袋。

金无望认得，此人正是"丐帮三老"中的左公龙，但却也未想到，素来侠义的左公龙，竟也会和王怜花同流合污起来。

王怜花对左公龙倒也有礼，微微一笑，抱拳道："帮主辛苦了。"

左公龙捋须大笑道："公子切莫如此称呼，老朽是不是能当帮主，还说不定哩，如此称呼，岂非折杀了老朽。"

金不换笑道："左兄此刻虽还未登上帮主宝座，但那两个心腹之患既已除去，又有王公子在暗中相助，那帮主之位，岂非早已是左兄的囊中之物了。"

左公龙大笑道："好说好说，老朽来日若真的当了丐帮帮主，帮中执法长老之座，除了金兄外，是再也不会有别人的了。"

金不换笑道："执法长老，月酬若干？"

左公龙道："金兄取笑了，金兄要多少，老朽还敢不如数奉上么？"

金不换哈哈大笑道："如此小弟就先谢了。"

王怜花道："不知帮主此行结果如何？"

左公龙道："虽非十全十美，倒也差强人意。"

王怜花道："徐若愚已身中五刀，纵是神仙，也难救他回生。"

金不换忍不住道："沈浪呢？"

左公龙叹了口气，道：“沈浪还死不了。”

金不换跺足道：“不想这厮竟如此命长。”

他一生之中，最畏惧之人便是沈浪，他虽然令人头疼，但只要一见沈浪，头疼的就是他自己了。

他日日夜夜都在盼望着沈浪快些死，哪知沈浪却偏偏死不了——其实盼望沈浪快死的，又何止他一个。

王怜花沉吟了半晌，突然笑道：“金兄莫要失望，明年今日，只怕就该是沈浪的忌日了。”

金不换大喜道：“真的？”

王怜花道：“我几时胡言乱语过？”

金不换道：“公子有何妙计快些说出来吧。”

王怜花缓缓道：“一个时辰之后，沈浪必定也会来到此间。”

左公龙道：“这……这何以见得？”

王怜花一笑道：“他无论如何，也要寻到金无望与白飞飞的下落，是么？”

金不换道：“不错。”

王怜花道：“但金无望与白飞飞究竟在何处，他却全无线索。”

金不换道：“既然全无线索，又怎会寻到这里？”

王怜花道：“既然全无线索，便只有误打误撞，便是：哪条路都可以……若换了金兄……走哪条路呢？”

金不换道：“这……”

王怜花笑道：“若换了是我，追着丐帮群豪的足迹而来，纵然寻不着金无望，也可以追出丐帮的下落……”

金不换拍掌道：“正是如此，这样一来他至少总不至完全落空了……唉，我怎地就想不到此点，公子却偏偏想得到。”

左公龙笑道：“公子之智计，又岂是你我能及。”

金不换又道：“但……但沈浪纵然追来这里，又当如何？”

王怜花道：“此人武功之高，委实深不可测，是以咱们对付他，只可智取，不可力敌，好歹叫他来得便去不得。”

金不换皱眉道：“只是这厮的鬼心眼儿，却也不少。”

王怜花大笑道：“金无望的智计又如何？此刻还不是做了我的阶下

之囚……能骗得过金无望的，又怎见得骗不过沈浪？”

金无望突然冷笑道：“沈浪之智计，高我何止百倍，凭你那些装神弄鬼的手段，要想骗得过他，当真是痴人说梦。”

王怜花笑道：“此计不成，还有二计……”

他俯首凝注着金无望，目中已露出恶毒的光芒，狞笑接道：“等我使到第二计时，少不得要借你身上一样东西用。”

金无望怒喝道：“金某今日既已落在你手上，本已抱必死之心，只求速死而已……”

他语声本已渐渐黯然，说到这里，突又厉声大喝道：“但你们若要想凌辱于我，我……我……我……”

王怜花微微一笑，柔声道：“金大侠天纵奇才，聪明绝顶，在下怎敢对金大侠稍有无礼……不换兄，你说是么？”

金不换笑道：“是极是极。”

王怜花笑道：“但话又说回来了，金大侠你此刻既已落入区区手中，区区纵然凌辱了金大侠，金大侠你又能怎样？不换兄，你说是么？”

金不换抚掌大笑道：“是极是极。”

金无望怒极之下，空自咬牙，却再也说不出一句话来。

金不换道：“金无望，你如今可知遇着对头了么？你那些狠话，虽可吓得了我，却又怎能吓得了我家王公子，你虽是沈浪的好友，但沈浪在王公子眼中却不值一文，你虽是快活王门下的四大使者，但快活王在王公子……”

王怜花突然截住道：“够了。”他又自微微一笑，接道：“说起快活王，在下又想起还忘了告诉你一件事，你那位同伴偷香使者，虽也曾落在我手中，但我却又已将他放了回去，这倒不是我突然发了什么善心，只是为了……为了什么，金大侠你可猜得出？”

金无望咬紧牙关，不言不语。

王怜花开怀笑道：“我放他回去，只是为了要他向快活王密报，阁下已反叛了他……快活王对叛徒的手段如何，你知道得总比我清楚得多。”

金不换咯咯笑道：“所以你此刻落入王公子手中，当真还算你走运的。”

风吹入户，王怜花霍然转首，目注窗外，喃喃道：“沈浪呀沈浪，你怎地还不来呀，我倒真有些想你。”

“追，自是要追的，但往哪里追？”

朱七七面对着一片雪原，皱眉道：“我虽然瞧见金大哥是往这个方向走的，但他要走到何处去，我却不知道，这……却教咱们如何追法？”

沈浪凝目前方，久久不语。

朱七七顿足道：“喂，你倒是说话呀。”

沈浪缓缓道：“丐帮弟子，也是由此方逃逸，此刻雪地上足迹犹新。”

朱七七道：“咦，怪了，你不是说最重要还是找金大哥么？丐帮弟子的足迹新不新，又和金大哥有什么关系？”

沈浪沉声道：“金无望去向渺不可寻，丐帮弟子所去又与他同一方向……那么，你我不如就循此足迹追去，说不定能误打误撞，撞着金无望亦未可知。”

朱七七拍手道：“对了，还是你聪明，咱们循着这足迹追去，纵然寻不着金大哥，也可追着那些丐帮弟子，好歹问出那秘密。”

沈浪道：“正是。”

他口中说是，脚下却未移动。

朱七七忍不住又着急道：“话是你说的，你怎地还不走呀？”

沈浪道：“但从此而去亦有不妥之处。”

朱七七道：“什么不妥之处？”

沈浪道：“白飞飞被人掳走，说不定也与丐帮弟子此来有些关系，丐帮的叛变，徐若愚口中的秘密，说不定又牵连着金不换……这些事看来虽然各不相关，其实却可能是同一个人在策划主使的，这个人，说不定就是……”

他缓缓顿住话声，仰首不语。

朱七七着急道：“说不定就是谁，快活王……王怜花……”

沈浪叹道：“不错，王怜花。”

朱七七道："就算是王怜花又怎样？"

沈浪道："这些事若都是王怜花主使，那么，我们若是循着这些足迹追去，就必定会落入王怜花算计中，此人奸狡狠毒，天下无双，我等的行动，若是被他料中，这一路之上的凶险埋伏就当真要令人头疼得很了。"

朱七七睁大眼睛，怔了半晌，失笑道："你揣测之准虽然无人能及，但你的顾虑却又未免太多了，照你这样说法，咱们干脆一步路也不必走了。"

沈浪微微笑道："诸葛孔明之神机妙算，天下谁人能及，但'诸葛一生唯谨慎'这句话你也该听人说过。"

朱七七笑道："羞不羞？自己比自己是诸葛亮。"

沈浪笑道："我就是因为比不上他老人家，所以更要谨慎，但谨慎虽谨慎，路还是要走的。"语声之中，终于大步前行而去。

第十九章

肝胆相照

路虽是积雪没胫，寒风刺骨，但这一段路在沈浪与朱七七走来，并不觉什么艰苦，直到寒风中飘来那阵阵肉香。

朱七七眼睛一亮，笑了，道：“这里有个馋嘴猫，天没亮就在煮红烧肉。”

沈浪道：“风雪严寒荒郊无人，却有此等肉香传来，你不觉奇怪？”

朱七七道：“有什么奇怪，嘴馋的人，原来到处都有的。”

沈浪瞧了她一眼，苦笑摇头，不再说话。

这时，那座破落的祠堂已然在望，丐帮弟子的足迹也在祠堂前消失了，他们是否入了祠堂？

朱七七笑容已瞧不见了，皱眉道：“奇怪！奇怪？”

沈浪道：“你居然也会奇怪的么？”

朱七七道：“肉香居然是自这祠堂中传出来的，烧肉的人是谁？会不会是丐帮弟子？若是的，他们又怎会有这样的闲情逸致？”

沈浪沉声道：“愈是凶险之事，外表愈是会装得闲逸安全，你眼中所见的闲情逸致，说不定就是诱人的陷阱，杀人的埋伏。”

朱七七道：“但一锅红烧肉又算得是什么埋伏，莫非肉里有毒？就算肉里有毒，咱们不吃，他又怎样？”

沈浪苦笑道：“有时你的确聪明得很……”

朱七七嘟起嘴，道：“但有时却又太笨，是吗？”

沈浪笑道：“这次你倒猜对了。”

朱七七嘟着嘴道：“天下只有你一个聪明人，天下的聪明都被你占尽了，别人怎么会不笨。”她生气，心里却不气，这半天来，沈浪都在恼她，这是她第一次瞧见沈浪笑，只要沈浪不再恼她，就算骂她呆子，她还是高兴的。

但心里虽高兴，面上还是要装出生气的模样，女孩子的心，唉……她装了半晌，忍不住偷偷去瞧沈浪。

只见沈浪凝目瞧着那祠堂，动也不动，像是呆了。

朱七七道："喂。"

沈浪道："嗯。"

朱七七道："倒是走呀，咱们可不能老是站在这儿吧，祠堂里纵有埋伏、陷阱，咱们好歹也得去瞧瞧呀。"

沈浪瞧了瞧她，又瞧了瞧那祠堂，缓缓道："我进去，你在这里等着。"

朱七七一瞪眼，想要不答应，但瞧见沈浪的眼睛，心里叹了口气，委委屈屈地垂下头，道："好，随便你吧。"

沈浪微微一笑，道："这才像个女孩子——祠堂中若有动静，我就会通知你……"他并未作势纵身，只是一步步缓缓走了进去。

朱七七望着他走了几步，突又轻唤道："喂。"

沈浪回首，皱了皱眉。

朱七七道："你……你可别让我等得太久呀。"

沈浪终于走入了祠堂。

他虽然不知道金无望就是在这祠堂里中计被擒，他虽然不知道王怜花还要以对付金无望的恶计来对付他。

但他似乎已有预感，知道祠堂是凶恶不祥之地，他走得极缓，但无论如何，他还是得走进去。

朱七七望着他走进去，先还觉得沈浪老是欺负她，她总是受委屈，但沈浪的身影一消失，她的心，突然跳得很厉害。

她愈想愈觉得这祠堂中必有埋伏，杀人的埋伏，否则天刚亮，怎么就有人烧红烧肉，这简直不可能。

嗯，这红烧肉里必定大有文章——什么文章，她猜不出。

她愈是猜不出，愈是担心，愈是想猜——莫非有人躲在祠堂里，等着沈浪暗施迷香，他烧这红烧肉，只是想以肉香来掩饰迷香，让沈浪难以觉察。

对了，一定不错，我得去告诉沈浪，否则，他若不留意，等到他发现肉香里有迷香时，就太迟了。

她一想到这里，就要往前跑，但脚一动，又停住了。

呀，不对，以沈浪的鼻子，还会分辨不出迷香的气息，王怜花怎会用这种幼稚的法子来对付沈浪。

王怜花对沈浪的本事一向清楚得很，他用来对付沈浪的，必定是奇里古怪，别人再也想不出的毒计。

那会是什么样的毒计——祠堂里四面埋伏，沈浪一进去，四面就乱箭齐发，射他个措手不及？

不对，这也不对，这法子也太幼稚。

祠堂里有消息机关——不对，不会的。

祠堂里有好几个绝顶的高手，每一人武功都和沈浪相差无几，等着围攻沈浪——不会，那简直不可能。

这些念头，她想得愈想愈快，愈想愈乱。

她眼睁睁瞧着那祠堂，只等着沈浪从里面发出惊呼，发出怒吼，发出叱咤厮打声，兵刃相击。

但沈浪进去已有盏茶时分，祠堂中却毫无声音传出——莫说呼叱叱咤声，简直连咳嗽叹气的声音都没有。

一丝声音都没有。

这没有声音，可真比任何声音都怕人，都令人着急。

风在吹，严寒清晨的风，冷杀人。

严冬清晨的雪地，更是静杀人。

朱七七咬着唇，搓着手，简直快急疯了。

又过了盏茶时分，不，简直有顿饭工夫，还是一丝声音都没有，连放个屁的声音都没有。

沈浪呀沈浪，你倒是弄点声音出来呀，你若是没有中埋伏，你就该出来，告诉我让我安心。

你若是中了埋伏，你也该喊救命呀！你……你……你，你难道连声音都未及发出，就被人害了。

王怜花的手段，难道真有那么毒，那么狠。

还是没有声音，没有动静……

好，王怜花，你若是害死了沈浪，我也不想活了，你索性连我也一起害死算了，死了反倒干净。

朱七七飞也似的向祠堂掠去。

苍穹，已由青灰色转成淡白色。

淡白色的曙光，浸溶着残败的祠堂，使这祠堂看来更诡秘，更阴森，更充满着不祥。

祠堂中火堆仍未熄，但火势已很小了。

火上，肉仍在，因为火小，肉还没有焦。

褪色的，破旧的神幔，已被撕下来——但也不知是不是被撕的，片片落在地上，卷成一团，被风一吹，就好像……

就好像正匍匐在地上的死尸一样。

神案，已被人踢翻了，也不知是被谁踢的，就在火堆和神案间，有一摊乌黑的水渍……

呀，不是水渍，是鲜血。

本已残破的祠堂，此刻更是乱得一团糟，而刚刚明明走进祠堂的沈浪，此刻却瞧不见了。

什么人都没有，简直连鬼都没有，沈浪呢？

沈浪呢，沈浪到哪里去了，已被害死了，死尸呢？

朱七七惊极，骇极，放声大呼道："沈浪……"

尖锐的呼声就像是一把刀，一下子就划破了那死一般的静寂，但也就是一下子，又突然停顿，她像是突然被人扼住喉咙似的。

因为，突然，踢翻的神案下，露出一个头来。

沈浪的头。

沈浪的头露了一露，就又缩了回去。

朱七七已飞也似的掠过去，一把抱住沈浪的脖子，又是惊奇又是欢喜，又是埋怨，喘着气笑道："你还在这里，你没出事，你怎么不告诉我一声呢？害得我着急。"

沈浪身子动也不动，只是冷冷叱道："走开。"

朱七七一怔，松开了手。

无论如何，无论沈浪喜不喜欢她，沈浪平日对她倒总是客客气气的，倒从没有这样疾言厉色。

朱七七松开了手，眼圈儿又红了，她那样为沈浪担心，心都快急碎了，此刻换来的却是冷冰冰一声斥责。

她身子不由自主往后面退，她嘴唇都快咬碎了——但无论怎样，还是忍不住，泪珠儿一连串落了下来。

沈浪却连瞧也不瞧她一眼，眼睛直勾勾瞧着前面。

他在瞧什么，朱七七没看见。

此刻，朱七七眼睛里只有沈浪，她瞧着沈浪，流着泪，一时间当真是心灰意冷，喃喃道："罢了，罢了，我这又是何苦，我这又是为的什么？我为何有福不会享，反而巴巴地跟着他，受他的气？"

她抹一抹眼泪，暗道："好，沈浪呀沈浪，你既如此对我，我……我以后永远也不要见你了。"

但是，她的眼睛却仿佛离不开沈浪。

要她说沈浪究竟好在那里，她也说不出。

论豪迈，他不及熊猫儿；论沉着，他不如金无望；若论风流俊俏，善解人意，他却又不如王怜花。

但不知怎地，她眼里却只有他，只要瞧见他，她就觉得欢欢喜喜，若是瞧不见他，总是整日间挂肚牵肠。

她不敢想，若是以后永远瞧不见沈浪，她会怎样。

"为什么，为什么他这样对我，我还要这样对他？"

一时间，她不觉更是爱恨交迸，忍不住放声大哭道："沈浪，我恨你，我恨你……"

沈浪还是不瞧她一眼，眼睛还是直勾勾地瞧着前面。

朱七七恨得心都裂开了，嘶声道："你是死人么，你说话呀，你……你……你……"

只觉一股热血上涌，那只纤纤玉手，不知怎地扬了起来，"啪"地，清清脆脆一掌掴在沈浪脸上。

沈浪却似全无觉察，还是动也不动，只是那令人恨又令人爱的脸上，已多了个红红的掌印。

朱七七又急，又痛，又悲，又悔，终于伏地痛哭道："沈浪，沈浪，你为什么要这样对我，你为什么？你打死我吧，打死我吧，我反正不想活了。”

她哭声有如杜鹃夜啼，令人断肠。

但沈浪还是不理她。

也不知哭了多久，她哭声终于渐渐微弱。

只听沈浪柔声道：“你好些了么……好些了么？”

朱七七一喜道：“呀，沈浪还是关心我的……”

但沈浪已接着道：“金兄……你振作些。”

沈浪竟不是对她说话。

朱七七又是失望，又是惊奇，这才抬起头，这才瞧见沈浪面前原来还倒卧着个人——赫然竟是金无望。

金无望倒卧在血泊中，双目紧闭如金纸，呼吸间更是气若游丝，一条命已去了十之八九了。

这祠堂中情况怎会变成如此模样？

金无望又怎会变成如此模样？

王怜花、金不换都到哪里去了？

朱七七一眼瞧见金无望的脸，接着，她又瞧见他的手——他一条右臂竟已被生生砍断了。

血，流满了鲜血，一身都是鲜血。

朱七七“呀”一声惊呼了出来。

难怪沈浪不理她，沈浪此刻正以手掌按着金无望的胸口，正以绵长的内力，来延续金无望已将中断的性命。

朱七七整个身子都颤抖了起来。

“金大哥，金大哥，金大哥，你怎会如此，是谁害了你的？”

她想放声悲呼，放声痛哭，但她却只有咬着牙，一点声音也不敢发出来，她眼泪又似断了线的珍珠般落下。

这一次，她眼泪是为金无望流的。

“金大哥，你不能死，求求你，莫要死……”

她暗中默祷，全心全意。

“沈浪，求求你，救活他吧，我相信你必能救活他的。”

呻吟，一声，两声……

金无望终于发出了呻吟，发出了声音。

沈浪苍白、凝重、沉痛的脸上，早已流满汗珠，直到此刻，他嘴角的肌肉才松懈下来。

他暗中松了口气，金无望终于活回来了。

天色，已在不知不觉间大亮了。

渐渐，金无望有了呼吸，胸膛有了起伏。

朱七七紧握着拳，紧咬着牙——她也用出了全身气力，她自己似乎也正陪着金无望挣扎在生死边缘上。

终于，金无望睁开眼来。

他目中再也没有昔日那利剑般的神光，他黯淡的目光，空虚地四下转了转，然后便瞧在沈浪脸上。

他挣扎着颤声道：“……沈……”

沈浪赶紧道：“金兄，莫要说话，好了，什么事都没了。”

金无望不再说话。

但他那双眼睛，却道出了叙不尽的沉痛、悲愤与伤感，也道出了叙不尽的感激、宽慰与欢喜。

他已自死亡中回来，他平生挚友已在他身旁。

他嘴角露出一丝宽慰的笑容，又缓缓闭起了眼睛——方才的恶战，如今想来实如噩梦一般。

但他觉得方才的恶战，流血，全都是值得的——若不是方才的恶战，沈浪或者已中了王怜花的奸计。

朱七七也长长松了口气，但还是不放心地问道：“金大哥，已没事了么？”

沈浪道：“哼。”

他还是没有好脸色给朱七七，但朱七七却只得忍受了，缓缓将头凑到金无望耳畔，轻轻唤道：“金大哥……”

沈浪冷冷道：“走开，莫要吵他。”

朱七七退回身子，垂下头，幽幽道：“我又没有吵他，我……我……”突似想起什么，赶紧在身上左摸右摸，终于摸出了个锡纸包，喜道："我这里有药。"

沈浪道："什么？"

朱七七道："这救伤的药，据说还是皇宫大内的，是我爹爹花了不少心血求来的，我临走时偷了一包……"

沈浪道："拿来。"

朱七七道："一半外敷，一半内服。"

金无望服了药，脸色早已好转了些，朱七七忙着添了些柴火，火堆又旺旺地燃烧起来。

在火光中，金无望的脸上，仿佛已有了些红润之色。

他又张开眼，又瞧着沈浪，目光中满是感激之色，但口中却未说出半个谢字，只说道："好，你终于来了。"

沈浪也终于能笑了，笑道："小弟来了，你……你还是莫要说话，说话伤神。"

金无望道："你放心，我已死不了。"目光又四下一转，瞧见朱七七，一笑，但笑容很短，立刻消失，目中又燃起仇火，嘶声道："王怜花呢？"

沈浪道："未见着他。"

金无望恨声道："这恶贼……恶贼。"

朱七七忍不住道："金大哥可是被这恶贼们伤的？"

金无望道："他虽伤了我，自己也未必好受。"

朱七七道："这究竟……"

她本想问"这究竟是怎么回事"，但瞧了沈浪一眼，立刻改口道："究竟……说话伤神，金大哥你还是歇歇吧，慢慢再说。"

她竟将自己的性子压了下去，这的确是难得的事——她偷眼去瞧沈浪，只希望沈浪给她一丝赞许的微笑。

没有微笑，一丝微笑也没有，沈浪根本没瞧她。

就连金无望都没有瞧她，这种被人轻视、被人冷淡的滋味，她简直不能忍受，但她却又不得不忍受。

只听金无望对沈浪道："这件事，闷在心里，我更难受，你还是让我说出的好。"

沈浪含笑道："金兄若是自觉可以说话，就说吧。"

金无望道："我一路追来此地，嗅得肉香，闯入祠堂，哪知这祠堂却是个害人的陷阱，我一入祠堂便中计被擒。"

朱七七立刻瞧着沈浪笑道："什么事都瞒不过沈浪，他嗅得肉香，立刻就知道……"

沈浪冷冷道："少插嘴。"

本想讨好沈浪的朱七七，却讨来没趣，眼泪，又开始在她眼眶里打起转来了，她垂下头，不让金无望瞧见。

她心里发疼，脸上发烧，直过了半晌，才发觉金无望还在继续说着他那段历险的故事。

只听金无望道："……那时我要穴被点，那些恶贼已将我视为网中之鱼，俎上之肉，算准我已只有任凭他们宰割，是以在我面前说话，便毫无顾忌……那时我才知道王怜花这恶贼城府之深，党羽之众，竟非我所能想象。"

沈浪叹道："此人委实聪明，只可惜反被聪明误了。"

金无望道："到后来丐帮三老中那左公龙来了，这厮平日假仁假义，谁知竟也被王怜花收买，为的只不过是想登上帮主宝座而已。"

沈浪动容道："徐若愚的秘密，果然又与王怜花有关。"

金无望奇道："徐若愚，他又有何秘密？"

沈浪道："他的秘密，想来便是丐帮的叛乱……"

当下将徐若愚如何前来，如何身死之事说了。

金无望默然半晌，道："那日他与丐帮三老等四人，想必便是在这祠堂里，等到半夜时，想必便是王怜花那厮来了。"

沈浪笑道："徐若愚自不知我已识得王怜花此人，见得他竟有这么大的阴谋，是以便急着要来通知于我。"

金无望道："但他又怎知你在哪里？"

沈浪道："在起先左公龙必将他当作心腹，我的行踪，自然是王怜花说出来的，他必是在一旁听到了。"

金无望道："王怜花是何等厉害的角色，徐若愚当然想有所举动，又怎能逃得过他那一双恶毒的眼睛。"

沈浪道："正是如此，他的行踪，显然早已被王怜花窥破，是以他还未寻着我，便已负伤，但不知怎地被他逃脱了追踪……”

朱七七忍不住道：“那时王怜花想必已到那山上密窟中去了，正忙着要害我们，是以徐若愚虽然负伤还能逃脱。”语声微顿，又道：“他明知自己虽然逃脱，但必定仍有人追踪，自然躲躲藏藏，不到半夜三更，梦深人静时，便不敢来见我们。”

金无望笑道：“不想你近来分析也有如此明白。”

沈浪却冷冷道：“此刻我等正在研讨大局，此等枝节小事，何必费心去想——纵然说对了，于大局又有何帮助，你还是少说话的好。”

朱七七正在高兴，哪知又是一盆冷水当头泼下，她简直耽不住了，但又舍不得走，一走之后几时才能见到沈浪。

金无望黯然道：“不错，这确实是枝节小事，不管王怜花那时在哪里，此刻反正他总已来了，不管徐若愚那时是如何逃脱的，此刻反正他已……已故去了。”

沈浪仰首长叹道：“只可怜他拼了性命要来告诉我王怜花的秘密，却不知王怜花的阴谋我早已知道了，他……他死得当真冤枉。”

金无望沉声道：“人生在世，有些事是虽死也是要做的，至于做了此事是否有用，却是另外一件事了……徐若愚虽拼死做了这无用之事，但他为仁义而死，一生已可算是庶几无憾，他死得又有何冤枉？”

沈浪动容道：“金玉之言，小弟拜领。”

金无望叹道：“这些话我不过只是说说而已，你却时常在做，对于生死之事之看法，我委实远远不如你。”

沈浪道：“愈不怕死的人，愈不会死……”

金无望忽然哈哈一笑，道：“这才是金玉良言，世人不可不听，我金无望方才若是心怯怕死，只怕早已活不到此刻了。”

沈浪道：“王怜花他……”

金无望显得极是兴奋，苍白的面颊也已泛出红晕。

他不等沈浪说话，便已截口道：“那时王怜花、金不换、左公龙……不论是谁，都已将我当作必死之人，不但百般凌辱于我，还当着我的面，计划如何害你的奸谋，我表面装作在强忍愤怒，其实，我暗中早已有了算计。”

沈浪笑道：“王怜花那双眼睛虽恶毒，但却想必再也瞧不透你的心意……世上又有谁能猜透你的心事？”

金无望道：“他虽能猜透我的心意，却再也想不到我那时非但悲愤、忍耐态度，乃是做作的，就连身子不能动，也有一半是假的。”

朱七七终于又忍不住道：“但……但你岂不是已被他点了穴道？”

金无望道：“那时骤出不意，他一指点来，我身子虽然不能闪避，但却在暗中运气挡了一挡，他那一指并未能点透我的穴道。”

沈浪道：“海内武功名师，若论气之术，柴玉关昔日已可算是此中大家，经过衡山会后，他成就想必更是惊人，只是我却未想到，金兄竟也从他处得到此中诀窍，竟也能将一股真气，运用得这般如意，这般巧妙。”

金无望脸上露出一丝悲怆之色，道：“柴玉关此人是善是恶，姑且不论，但他却实有知人之明，用人之能，对门下之人，从无藏私。”

沈浪叹道：“一代枭雄，自有常人所不能及之处，若无过人之能，怎能行得出过人之恶……唉！不瞒你说，连我也急着一见其人之风采。”

金无望道：“但你岂非对他……”

沈浪道：“对他的恶毒行事，我虽痛恨，但对他的过人之智，过人之能，我却当真也有些钦佩之意。”

金无望默然半晌，显然不想再说这能令人佩服无比的一代枭雄不凡人物。

于是，他言归正题，道：“那时我虽已运气抵挡，但王怜花的指力，究竟非同小可，我仍觉半身麻木，那时我若出手，实难挡得他一招。”

沈浪叹道：“王怜花，又何尝不是今日之枭雄！”

金无望接道：“我作出等死之态，一来好暗中运气复原，再来好听听他们的秘密，等他们猜你必定也要来时，我更想等你来后再出手。”

朱七七瞪大眼睛，忍不住又道：“王怜花真的猜出沈浪要来？”

金无望道：“王怜花心计之灵，端的非凡，他算准你们必定会跟着那些丐帮叛徒的足迹而来，早已准备以恶计相待。”

朱七七叹道：“王怜花智计虽高，但沈浪……唉，这一点也早已被沈浪算出了……”说到这里，又偷偷去瞧沈浪。

沈浪冷冷道："你不说话，没人当你哑巴。"

朱七七道："我……我……我再去添些柴。"

扭转身，奔到火堆前，"嗤"地，一滴眼泪，落入了烈焰。

金无望瞧她扭动的肩头，轻叹道："可怜的孩子……"

沈浪却是面不改色，道："后来如何？"

金无望道："后来……唉，他们竟要在你来之前，将我送至他处，于是我明知敌众我寡，也不得不出手了。"

沈浪环顾这祠堂中零乱的景象一眼，道："想来，那必是一场惊心动魄的恶战。"

金无望道："恶战，那何止恶战而已，那简直不是人类的交手，而是野兽的搏杀，以王怜花、金不换、左公龙三人的武功，我实难招架……"

他傲然一笑，接道："但金不换那妖魔小丑，见我之面，已觉心寒，左公龙虽然久经战阵，却也被我杀气所惊，十成功夫，与我动手时也不过只有五六成了，唯有王怜花……王怜花……唉，他委实是人中豺狼。"

沈浪道："莫非他武功也和智计同样毒辣？"

金无望道："此人武功所学之杂，招式之狠毒，固是实在惊人，最可怕的是，他心计之灵敏，更助长了他武功之凶焰。"

沈浪道："此话怎讲？"

金无望道："正因他武功博杂，心计灵巧，是以你还未出手前，他已猜出你要使的是哪一招了，而且，他心与手之配合，如臂使指，就在那间不容发的那一刹那间，你还未出手，他已先出手封闭了你的招式。"

沈浪道："他武功比之天法大师怎样？"

金无望道："天法万万接不了他二十招。"

沈浪失声道："竟有如此厉害！"

金无望冷笑道："你心里必在怀疑，他武功既然如此厉害，我又怎能使他负伤。"

沈浪自然知道他的强傲，笑道："小弟并无此意。"

金无望道："如论武功，我实难伤他，但你可知道，与人动手时，最厉害的武功，便是那‘拼命’两字。”

“一夫拼命，万人难当”，这沈浪自是知道的。

金无望惨笑道：“我拼了这条右臂，方自伤了他一掌，只可惜我当时便已晕厥，竟伤得他怎样，我却也不知道了。”

沈浪道：“你那一掌，岂是血肉之躯所能抵挡，他伤势若是不重，又怎会容得我如此太太平平与你说话。”

金无望面上这才露出一丝笑容，道：“不错，只怕他伤势亦自不轻，竟顾不得再害人了。”

沈浪凝目瞧了他半晌，长长叹息道：“但金兄你……你又何须如此？”

金无望瞠目道：“我怎样？我难道做得不对？”

沈浪叹道：“你如此对我，却教我于心怎安？”

金无望道：“对你，我何曾对你怎样了，此事本是我一时大意，才会中了他的暗算，与你又有何关系？”

沈浪道：“但你却不必出手的。”

金无望作色道：“胡说，我怎可不出手。”

沈浪黯然道：“你那时若不出手，只是一走了之，他三人怎挡得住你，但你明知不敌，亦要出手，只是为了我……只要为了要叫他们无力再来害我。”

金无望冷笑道：“胡说，我金无望一生之中，只知有己，不知有人，何况我为你拼命，只怕你是在说梦话。”

沈浪道：“你外表虽然冷如坚冰，其实却心中如热火，你如此做作，只不过是为要我心安而已，是么……”

他伤痛地笑了笑，接道：“但是你却不知，你愈是如此，我心里愈是……唉，愈是难受，我……我……”

金无望大声道：“你有何难受，你可怜我已是残废，是么……哼，金无望虽只剩下一只手，也要比那两只手的强胜千百倍，你信不信？”

沈浪道：“我……我……”

金无望叱道：“莫要说了，怎地今日你也做出这般儿女态来，你数次救我性命，我都未曾言谢，你还在此啰唆什么。”

沈浪突地大笑道：“对！区区一条手臂，在我等男子汉说来，又算得什么，一只手的金无望，端的要比两只手的王怜花强胜百倍。”

这两人一个还倒卧血泊中，重伤难起，一个也是前途多难，忧患重重，但就在此时此刻，这两人却大笑起来。

朱七七虽背对他两人而立，他们的言语，却字字句句都已留在她心底，一时间，她早已泪流满腮。

但这却不是悲伤的泪，而是感动的泪——这样的好男儿，原是值得天下的女孩子为他们流泪的。

两人相对大笑，金无望只觉气力已愈来愈充沛，奇迹般好得如此快，他自然高兴。

但忽然间，他发觉沈浪的笑声却愈来愈弱了。

于是，他也发觉沈浪的手，竟始终未曾离开过他的身子，竟一直在以自己的真气输送给他，难怪他重伤方愈，就能如此滔滔不绝地说话。

真气就是练武人的性命，就是练武人的精血，对于沈浪这样的人说来，原就将真气看得比什么都重。

然而，沈浪此刻却将这珍若性命之物，毫无吝色输送给金无望，于是金无望强了，而他自己却弱了。

金无望突然顿住笑声，厉声道：“快把手放开。”

沈浪笑道：“好……好……”

他委实也无力支持了，身子也不觉倚在那神案上。

这一切动静，都未逃过朱七七的耳目，她本想不管的，但是，她的心头却突然跳了起来，她告诉自己：“这样的男子汉，我绝不能放弃，我若是放过了他，只怕再也找不着像这样的人了，永远也找不着了。

“我绝不能放弃他，否则我必将悔恨、痛苦，无论他对我怎样，我也要争到他，受些委屈又有何妨呢……”

于是她自火上取下烤肉，扭转身，走回沈浪身旁。

烤肉，外皮已有些焦了，但香气却更诱人。

朱七七柔声笑道：“你累了，吃些东西好么？”

沈浪正眼也不瞧，冷冷道：“拿开。”

朱七七道：“我已用银钗试过了，这肉是好的。”

沈浪道：“拿开。”

朱七七咬了咬嘴唇，道："你若不吃这肉，附近想必有村镇，你想吃什么，我给你买去……金大哥，你想也该吃东西了。"

沈浪道："不用费心。"

朱七七道："我……我只是想为你做件事，又……"

沈浪冷冷道："你想为我做事么？好，为我做件事吧。"

朱七七喜道："什么事？无论什么事，我都做。"

沈浪道："请你走远些吧，走得愈远愈好，走得让我永远瞧不见你就算替我做了件好事了，我就感激不尽。"

朱七七怔了一怔，面上又已满是眼泪，但仍笑道："我……我……我……"

她瞧了瞧金无望，虽然有金无望在旁边，但她也不管了，她什么都不管了，她已决心牺牲一切，只为沈浪。

她咬了咬牙，接道："我究竟做了些什么事让你生气？你说呀，我若真的错了，我以后一定会改，我什么都会改的。"

这些话，本是她死也不肯说出的，此刻竟说出了——说完了话，虽已忍不住抽泣失声，却又只得忍住。

这无声的悲泣，这带着笑的悲泣，当真含蓄了叙不尽的欢乐，叙不尽的真情，叙不尽的辛酸，叙不尽的委屈。

沈浪终于回过头，目光也终于凝注到她脸上。

她的脸，如梨花带雨。

但他的目光，却仍如铁一般冷，石一般硬。

这冰冷的目光，更使得朱七七整个人、整个心都颤抖了起来，她身子不由自主向后退，颤声道："我究竟做错了什么……做错了什么……"

沈浪冷笑道："你做错了什么，你自己不知道？若不是你，白飞飞怎会被人掳走？若不是你，金大哥怎能变成如此模样？"

朱七七道："这……这全都怪我……"

沈浪厉声道："不怪你，怪谁？你若肯稍替别人想，你若有丝毫同情别人的心，这一切都不会发生了。"

朱七七泪如雨下，颤声道："我……我……"

沈浪厉叱道："你……你只是个又自私，又骄纵，又任性，又嫉妒的小恶妇，只要能使你自己快乐，别人的事你便全都不放在心上……只要能使你自己快乐，就算将别人的心都割成碎片，你也不在乎！”

这些话，就像鞭子似的，一鞭鞭抽在朱七七身上，抽得她耳畔“嗡嗡”地响，终于仆地跌倒。

从小到大，从来没有人这么骂过她，此刻沈浪竟将她骂得整个人都呆住了，不住暗问自己：“我真是这样坏么……我真是这样坏么……”

刹那间，熊猫儿、白飞飞、方千里、展英松……这些人的脸，都似已在她眼前摇动了起来。

这些人，都是曾经被她伤害过的，有些人被她伤害了面子，有些人被她伤害了自尊心，有些人为她伤了心。

“但我也是无意的呀，我绝未存心伤害过任何人。”

沈浪道：“不错，你并未有意伤过人，但这无意的害人，其实比有意还要可恶……你只将你自己当作人，别人都该尊重你，爱你，只有你高高在上，别人都该被你踩在脚下，你伤害别人，好像是应当的事。”

朱七七道：“没有……我绝没有这意思。”

沈浪道：“还说你没有。”

朱七七放声痛哭道：“好，你说我有，就算我有吧，但我……我还不懂事，什么都不懂，你难道就不能原谅我么？”

沈浪冷冷道：“办不到。”

朱七七手捶地，嘶声道：“许多做过错事的……做的事都比我更错，但你却原谅了他们，你……你为何就偏偏不能原谅我？”

沈浪道：“我原谅你的次数已太多了。”

朱七七咬了咬牙，挣扎着站起，挣扎着站在沈浪面前。

她忍住泪，咬牙道：“好，你不能原谅我，我也不求你原谅，你既已杀死过许多不能原谅的坏人，你也杀死我吧。”

沈浪冷冷道：“杀你，我也犯不着。”

朱七七道：“你……你好狠的心，我什么都不求你，只求能死在你手上，你连这都不答应，你难道竟不屑杀我？”

沈浪不再说话。

朱七七再次扑倒，痛哭道：“老天呀老天，你为何对我这么坏……再恶的恶人，至少还有死在沈浪手上的福气，而我……我……我现在本就不想活了，但是……但是我……我竟连死在他手上的福气都没有。”

沈浪闭上了眼睛，金无望早已闭上了眼睛。

世上没有任何言语，能形容朱七七此刻的感情。

她恨，她恨自己，也恨沈浪。

她虽然恨，却又无可奈何。

突然间，她一跃而起，发疯似的，将地上可以拾起来的任何东西，都拾起了，摔在沈浪身上。

她疯狂地嘶呼着道：“我恨你……恨死你，一辈子都恨你……”

她疯狂般转身奔了出去。

沈浪张开了眼，却仍动也不动，宛如老僧入定。

金无望也张开了眼，静静地凝注着他。

良久，沈浪终于笑了笑道：“我……”

金无望道：“你的心，难道是铁石铸成？”

沈浪笑容里有些凄凉之意，喃喃道：“我的心……谁知道我的心……”

金无望道：“你怎忍如此对她？”

沈浪道：“我又该如何对她？”

金无望默然，过了半晌，缓缓道：“她难道真的不可原谅？”

沈浪道：“她难道可以原谅？”

金无望叹道：“就算她不可原谅，你也该原谅她的。”

沈浪道：“为什么？”

金无望目光凝注着那灰暗的屋顶，缓缓道：“到了你像我这样的年纪时，你就会知道，世上的美女虽多，但要找一个爱你如此之深的，却不容易……太不容易。”

他倏然收回目光，目注沈浪，接道：“你总该承认，她确是真心爱你的，你总该承认，她做事确无恶心，你对别人都那般宽厚，为何对她却不？”

沈浪垂下眼帘，亦自默然半晌，缓缓道：“我对别人都能宽厚，却不能对她宽厚……”

金无望怔了半晌，终也颔首叹道：“不错，你对别人都宽厚，对她却不能。”

两人许久没有说话，都在沉思着——他们究竟在思索着一些什么？是否在思索着人与人之间微妙复杂的关系？

然后，沈浪又道：“别人，也都可原谅她，但我却不能。”

这一次，金无望未再思索。他立刻就颔首道：“不错，别人都可以原谅她，但你却不能……别人的责任只有他自己，只要对自己尽责，便可交代了，所以纵有一些情感的困扰也不妨，但你……唉，你肩上的责任却太重……太重了。”

沈浪抬起头，黯然笑道：“还是金兄知我。”

金无望道：“只有一个知道，不太少么？”

沈浪缓缓道：“人生得一知己，也就足够了。”

火堆烧得正烈，祠堂里开始温暖了起来——却不知是火造成的温暖，还是这友情造成的温暖？

又过了许久……

沈浪道：“无论如何，但愿她……”

金无望道：“无论如何，但愿她……”

两人同时说话，说出了同样的七个字，又同时闭口，只因两人都已知道，他们要说的话，本是一样的。

“无论如何，但愿她能活得平安幸福。”

这真诚的祝福，朱七七早已听不到了。

她此刻已奔出了多远，她自己也不知道。

总之，那必定已是很远很远一段路了。

她的脸，开始被风刮疼，然后，变成麻木，此刻，却又疼痛起来，像是有许多蚂蚁在咬着。

她的泪，已流干，她的脚，已变得有千斤般重。

好了，前面就有屋宇。

她加急脚步，奔过去——此刻，人类的本能，已使她忘记一切悲哀，她所想的，只有一碗热汤，一张床。

但前面没有屋宇，也没有热汤，更没有床。

屋宇的影子，其实只是座坟墓。

显然这座富贵人家的坟墓，建造得十分堂皇。

朱七七的心，又沉落了下去，宛如沉落在水底——又是失望，失望……为什么她总是失望？

她将身子蜷曲在墓碑后——只有这里是四下唯一挡风之处，她脱下靴子，用力搓着她的足趾……

但，突然，她的手停顿了。

在奔跑时，她什么也未想，此刻，千万种思潮，又泛起在她心头，她爱，她恨，爱得发狂，恨得发狂。

“为什么他对别人都好，对我如此无情？”

她恨沈浪。

“为什么别人都对我那么好，我反而对他们不理不睬，而沈浪对我这么坏，我反而忘不了他？”

她恨自己。

她的心乱成一团，乱如麻……但，突然，所有紊乱的思潮都停顿了，一个声音，钻入她耳朵。

是人说话的声音。

但这声音却是自坟墓中发出来的。

千真万确，每个字都是自坟墓中发出来的。

坟墓中竟会发出声音，难道死人也会说话？

朱七七吓得整个人都凉了。

但她虽是女子，究竟和别的女子不同，江湖中的风风浪浪，她经历得太多了，她立刻就想到——

“这坟墓只怕又是什么秘密帮会的秘密巢穴。”

她目光正在四下搜索，已听到那墓碑下传来一阵脚步声。

有人要自坟墓里走出来了。

朱七七方才虽已全无气力，此刻却一跃而起——这是人类的本能潜力，她一跃而起，掠出丈余。

丈余外有个石翁仲。

她躲到石翁仲后，仍忍不住偷眼往外瞧。

只见那墓碑已开始转动，露出了个地洞，然后，地洞中露出一个头来……两个头，两个人自地中钻出。

这是两个穿着羊皮袄的大汉，虽然在冰天雪地中，两个人仍是挺胸凸腹，显得和熊一般的神气。

先出来的一人，四下瞧了瞧——他自然想不到这里还会有人，瞧得自然很马虎，只不过是对自己交代交代而已。

后出来的一人，瞧也未瞧，便又去推那墓碑——他气力显然不小，那墓碑被他一推，便又复原了。

于是两人大步走下墓碑前的石阶，口中却在嘟嘟囔囔。

其中一人道："这残废是什么东西，派头倒不小，这么样的天，还要咱们跑几十里地去为他配药，这不是成心折磨人么？"

另一人道："王老大，你也莫埋怨了，不管他是谁，总之和咱们头儿的交情不浅，否则头儿又怎会带他到这里来？"

王老大道："哼，若不是瞧这个，我会听他的？"

那人笑道："不管怎样，反正咱们整天躲在里面，虽然有酒有女人，也觉得闷得慌，趁这机会出来走走也好。"

王老大敞笑道："对，咱们就趁机会逛他个半天，反正瞧那残废的模样，就算不吃药，也是死不了的。"

两人说说笑笑，走得远了。

朱七七直等他们身影完全瞧不见，方自走出，也不知是有意，是无意，也走到墓碑前，伸手一推。

她若推不动这墓碑，倒也罢了，哪知她也一推就动，这一动之下，她的一生命运又改变了。

墓碑一动，朱七七心也动了起来。

"这究竟是什么人的密窟？那'残废'是谁？那'头儿'又是谁？将密窟造在坟墓里，八成不是好人，我得去瞧瞧。"

她天生就是好事的劣根性，没有事也要找些事做，又何况她此刻遇着的又确是十分离奇诡秘之事。

常言道："江山易改，本性难移。"

虽在如此情况下，她脾气还是改不了。

墓碑一移开，地洞方露出，她就要往里走。

但是……

“不对，这是什么人的秘密，这是好人坏人，与我又有何关？我为何要多事？难怪沈浪说我……”

她本已要转身，但想到沈浪，她的心又变了。

“沈浪，我为何直到此刻还要听他的话，反正我已不想活了，就算进去遇险又算得什么？”

她跺了跺脚，立下决心。

“我想做什么就做什么，谁也别想管我。”

她终于钻了进去。

天下所有的密窟，所有的地道，差不多全是一样的——阴森，黝黯，带着股令人头晕的霉湿气。

这地道比较特别一点的是，既无人防守，也无机关，这或许是因为这地方实在太秘密了，别人根本不会找进来，所以根本无需防守，也或许是因为这墓里的主人自视极高，根本就未将别人放在心上。

朱七七也不管这究竟是为什么，阖起墓碑，就往里走。有十多级石阶通下去。

然后，就是间小厅，布置得竟也和普通富贵人家的客厅差不了多少。

朱七七探首一瞧，厅里没有人。

她居然就这样走了进去，她根本不怕被人瞧见——她现在实已有种自暴自弃，只觉被人发觉了最好。

厅的前面，有扇门，朱七七笔直走了过去。

就在这时，门里有笑语声传了出来。

“公子你想得端的周到，生怕你属下在这里闷得慌，还找来这两位娇滴滴的大姑娘陪着，真是好极妙极。”

朱七七身子陡然一震，脚步立刻停了。

这竟是金不换的笑声，这恶贼，怎会在这儿？

只听另一人道：“金兄有所不知，公子处处替人着想，才能成得了大事，此地若非如此享受，又有谁心甘情愿地耽在这里？”

这语声也很熟，很熟……是谁呢？

朱七七想了想，终于恍然：“这是左公龙。”

金不换笑道："不错，别人若不心甘情愿，纵然无奈耽在这里，却也会偷偷溜出去，这么一来，却用鞭子也赶不出去了。"

一人笑道："但如今却便宜了你，小玲，还不倒酒？"

这赫然竟是王怜花的声音。

但奇怪的是，王怜花此刻的声音，竟是有气无力，而且说完了一句话，就不住喘气，不住咳嗽。

朱七七一颗心，又几乎要跳了出来。

她站在那里，退也不是，进也不是。

门，是关着的。

但门底下却有一条空隙，有灯光透出来。

朱七七呆了半晌，咬了咬牙，走到门口，蹲下身子，俯下头，用一只眼睛，向那条缝里瞧进去——

只见里面屋子中央，是个火烧得正旺的铜火盆，火盆边有张摆满酒菜的桌子，金不换和左公龙就坐在那里。

有个穿着一身红衣裳，虽蓬着头发，但脸上却打扮得妖妖娆娆的女子，正在火盆边弄火，那腰就和蛇似的。

另一个穿绿衣服的女子，却坐在金不换怀里，脸上红馥馥，却带着笑，但一双水汪汪的眼睛里却充满了厌恶之色。

王怜花呢？

朱七七瞧了一转，才瞧见王怜花，他此刻正倒卧在一张虎皮榻上，那张俊俏的脸，苍白得有如死人一般。

金无望说得不错，这恶魔果然已受了伤。

就连左公龙、金不换，似也负伤，左公龙右臂已被包扎，用根布带吊在脖子上，伤得也像不轻。

金不换伤得却显然不重，此刻又吃又喝，还不忘时常去欺负欺负坐在他怀里那可怜的女孩子。

但他却又为何偏偏要别人去为他配药——那两个穿着羊皮袄的大汉，口中骂的"残废"自然就是他了。

朱七七再也想不到自己误打误撞竟又撞入了王怜花的密窟，人世间的遇合，为什么时常都是如此离奇凑巧？

屋子里最失意的是王怜花，最得意的自然是金不换，金不换大笑大嚷，王怜花却连说话的气力都没有。

他似乎很疲倦，很想睡，但金不换却让他睡不着。

金不换索性将那水蛇腰的红衣姑娘，也拉了过去，左拥右抱。那两个女孩子嘴里吃吃地笑，心里偷偷地骂。

不但朱七七瞧得又气又恨，就连左公龙也似瞧不过了。

左公龙道："金兄倒开心得很。"

金不换大笑道："我正是开心得很，有这么标致的大姑娘在身旁，怎会不开心……来，小玲，让你金大爷亲一亲。"

左公龙冷冷道："在经过方才那种事后，金兄还能开心，这倒当真不容易。"

金不换道："方才之事……嘿嘿，那可不早已过了，金无望那厮，眼见也是活不成了，咱们还不该开心？"

左公龙冷笑道："金兄那时若是再补金无望一刀，他倒当真活不成了，只可惜……金兄那时走得却太匆忙了些。"

金不换嘻嘻笑道："我走得匆忙，左兄难道走得不匆忙么？小弟瞧见王公子受伤不敢再留在那里，左兄难道不是么？"

左公龙面上一阵青，一阵白，再也说不出话来。

金不换却大笑道："事过境迁，左兄也该开心才是……小芳，快站起来唱个曲儿给你左大爷解解闷。"

那绿衣姑娘低着头，道："我不会唱。"

金不换道："你娘的，干这行连曲儿都不会唱。"

水蛇腰小玲赔笑道："她真的不会，我来侍候大爷们一段吧。"

金不换道："谁要你唱，小芳，你不会唱就侍候大爷们一段舞……你娘的，连舞都不会，随便动动手动动脚不就成了么。"

那小芳嘟着嘴站了起来，挥挥手，抬抬腿，就像个木头人似的，小玲赶紧赔着笑，唱了起来：

"豆蔻花开三月三，一个虫儿往里钻，钻了半日，钻不里去，爬到花儿上打秋鞭，肉儿小心肝，我不开了，你怎么钻？"

金不换拍掌大笑道："肉儿小心肝，你不开了，我也要钻，瞧你怎么办……"

左公龙皱眉道："公子还得安歇，金兄也歇歇吧。"

金不换笑道："王公子么……嘿嘿，反正他也活不长了，趁着还有一口气的时候，瞧瞧乐子，有何不好。"

这句话说将出来，门里门外，六个人俱都大吃一惊。

左公龙面色大变，讷讷道："金……金兄莫……非在说笑。"

金不换道："小弟从来不说笑的。"

王怜花笑道："金兄怎知小弟活不长了？"

他虽然装作若无其事，其实面色也有些变了。

金不换道："我自然知道。"

左公龙道："公子虽然中了金无望一掌，但那厮的掌力，又怎伤得了公子，不出七日，公子便可复原了。"

金不换道："我却说他活不过今日。"

左公龙失色道："你……疯了，胡说八道。"

金不换道："我说他活不过今日，你可敢和我打赌么？"

王怜花咯咯笑道："不想小弟的死期，金兄倒知道了，只可惜小弟这里什么都准备的有，就是未准备棺材。"

金不换道："那也无妨，等你死了后，就将你尸身送到仁义庄，那仁义庄中，自然会为你准备棺材的。"

他说得虽然平平淡淡，就好像这本是天经地义之事，但左公龙却听得脸黄了，讷讷地道："金兄你这是什么意思？"

金不换道："我这是什么意思，你还不知道？"

灯光下，只见他满面俱是狞笑，剩下的那只色迷迷的眼睛里，此刻却散发着一股狼一般的光芒。

左公龙激灵灵打了个寒噤道："小……弟不知。"

第二十章

罪大恶极

左公龙并非畏惧金不换的武功，只因他方才已见过金不换动手，金不换的武功，并未见能比他强胜许多。

他们畏惧的，只是金不换面目上此刻流露出的狞笑，这狞笑竟使得金不换本极猥琐的面容，突然有了种慑人之力。

左公龙并不是好人，他所遇见的坏人也比好人多得多，但是，他却从没有看见过比金不换更坏的人。

他从没有见过这种令人心惊胆战的狞笑。

只见金不换已缓缓站了起来，缓步向王怜花走了过去，他嘴里仍咀嚼着王怜花请他吃的肉，手里仍拿着王怜花请他喝的酒。

杯中的酒，盛得极满，他歪歪斜斜地走着，每走一步，杯子里的酒，就会溅出一滴，就像是血一样滴出来。

他目中的恶毒之意，也就像杯中的酒一样，已快要溅出来了，这对眼睛，此刻正瞬也不瞬地望着王怜花。

王怜花脸更白了，强笑道："你要怎样？"

金不换道："就算左公龙不知道我要怎样，难道连你也不知道？"

王怜花道："我虽知道，却有些不懂。"

金不换嘻嘻笑道："你有何不懂？"

王怜花道："你要杀我，是么？"

金不换大笑道："好孩子，果然聪明。"

王怜花道："但你我已是盟友，你为何要杀我？"

金不换重重在地上啐了一口，狞笑道："盟友，盟友值多少钱一斤？有奶就是娘，姓金的一辈子可没交过一个朋友，谁若要交姓金的这朋友，他也准是瞎了眼。"

王怜花道："但你昔日……"

金不换冷笑道："昔日我瞧你还有两下子，跟着你总可有些好处，所以才交你，但你此刻却像个死狗似的躺着不能动了，谁还交你？"

王怜花道："我此刻虽在无意中受伤，但这伤不久就会好的，我势力遍布十三省，属下至少也有千人，只要你还愿意交我这个朋友，等我好起来，于你岂非大有帮助，你是个聪明人，难道连这点都想不透？"

躲在门外的朱七七，瞧见王怜花在这生死一线的关头中，居然仍然面不改色，侃侃而言，心里倒不觉有些佩服。

只听金不换道："不错，等你起来，我还可啃你这根肉骨头，但一来我已等不及了，二来，我此刻宰了你，好处更多。"

他咯咯一笑，接道："姓金的做事，从来不问别的，只问哪件事好处多，就做哪件。只要有好处，叫我替别人擦屁股都没关系。"

王怜花道："你此刻杀了我又有何好处？"

金不换道："好处可多着咧，你要听？"

王怜花道："我倒想听听。"

金不换道："第一，我此刻宰了你，就可将你自朱七七那里骗来的东西，据为己有，那一大堆黄澄澄的金子，也就是我的了。"

王怜花吸了口气道："原来此事你也知道。"

金不换道："第二，你此刻已是有身价的人了，我宰了你，不但可到仁义庄去领花红，还可博得他们赞我一声义士，我名利兼收，何乐不为……就算沈浪，他最恨的是你，而不是我，我若宰了你，他也会拍拍我的肩膀，夸我一声好朋友……你莫忘记，金无望也是你动手杀死的。"

王怜花苦笑道："好……好……好！"

金不换大笑道："当然好，连你也佩服我了，是么？"

王怜花道："但你莫要忘记，我属下好手如云，家母更是天下第一高手，你若杀了我，他们怎肯放得过你？"

金不换道："我此刻杀了你，有谁知道？"

王怜花道："你既要去仁义庄……"

金不换道："这个，你尽管放心，仁义庄对于前去领取花红之人，从来守口如瓶，否则还有谁肯为了些许银子前去惹麻烦。"

王怜花眼角一瞟左公龙，道："还有左帮主。"

他故意将"帮主"两字，说得极响，本已倒在椅子上不能动的左公龙，听到"帮主"两字身子果然一震。

王怜花若是死了，还有谁能将他扶上帮主宝座？

这"帮主"两个字就像是火种，立刻就将他心中的贪欲之火燃了起来，烧得他几乎已完全忘记畏惧。

他一跃而起，大喝道："不错，无论谁想加害王公子，我左公龙都万万不会坐视。"

他吼声虽响，金不换却不理他，只是冷冷道："左公龙若是聪明的，此刻便该乖乖地坐在那里，你若已变成死人，对他还有何好处？他若不动，好处多少总有些的。"

王怜花道："他……他若……"

金不换冷笑道："他若不聪明，我就连他也一起宰了，死人是永远不会说话的，他若不服，还想斗一斗……"

他猛然旋身目注左公龙，接道："也不妨拿他剩下的那只手来试试。"

左公龙瞧了瞧自己受伤的手，"噗"地，又坐了回去。

金不换哈哈大笑，将杯中酒一饮而尽，手一提，"当啷"一声，那只白花花的酒杯，也被他摔得粉碎。

小玲与小芳本已吓得躲在一角，此刻小玲突地挺胸站了起来，轻轻一拧小芳的粉颊笑道："你瞧，都是你小妞惹得金大爷生气，还不快去给金大爷赔个礼，让金大爷消消气。"

这老资格的风尘女子，不但果然有一套，而且见得多了，胆子可真不小，竟敢在此刻挺身而出。

她倒并不是要救王怜花，她只是知道王怜花若死了她也活不了，王怜花虽明知如此，仍不禁感激地瞧了她一眼。

只见她拉着小芳的手，一扭一扭地走到金不换面前，将小芳娇怯怯的身子，整个推进金不换怀里。

她自己也腻在金不换身上，勾住他的脖子，吃吃笑道："金大爷，莫要生气了，让我姐妹两个侍候你，保险你……"突然压低声音，在金不换耳边轻轻地说。

金不换捏捏她的胸膛，又拧拧小芳的身子，笑道：“两个骚蹄子，肉倒不少，大爷少不得要宰宰你们。”

小玲眼睛似已将滴出水来，腻声道：“要宰现在就宰吧，我已等不及了，后面就有屋子，还有张好大好大的床，铺着雪白的床单。”

金不换狞笑道：“好。”

突然扬起手，“啪、啪”两掌，将两个娇滴滴的大姑娘打得飞了出去，白生生的脸上早已多了五只红红的指印。

小玲捂着脸，道：“你……你……”

金不换大笑道：“臭婊子，你当老子是什么人，会上你的当，像你这种臭婊子，老子见得多了，没有三千，也有八百。”

小玲突也放声大骂道：“臭瞎子，臭残废，老娘有哪只眼睛瞧得上你，你连替老娘洗……”她索性豁出去了，什么话都骂了出来。

哪知金不换却大笑道：“好，骂得好，少时你也得像这样骂，骂得愈凶，老子愈痛快，老子就喜欢办事的时候被人骂。”

朱七七只听得一阵恶心，左公龙也想掩起耳朵。

王怜花却叹道：“像你这样的人，天下倒的确少见，王怜花今日能栽在你这种人手上，也不算太冤枉了。”

金不换道：“你倒识货。”

他狞笑一声，接道：“但你此刻想必也后悔得很，后悔为何不肯将丐帮弟子带来，后悔为何要叫你那两个心腹去为我抓药。”

王怜花轻轻叹了口气，道：“我不但后悔，还可惜得很。”

金不换道：“你可惜什么？”

王怜花道：“只可惜你这样的人才，也活不长了。”

金不换怔了一怔，大笑道：“莫非你已骇糊涂了么？要死的是你，不是我。”

王怜花微微一笑，道：“不错，我要死了，你也差不多。”

金不换大喝道：“放屁！”

王怜花柔声道：“金兄，你虽是世人中最最卑鄙、无耻、险恶、狡猾的人，但在下比起你来，也未见好许多。”

金不换狞笑道：“但你还是要上当。”

他虽然仍在狞笑，但那只独眼里已闪起疑畏之光。

王怜花道："我虽然上了金兄的当，但金兄也上了在下的当，金兄方才饮下的美酒里，已有了在下的穿肠毒药。"

金不换身子一震，如被雷轰，整个人都呆住了。

他呆了半晌，满头大汗，涔涔而落，颤声道："你……你骗我……哈哈，你骗我的，酒中若真有毒，我……我为何直到此刻还全无感觉？"

他又笑了，但这笑声却比哭还要难听。

王怜花道："那毒药到七日才会发作，天下只有在下一人能救，金兄此刻若杀了在下，七日之后，只怕……"

金不换整个人都跳了起来，大吼道："你骗我……你休想骗得了我，老子此刻偏偏就宰了你。"

王怜花道："金兄若不信，请，请，此刻就请动手。"

金不换冲了过去，举起手掌——

但这只举起的手掌，却再也不敢劈下。

王怜花微笑道："金兄为何不动手了？"

金不换举起的手一扬，但却是掴在他自己的脸上。

他一连打了自己几个耳光，大骂道："都是你这张嘴，为何要贪吃，打死你，打死你。"

王怜花笑道："轻些，轻些，金兄又何苦打疼自己。"

金不换突地仆地跪下，颤声道："王公子，大人不计小人过，你就饶了我吧，我方才只是……只是闹着玩的，王公子，你伸手解了我的毒，我一辈子感激不尽。"

王怜花笑道："你要我救你，好，但却要等七日。"

金不换嘶声道："但七日后你的伤就可好了。"

王怜花含笑道："不错。"

金不换反手抹汗，道："你……你的伤好了，怎会放过我？"

王怜花道："会的，但信不信，却得由你了。"

金不换叩首道："七天，在下等不及了，就请王公子现在……"

王怜花大笑道："我现在若救你，我可活不成了。"

金不换突又大喝道："我好言求你，是给你面子，你此刻已落在我手上，乖乖地替老子解毒便罢，否则……"

王怜花微微笑道："否则又怎样，我若救你必定是死，不救你还有活命的希望，你若换了我，又当怎么办？"

金不换呆在当地——跪在当地，真的不知该怎么办，他既不敢此刻便杀王怜花，也不敢等到七日之后。

他虽然用尽各种方法，怎奈王怜花全不买账，若说他方才比老虎要威风，此刻他实比老鼠还要可怜。

这一切自都落在朱七七眼中，只瞧得她忽而惊奇，忽而恶心，忽而愤怒，忽又觉得好笑。

她暗暗忖道："金不换这厮心肠之毒，脸皮之厚，当真是天下无双，他正在发威之时，居然还能跪得下来，已跪在那里，居然还能发威……唉，天下虽大，但除了他之外，这种事只怕再也没有第二个人能做得出了。"

但若说金不换是狐狸，王怜花便是豺狼，若说金不换乃是恶魔，王怜花便是魔王了。

"这魔王如今躺在床上，我便在他门外，这是何等样的机会，这机会我若不知好好把握，简直该打耳光。"

只听王怜花笑道："金兄你前倨而后恭，跪在那里，在下也担当不起。"

左公龙赶紧赔笑道："是，是，王公子说得是，你……"

金不换狞笑道："我怎样，你此刻讨的什么好，卖的什么乖？你莫忘了，你方才也未做好人，王怜花就会随便饶了你？"

左公龙抹汗道："我……我方才只是被你胁从。"

金不换道："你也莫忘了，你此刻性命，也还捏在我手中，我随时高兴，随时都可将你这条小命拿来玩玩。"

左公龙汗出如雨，嗄声道："我……我……"

突然间"砰"的一声，门已被撞开。

一个人飞也似扑了进来，直扑金不换。

金不换大惊旋身，失声道："朱七七，是你。"

朱七七咯咯笑道："你还想逃么，沈浪……沈浪，他们都在这里，你快来呀。"

说话之间，她出手如风，已攻出数掌。

金不换见她来了，虽然吃惊，又有些欢喜，正觉她是送到口的肥羊，正要施展手脚，将她活活拿下。

但一听到沈浪的名字，他的手立刻就软了。

“不错，朱七七既来了，沈浪哪里会远？”

朱七七大喝道：“金不换，你莫逃……莫要逃。”

金不换喃喃道：“不逃的是孙子。”

他什么也顾不得了，虚晃一掌，夺门而出——这石室中还另有一扇门户，想见也有道路通向墓外。

朱七七道：“左公龙，他逃了，你不准逃。”

左公龙暗道：“他逃了，我为何不逃，我又不是呆子。”

心念一转，脚底抹油，逃得比金不换还快。

朱七七大嚷道：“有种的莫逃，你们逃不掉的。”

她嘴里大呼大叫，脚下可没移动半分——她嘴里虽叫人家莫逃，心里却希望他们逃得愈快愈好。

王怜花瞧见朱七七闯入，听她呼唤沈浪，也是立刻面无人色，但此刻他瞧见朱七七如此模样，嘴角突然泛起笑容。

朱七七还在呼喝道：“沈浪，他们从那边逃了，快追。”

王怜花突然大声道：“王怜花还未逃，咱莫要追赶。”

朱七七先是一怔，立刻发觉他这原来是在学沈浪说话，好教外面还未逃远的金不换听了，再也不敢回来。

这时王怜花已压低声音，笑道：“多谢姑娘，前来相救。”

朱七七回身叱道：“你住嘴。”

王怜花道：“沈相公怎地未来？”

朱七七道：“你怎知道他未来，他就在外面。”

王怜花笑道：“沈相公若在门外，姑娘你就不会故意要将他们骇走了……在下也就不会帮着姑娘将他们骇走了。”

朱七七道：“你倒是什么都知道。”

王怜花道：“察言观色，在下一向擅长。”

朱七七冷笑道：“就算沈浪未来，又怎地？凭我一个人，难道对付不了你？”

王怜花道："在下此刻已是手无缚鸡之力，姑娘自然……"

朱七七道："既是如此，你高兴什么？你以为我是来救你的么？哼，我只是不愿让你落在别人的手上而已。"

王怜花笑道："自然，自然。"

朱七七道："你方才还可威胁金不换，叫他不敢向你下手，但你此刻落在我手上，可比方才还要惨得多了。"

王怜花笑道："姑娘此刻就算杀死我，我也是高兴的，让姑娘这样的天仙美人杀死，总比落在那独眼残废……"

朱七七冷笑道："你若认为落在我手上舒服，你是错了，金不换最多不过宰了你，但我……我却要慢慢折磨你。"

她想起王怜花对她做的种种可恶之事，当真是恨上心头，一步蹿过去，顺手就给了他三个耳刮子。

王怜花笑道："能被姑娘这样的纤纤玉手打上几下，也算是三生有幸，姑娘若不嫌手疼，不妨再打几下。"

朱七七道："真的么？好。"

话未说完，反手又是五六个耳刮子。

王怜花笑道："打得好，打得好。"

朱七七道："打得好就再打。"

这七八个耳刮子打了下去，王怜花一张苍白的面孔，已变作猪肝颜色，看来也像是突然醉了许多。

朱七七冷笑道："打得好不好？你还要不要再打？"

王怜花道："你……你……"

他的脸此刻就好像被火烧着了似的，那些油腔滑调，此时此刻，他委实再也说不出来了。

小玲与小芳瞧得睁大眼睛，再也想不到如此甜美娇俏的少女，竟如此狠得下心，手段竟如此毒辣。

朱七七冷笑道："你不说话，好，我再打。"

她虽未使出真力，但下手却是又快又重。

王怜花终于叹道："姑娘何时变得如此狠心了！"

朱七七道："你说够了么？"

王怜花赶紧道："够了，够了。"

朱七七道："打得冤不冤？"

王怜花道："不冤，不冤。"

朱七七道："你若以为我还是昔日的朱七七，你就错了，告诉你，我已变了，从头到脚，每分每寸都变了。"

王怜花道："姑娘莫非是受了什么人的气……"

他话未说完，脸上又着了两掌。

朱七七冷笑道："你若敢再胡言乱语，我就先割下你一只耳朵，你信不信？哼，我要你知道，朱七七可再也不是好欺负的人了。"

王怜花只得道："是，是。"

朱七七道："你还记不记得，那日我被你骗得好苦。"

王怜花道："记得……不记得……唉，姑娘，昔日之事，还提它做甚。"

朱七七道："不提？哼！我一辈子也不会忘记，老天有眼今日要你落在我手中，你……你……你还有什么话说。"

王怜花叹道："在下无话可说，姑娘要我怎样，我就怎样。"

朱七七道："好，先拿来。"

王怜花道："什……什么？"

朱七七怒道："你还装蒜，骗去我的东西，先还我。"

王怜花苦笑道："是是，但凭姑娘吩咐。"

他受伤果然不轻，费了多少气力，才将那一对耳环取出，朱七七一把夺了过来，冷笑道："王怜花呀，王怜花，想不到你也有今日。"

王怜花苦笑道："姑娘还有何吩咐？"

朱七七却不答话，手抚云鬓，来回踱了几圈。

她走到西，王怜花的眼睛便跟到西，她走到东，王怜花的眼睛就跟到东，他一心想要瞧破她的心意。

那小玲不知何时端来张凳子，赔笑道："姑娘莫生气，先坐下来歇歇，就算王公子对你负了心，那他……"

朱七七怒道："放屁，他对我负心？哼，他还不配，你好生在一旁站着，我也不会难为你，你若多事，哼！"

小玲赔笑道："是，是，我绝不多事。"

她自己是女人，她知道女人若是狠起心来，可比男人还要狠得多，果然不敢再说一句话，乖乖地退开去了。

王怜花心念一动，突然道："男人负心，最是可恶，姑娘若要找人帮着姑娘去对付负心的男人，在下可是再也恰当不过。"

朱七七道："你住嘴。"

她虽然还想装出凶狠的模样，但眼圈儿却已不觉红了——王怜花几句话，确实说入了她的心眼儿里。

王怜花暗暗欢喜，知道朱七七暂时是绝不会向他出手的了，只要此刻不出手，日后总有法子。

他法子的确多的是。

只见朱七七又踱了两圈，突然出手点了王怜花两处穴道，用棉被将他一包，竟扛着他往外走。

小玲道："姑……姑娘，你要将王公子带去哪里？"

朱七七冷笑道："若是有人回来问你，你就说王怜花已被朱七七姑娘带走了，若有人要来找他，我就先要他的命。"

小玲转了转眼波，突也笑道："有人回来，只怕我们也早就走了……"放低声音道，"幸好他两人的银子，还都在这里。"

雪，又在落着。

王怜花叹道："风尘中的女子，真不可信……"

朱七七冷笑道："江湖中的男子，就可相信？"

王怜花笑道："对，对，男人也不是好东西。"

朱七七道："哼，我倒是第一次听你说人话。"

她虽然轻功不弱，但肩上扛着个大男人，究竟行走不便——被她扛在肩上的王怜花，那滋味自更难受。

王怜花忍不住道："姑娘要将在下带去哪里？"

朱七七道："这里说话施令的人，只有一个，就是我，知道么？无论我将你带去哪里，你还是闭着嘴的好。"

王怜花苦笑道："遵命。"

朱七七放眼四望，四下不见人烟，她心里不禁也有些着急，背着个大男人四处走，总不是事。

好容易走到一处，见地下车辙往来，似已走上了大道，要知道路也被积雪所没，根本难以分辨。

朱七七在枯树旁，寻了块石头坐下来，却将王怜花抛在雪地里，她若非对王怜花已恨之入骨，委实也狠不下这个心。

王怜花端的是好角色，竟然逆来顺受，非但一声不响，反而面带笑容，虽是面目早已冻僵了，笑得实在难看得很。

过了半晌，一辆大车，远远驶到近前。

朱七七吆喝一声，走得本不快的大车，缓缓停下，赶车的还未说话，车厢里已伸出个头来，道："快走快走，这辆车是包下的，不搭便客。"

朱七七话也不说，一把拉开了车门。

只见车厢里坐着三个买卖打扮的汉子，有一个仿佛还眼熟得很，但朱七七也未细看，厉叱道："下来，全给我下来。"

一个脸圆圆的汉子吃惊道："下去？凭什么下去？"

朱七七道："你们遇着强盗了，知道么？"

那圆脸汉子失色道："强……强盗在哪里？"

朱七七道："我就是强盗。"

瞧见那汉子腰里还挂着口单刀，朱七七手一伸，"锵"地，将单刀抽了出来，在膝上一拗，单刀折为两段。

那三个汉子瞧得脸都青了，再也不说话，跌跌撞撞，走了下来，朱七七将王怜花往车上一抛，道："赶车的，走。"

那赶车的也被骇糊涂了，吃吃道："姑……姑娘，大王，去哪里？"

朱七七道："往前面走就是，到了我自会告诉你。"

于是车马前行，却将那三条汉子抛在风雪里。

王怜花笑道："大王……不想姑娘竟变作大王了。"

朱七七板着脸，不理他。

其实她想起方才自己所作所为，心里也不觉有些好笑，就在半天前，她做梦也想不到自己会做出这样的事来的。

半天前，沈浪还在她身旁。

她想起沈浪，沈浪若是瞧见她做出这样的事，不知会怎么样，他面上的表情，必定好笑得很。

但沈浪此刻在哪里？他又怎会瞧见自己？

一时间，朱七七忽愁忽喜，又不禁柔肠百转。

“无论如何，王怜花此刻总已落在我手中，他是个聪明人，既然落在我手中，必定会听我的话的。有了他，我必定可以做出一些令沈浪吃惊的事来，他一时纵瞧不见，总有一天会知道的。”

想到这里，朱七七不觉打起精神，大喝道：“赶车的，赶快些，赶到附近最大一个城镇，找一个最大的客栈，多做事，少说话，总有你的好处。”

车马果然在一家规模极大的客栈停下了。

朱七七已自王怜花身上抽出了一叠银票，瞧了瞧，最小的一张，是五百两，她随手就将这张给了赶车的。

赶车的瞧了瞧，又惊得呆了——欢喜得呆了。

朱七七沉声道：“嘴闭紧些，知道么，否则要你的命。”

赶车的只觉自己好像做了个梦，前半段是噩梦，后半段却是好梦，这一来，他下半辈子都不必再赶车了。

走进柜台，朱七七又抛下张千两的银票，道：“这放在柜上，使多少，算多少，先给店里的伙计每人二十两小账，找两间上好屋子，将车上的病人扛进去。”

这张千两银票，就像是鞭子似的，将店里大大小小，上至掌柜，下至小二，几十个伙计都打得变成了马戏班的猴子，生怕拍不上马屁。

上好的房间，自然是上好的房间，还有好茶、好酒，雪白的床单、雪白的面巾，红红的笑脸、红红的炉火。

朱七七道：“柜上支银两，先去买几套现成的男女衣服，再备辆大车侍候着，没有事不准进来，知道么？好，去吧。”

不到顿饭工夫，衣服买来，人退下。

王怜花笑道：“姑娘的出手好生大方。”

朱七七道：“反正是慷他人之慨，你心疼么？”

王怜花道：“不疼不疼，我的人也是姑娘的，我疼什么？姑娘别说使些银子，就算割下我的肉吃，也没什么。”

朱七七道：“倒很知趣。”

王怜花道："在下自是知趣得很。"

朱七七道："好，你既知趣，我就问你，我要你做事，你可听话？只要你乖乖地听话，你这条命就还有希望活着。"

王怜花道："姑娘无论吩咐什么，在下照办不误。"

朱七七道："好，第一，你先将你自己的模样变一变——你莫皱眉，我知道易容的盒子，你总是带在身上的。"

王怜花道："姑娘要我变成什么模样？"

朱七七眼珠转了转，道："变成女的。"

王怜花怔了一怔，苦笑道："女的……这……"

朱七七脸一沉，道："怎么？你不愿意？"

王怜花苦着脸道："我……我只怕不像。"

朱七七道："像的，反正你本来就有几分像女子……好，盒子拿出来，我解开你上半身穴道，你就快动手吧。"

王怜花道："姑娘要我变成什么样的女子？"

朱七七道："白白的脸，细细的眉……眉毛要总是皱着，表示已久病不起……嗯，头发也得蓬松松的。"

王怜花若真是女子，倒还真有几分姿色，果然白生生的脸，半展着的眉，果然是一副病美人的模样。

朱七七实在想笑，王怜花却实在想哭。

朱七七捡了件衣裳，忍住笑道："这件衣裳店伙以为是我要穿，却不知穿的是你。"

王怜花忍住气道："姑娘还有何吩咐？"

朱七七道："你将我也变一变。"

王怜花道："姑娘又要变成什么模样？"

朱七七道："我要变个男的。"

王怜花又是一怔，道："什……什么样的男人？"

朱七七眼珠又一转，道："变一个翩翩浊世佳公子，要教女人见了都着迷，但却不可有脂粉气，不可让人瞧破……反正我本来说话行事，就和男人差不多的。"

王怜花叹了口气，道："我若不知易容术，那有多好。"

朱七七道："你若不知易容，我已早就宰了你。"

朱七七若是男人，倒真是翩翩佳公子。

她对镜自览，也不禁甚觉好笑，甚觉有趣，喃喃道："沈浪呀沈浪，如今我若和你抢一个女人，你准抢不过我……"想起沈浪，她的笑不觉又变为叹息。

窗外，天色已暗。

但却不断有车辚马嘶声，从窗外传了进来。

朱七七突然推开房门，呼道："小二。"

一个店小二，躬着腰，赔着笑，跑了过来，瞧见站在门口的，竟是个男的，不禁一怔，道："原来公……公子的病已好了。"

朱七七知道他必是将自己当作方才被裹在棉被里的王怜花，这一错倒真错得恰到好处，当下忍不住笑道："病好了有什么不好？"

店小二赶紧赔笑道："小的只是恭喜……"

突然瞧见躺在床上的王怜花，失声道："呀，那位姑娘却病了。"

朱七七含糊着道："嗯，她病了……我问你，你这店里，怎地如此吵闹？"

店小二道："不瞒客官，小店生意虽一向不错，却也少有如此热闹，但不知怎地，这两天来的客人却特别多，就是这两间屋子，还是特别让出来给公子的。"

朱七七心头一动，道："来的都是些什么样的人？"

店小二道："看来，都像是保镖的达官爷……唉，这些人不比公子是有身份的，难免吵闹些，还请公子担当则个。"

朱七七道："哦……知道了，你去吧。"

店小二倒退着走了，心里却不免暗暗奇怪："这两位到底是怎么回事，男的好得这么快，女的又病得这么快，花银子像流水，却连换洗的衣裳还得现买……呸，我管人家的闲事干什么？那二十两银子，还不能把我变成瞎子、哑巴么？"

朱七七关起门，回首道："王怜花，此城中骤然来了许多江湖人物，想必又有事将要发生，究竟是什么事，你倒说来听听。"

王怜花道："在下也不知道。"

朱七七一拍桌子，道："你会不知道？"

王怜花苦笑道："江湖中，天天都有事发生，在下又怎会知道得那么多。"

朱七七道："哼。"突然想起一事，又道："展英松那些人，一入仁义庄，便都死了，这又是为的什么？"

王怜花道："呀！真的么……这在下也不知情。"

朱七七厉声道："不是你做的手脚？"

王怜花叹了口气，道："在下此刻已是姑娘的掌中物，生死都操在姑娘手上，姑娘要我做什么，我自然不敢不做，姑娘要问我什么，我也不敢不答，但姑娘若要问我也不知道的事……唉，姑娘就是逼死我，我也说不出。"

朱七七冷笑道："总有一天，我要你什么话都说出来的，但现在还不忙。"

她寻思半晌，突又推开门，唤道："小二。"

小二这次来得更快，赔笑道："公子有何吩咐？"

朱七七道："去找顶软兜子，再找两个大脚婆子服侍，我要带着我侄女上街逛逛，让她透透风，知道了么？快去。"

店小二笑道："这个容易。"

小二一走，王怜花不禁苦笑道："侄女？……唉，我做你的侄女，不嫌太大了么？为何不说你的姐姐、妹妹，当然，最好说是你的妻子，人家就会相信得多。"

朱七七怒道："你可是脸上又有些痒了？"

王怜花道："我……我只是怕人不信。"

朱七七道："我不说你是我孙女，已是客气的了。"语音微顿，接口又道："此刻我要带你出去，不但要点你'气海囊穴'叫你不能动弹，还要点你哑穴，让你不能说话。"

王怜花苦笑道："姑娘动手就是，又何必告诉我。"

朱七七道："我告诉你，只是要你老实些，最好连眼珠子都莫要乱动……莫要忘记，我随时都可取你性命，那真比吃白菜还容易。"

软兜子倒也精致小巧，两个大脚婆子不费气力，便可抬起，王怜花围着棉被，坐在软兜里，动也不能动。

朱七七瞧了两眼，心头也不禁暗暗好笑："王怜花呀王怜花，你让人受罪多了，如今我也让你受活罪。"

王怜花当真是在受活罪。

他心里是何滋味，只有天知道。

软兜子在前面走，朱七七跟在后面，缓步而行。

只见这城镇倒也热闹，此刻晚市初起，街上走着的，果然有不少武林豪杰，只是朱七七一个也认不得。

她只觉得这些武林豪杰面目之间，一个个俱是喜气洋洋，显见这城镇纵然有事发生，也不会是凶杀之事。

突然间，街旁转出两个人来。

左面一人，是个男的，紫脸膛，狮子鼻，浓眉大眼，顾盼生雄，一身紫缎锦袍，气概十分轩昂。

右面一人，是个女的。

这女的模样，却委实不堪领教，走在那紫面大汉身旁，竟矮了一个半头，不但人像个肉球，腮旁也生着个肉球。

若是这紫袍大汉也是个丑人，那倒还罢了，偏偏这大汉气概如此轩昂，便衬得这女子愈是丑不堪言。

这两人走在一起，自是刺眼得很，路上行人见了，自然又是惊奇，又是好笑："怎地乌鸦配了大鹏鸟？"

但凡是武林豪杰，瞧见这两人，面上可不敢露出半分好笑的颜色，两人一露面，已有人毕恭毕敬，躬身行礼。

这两人朱七七也是认得的。

她心头不觉暗吃一惊："怎地'雄狮'乔五与'巧手兰心女诸葛'花四姑，竟双双到了这里？"

只见"雄狮"乔五目光睥睨，四下的人是在窃笑，是在行礼，他完全都未放在心上，更未瞧在眼里。

走在他身畔的花四姑，更是将全副心神，完全都放在乔五一个人身上了，别人的事，她更是不闻不见。

她模样虽然还是那么丑，但修饰已整洁多了，尤其是面上竟似乎已多了一层光辉，使得她看来已较昔日顺眼得多。

朱七七虽只瞧了一眼，但却已瞧出这是爱情的光辉，只因她自己也曾有过这种光辉，虽然如今已黯淡了。

“呀，花四姑竟和乔五……”朱七七虽然惊奇，却又不免为他两人欢喜，花四姑虽非美女，却是才女，才女也可配得上英雄的。

只见两人对面走来，也多瞧了朱七七一眼——只不过多瞧了一眼而已，王怜花的易容术确是天下无双。

他们走过了，朱七七还忍不住回头去瞧。

这时，乔五与花四姑却已走上了间酒楼。

悦宾楼。

这时街头才开始有了窃窃私议声：“你知道那是谁么？嘿，提起来可是赫赫有名，两人都是当今武林‘七大高手’中的人物。”

“俺怎会不知道，江湖中行走的，若不认得这两位，才是瞎了眼了，奇怪的是，他两人怎会……怎会……”

“老哥，少说两句吧，留心闪了舌头。”

朱七七暗叹忖道：“七大高手在江湖中，名头倒当真不少，只可惜七大高手中也有像金不换那样的害群之马。”

她微一沉吟，突然向那两个大脚婆子道：“咱们也要上悦宾楼去坐坐，烦你们将姑娘扶上去。”

这时，王怜花目光已变了，似乎瞧见了什么奇怪的人物，只是他被点了哑穴，有话也说不出来。

悦宾楼，出奇的宽敞，百十个客人，竟还未坐满。

“雄狮”乔五与花四姑已在窗子边的一张桌子旁坐下了，这是个好位子，显然是别人让出来的。

朱七七上楼，只觉这两人利剪般的目光，又向她瞟了一眼，然后两人轻轻地不知说了句什么。

朱七七只作未见，大大方方，远远寻了张桌子坐下——王怜花被两个大脚婆子架住，也坐到她身旁。

他两人看来委实不像江湖人物，所以别的人也并未对他们留意，只听旁边桌子上有人在悄语：“不想这件事惊动的人倒不少，连那两位都来了。”

说话的这人朱七七也有些面熟，但却忘了在哪里见过，此人唇红白齿，衣衫整洁，是位俊俏人物。

另一人道：“这件事本来就不小，依小弟看来，除了这两位外，必定还会有人来的，说不定也会到这悦宾楼来，你等着瞧吧。”

那少年笑道：“正是，武林人到了这里，自然要上悦宾楼的，就算这儿的菜又贵又难吃，也得瞧主人的面子。”

朱七七嘴里在点酒菜，心中又不免暗暗思忖：这件事，却又是什么事？怎会惊动这许多江湖人？

这酒楼的主人又是谁？难道也是成名的英雄？

她眼睛不停地瞟来瞟去，只见这酒楼上坐着的，十人中倒有八人是江湖好汉——他们穿的衣服纵然和普通人没什么不同，但那神情，那姿态，那喝酒的模样，却好像贴在脸上的招牌似的。

这些人有的英朗，有的猥琐，有的丑，有的俊，朱七七想了半天，也没瞧出有什么出奇的人物。

但，突然间，她瞧见了一个人，目光立刻被吸引住。

这人模样其实也没有什么出奇——在酒楼上这么多人里，他模样简直可以说是最最平凡的了。

但不知怎地，这平平凡凡、普普通通的人身上，却似有一种绝不平常、绝不普通的地方。

那是什么地方，朱七七也说不出。

这人年纪已有五十上下，蜡黄的脸色，细眉小眼，留着几根山羊胡子，穿着半新不旧的狐皮袄。

看来，这只是个买卖做得还不错的生意人，或者是退职的小官吏，在风雪天里，独自来享受几杯老酒。

但这人的酒量却真不小——若说这人有什么与众不同的奇怪地方，这就是他唯一奇怪的地方了。

他面前的桌子上，只摆着两样菜，但酒壶却有七八个之多，而且酒杯也有七八个之多。

只见他一手捻须，一手持杯，正半眯着眼，在仔细品尝这些酒的滋味，有时点头微笑，有时皱眉摇头。

这七八壶酒，显然都是不同的酒，他要品尝酒味，生怕酒味混杂了，所以就用七八个杯子分别装着。

看来，这不过只是个既爱喝酒，又会喝酒的老头子，别人既不会对他有恶意，他更不会对别人有坏心。

但不知怎地，朱七七瞧了他几眼，心里竟泛起一种厌恶、畏惧之感，她也不知道这是为什么？

她只觉再也不愿多瞧他一眼，仿佛只要多瞧他一眼，就会有什么不幸的灾祸要临头一般。

这种奇异的感觉，别人也不知有没有，但这小老人却似已完全陶醉在杯中天地里，别人对他如何感觉，他全然不管。

王怜花竟也在盯着这老人瞧，目中神色也奇怪得很。

朱七七忍不住悄声道：“那人你认得么？”

王怜花摇了摇头。

就在这时，突有一阵大笑声自楼下传了上来。

有人道：“大哥怎地许久不见了，想得小兄弟们好苦，大哥若在什么地方享福，也早该将这些通知小兄弟呀。”

另一人笑道：“享个屁福，这两天我来回地跑，跑得简直跟马似的，若不是遇见梁二，还不知道你们都在这里。”

朱七七还没瞧见人，只听这豪迈的笑声，已知道这是什么人了，心里立刻暖和和的，像是喝了一壶酒。

王怜花也知道这是什么人了，却不禁暗中皱了皱眉。

这人是熊猫儿。

笑声中，几个歪戴着皮帽，反穿着皮袄的大汉，已拥着神采奕奕、满面红光的熊猫儿上了楼。

酒楼上的小二也在皱眉头，这悦宾楼可不是寻常地方，江湖豪杰，他们是欢迎的，但这些市井无赖今日怎地也敢上楼？

几个小二暗中递了个眼色，两个人迎了上去，一个人却悄悄绕进后面的账房，朱七七突然开心起来。

她知道这又有好戏瞧了。

熊猫儿敞着衣襟，腰里还挂着那葫芦，一双大又亮的眼睛，正带着笑在四下转来转去。

店小二已迎了上去，皮笑肉不笑地道："对不起，这儿客满了，各位上别处照顾去吧。"

熊猫儿那条剑也似的浓眉微微一轩，道："那不是还有空位子么？"

店小二冷冷道："空座都有人订下了。"

熊猫儿身旁一个稍长大汉怒道："什么人订下了，明明是狗眼看人低，大爷照样花得起大把银子，你凭什么不侍候大爷们。"

店小二冷笑道："你有银子不会上别处用去？这儿就算有空座，今天就不卖给你，你又怎能咬得下我的卵子？"

那大汉怒吼一声，登时一拳击出，却不知店小二也有两下子，一个虎跳，竟然闪了开去。

于是店小二齐地拥了上来，那些大汉也挽袖子，瞪眼睛，两下大声喝骂，立刻就"乒乒乓乓"打了起来。

但还没打两拳，六七个店小二，突然一个接一个地飞了起来，一个接一个滚下了楼去。

朱七七暗中拍掌笑道："猫儿出手了。"

满楼豪杰，本都未将这回事瞧在眼里，此刻却不禁心头一震，眼睛一亮，几百道目光，全被瞧在熊猫儿身上。

熊猫儿却仍是嘻嘻哈哈，若无其事，笑道："咱们自己找座位坐，若没有人侍候，咱们就自己拿酒喝，反正今日咱们在这悦宾楼吃定了。"

四个大汉一齐笑道："对，就这么办。"

朱七七邻桌的美少年，轻笑道："好一条汉子，好俊的身手。"

另一人却道："身手虽俊，今日只怕还是要吃亏。"

这时人人都已瞧见，后面的账房里，已有几个人走出来了——熊猫儿也瞧见了，已停住了脚步。

喧哗的酒楼，立刻安静了下来。

朱七七本想与那人打赌："熊猫儿决不会吃亏的。"

她瞧见自账房中出来的那几个人，神情却立刻变了，像是要说什么话，但又终于忍住了。

她邻桌的美少年又在悄声低语：“他怎地今日也在这里？”

另一人道：“这倒的确有些奇怪，他虽然是这酒楼的主人，但终年难得来一两趟，小弟倒真的没想到他今日会在这里。”

美少年唏嘘道：“他既在这里，这莽少年只怕真的要吃亏了。”

他们口中所说的“他”，显然便是自账房中当先走出的一人——其余六七人，有如捧凤凰般围在他四周。

只见他身材不高，气派却不小，身上穿的件蓝色长衫，虽不华丽，但剪裁得却是出奇的合身，叫人看着舒服。

他看来年纪并不甚轻，却也不甚老，面色不太白，却也不黑，眼睛不算大，却教你不敢逼视。

他唇边留着些短髭，修剪得十分光洁整齐，就是这一排短髭，才使他那严肃的面上显得有些风流的味道。

总之，此人从头到脚，都透着股精明强悍之色，无论是谁，只要瞧他一眼，都绝不会轻视于他。

他身上并没有一件值钱的东西，但无论是谁，只要瞧他一眼，便可瞧出他是家财百万、出身世家的豪富。

此时此刻，有这样的人物走出来，自然更是引人注目，无论识与不识，都不禁在暗中议论：“这莽少年一定要倒霉了。”

但熊猫儿却仍然满面笑容，一双大眼睛，瞬也不瞬地瞪着他，就算他的目光是刀，熊猫儿也不在乎。

这蓝衫人目光却未盯着熊猫儿，只在酒楼四下打着转，一边和认得他的人连连打招呼，一边笑道：“朋友远来，兄弟本该早就出来招呼，只是……”

熊猫儿大笑道：“你怕朋友们要你请客，自然躲在账房里不敢出来。”

蓝衫人只作未闻，还是笑道：“若有招待不周之处，还请各位原谅……”

熊猫笑道：“这儿的招待确是不周，原谅不得。”

蓝衫人道：“各位还请安心喝酒……”

熊猫儿道：“有人在旁打架，谁能安心喝酒？”

蓝衫人每句话都未说完，每句话都被熊猫儿打断了，但他面上却全无激怒之色，只是目光已移向熊猫儿。

熊猫儿道："瞧什么？不认得么？"

蓝衫人道："确是眼生得很。"

熊猫儿笑道："不认得最好，认得就打不起架来了。"

蓝衫人笑道："兄台要做别的事，还有些困难，但要打架么，却容易得很，只是此地高朋满座，你我不如下去……"

熊猫儿道："没人瞧着，打架有什么意思。"

蓝衫人终于微微变色，道："如此说来，你是成心拆台来的。"

熊猫儿笑道："你拆我的台，我自然要拆你的。"

蓝衫人仰天狂笑道："好，我……"

熊猫儿道："你不必亮字号，我既要拆你的台，不管你是谁，我好歹是拆定了，你亮字号那有个屁用。"

蓝衫人怒道："好横的少年人。"

熊猫儿大笑道："人不犯我，我不犯人，人若得罪了我，那保管没完没了。"

蓝衫人身旁两条紧衣大汉，实在忍不住，怒叱一声，双双抢出，四只碗大的拳头挥了出去，口中叱道："下去。"

"下去"两个字说完，果然有人下去了。

这两条大汉武功竟不弱，不但拳风凌厉，而且招式也有板有眼，两人一个攻上打左，一个击下打右。

这四只拳路委实将熊猫儿上下左右封死了。

哪知熊猫儿出手一格——他两条手臂竟像是生铁铸的，那两条大汉顿时间只觉整个身子全麻了。

熊猫儿已乘势扣住他们的手腕，乘着他们前扑之力还未消失，借力使力，轻轻一托一带。

那两条大汉八九十公斤的身子，竟也像是只风筝飞了出去，"咕隆咚"，一起滚下了楼。

这一来，满楼群豪更是悚然动容，就连"雄狮"乔五与花四姑都不禁长身而起，要将这少年瞧清楚些。

熊猫儿带来的兄弟们早已轰然喝彩起来，震耳的彩声中，只有那个面前摆着七八只酒壶的小老人，他还是在安坐品酒。

熊猫儿望着那蓝衫人笑道："怎样，可是该轮到你了。"

蓝衫人一言不发，缓缓脱下了长衫，仔仔细细叠了起来，交给他身旁一个跟随的大汉，才缓缓道："请！"

在搏斗的生死关头中，蓝衫人居然还能如此镇定，生像是脑中早已有必胜的把握，否则又怎会如此沉得住气。

熊猫儿却大笑道："要打便就出手吧，请什么？你心里恨不得一拳打扁我的鼻子，嘴里却还要客客气气，这当真要笑掉我的大牙了。"

蓝衫人神色不变，仍然抱拳道："请赐招。"

熊猫儿道："你怎地如此麻烦，我早已告诉你，人不犯我，我不犯人，你若不出手打我，我为何要出手打你？你又没给我戴绿帽子。"

蓝衫人道："你是万万不肯出手的了？"

熊猫儿笑道："和人打架，我从来没有先出手过。"

蓝衫人道："真的？"

熊猫儿道："告诉你是真的，就是真的，喏，喏，喏，此刻我站在这里，全身上下，你瞧哪里顺眼，只管就往哪里招呼。"

蓝衫人上上下下瞧了他几眼，转过身子，自身侧那条大汉手里取回那件长衫，伸手抖了抖，缓缓穿了起来。

熊猫儿奇道："你这是干什么？"

蓝衫人缓缓道："在下与人交手，也是从不先出手，你既不肯出手，我也不肯出手，这场架如何打得起来？"

四下抱了抱拳，笑道："各位还请安坐饮酒，今日这酒楼的酒账，全由小弟一个人侍候了。"转过身子，扬长走了回去。

这一招倒真是大出别人意料之外，不但熊猫儿怔在那里，满楼群豪，亦是人人目定口呆，哭笑不得。

群豪都只道这一架必定打得热热闹闹，轰轰烈烈，哪知雷声虽大，雨点却一滴也没有落下来。

这其间只有朱七七是一心不愿他两人打起来的，只因这两人无论是谁败了，她心里都未见舒服。

此刻她当真从心眼里觉得开心得很，又觉得好笑得很："他果然还是老脾气，没有把握打赢的架，他是绝不打的。"

片刻之前，这楼上真静得连针落在地上还可听见，此刻却似开了锅的滚水般，热闹得令人头晕。

有的人在暗中好笑，有的人在暗中议论，有的人也不免在暗中有些失望，这热闹竟未瞧成。

但无论如何，能白吃白喝一顿，总是不错的。

熊猫儿和他的兄弟倒终于找了张桌子坐下，也不用他开口，好酒好菜已流水般送了上来。

朱七七眼珠子转来转去，突然站起抱拳向邻桌那美少年道："请了。"

那少年怔了一怔，只得也站起，道："请了。"

朱七七瞧他满头雾水的模样，心里不觉暗暗好笑，口中却忍住笑道："兄台请过来喝一杯如何？"

那少年道："这……这……兄台有家眷在旁，小可怎敢打扰？"

朱七七道："没关系，没关系，他反正也不是什么大姑娘小媳妇，说起来，他简直根本就不是个女人。"

那少年眼睛都直了，瞧着她身侧扮成女子的王怜花，心中暗怔："这不是女人是什么？这人莫非是疯子。"

朱七七瞧他如此模样，更是笑得肚子疼，她咬了咬嘴唇，好容易总算忍住了笑声，道："小弟是说我这侄女这一刻虽略有不适，但平日脾气却和男子一般，兄台千万莫要顾忌，快快请过来便是。"

那少年这才透了口气，笑道："原来如此……"

他瞧了朱七七几眼，只因还觉得这"少年"并不讨厌，犹疑了半晌，终于亦自抱拳笑道："既是如此，小可便打扰了。"

两人坐下，各自喝了一杯，朱七七眼睛始终直勾勾地瞧着这少年，这少年反被她瞧得低下头去，讷讷道："不……不知兄台有何见教？"

朱七七笑道："小弟觉得兄台面熟得很，却想不起在哪里见过？"

那少年沉吟道："哦……不知兄台大名可否见告？"

朱七七眼珠子转了转，道："在下沈浪。"

那少年悚然动容，失声道："兄台竟是沈浪？"

他声音喊得这么大，朱七七倒真吓了一跳，生怕被乔五听见，幸好楼上此刻热闹已极，根本就没有人留意他们。

朱七七这才松了口气，道："你……你认得我？"

那少年叹道："小弟虽不认得沈相公，但沈相公的大名，小弟却早有耳闻。"

朱七七道："哦……我竟如此出名么？"

那少年正色道："沈相公虽有高士之风，不务虚名，但小弟却有几位朋友，异口同声，全都说沈相公乃是今日江湖中第一人物，不想小弟竟有幸在此相见。"

也不知怎地，朱七七虽然已对沈浪恨之入骨，但听得别人称赞沈浪，仍是觉得开心得很，笑道："哪里哪里……兄台过奖了，却不知兄台高姓大名？"

那少年道："在下胜泫。"

朱七七道："胜泫？莫非是胜家堡的公子？"

那少年笑道："不敢。"

朱七七拍掌道："难怪我瞧你如此面熟了，原来你是胜滢的兄弟，你的面貌，的确和你哥哥有七分相似。"

胜泫动容道："沈相公莫非认得家兄？"

朱七七道："认得认得……"

胜泫喜道："小弟此番，正是为了寻找家兄，是以才出来的，沈相公游迹遍江湖，想必知道家兄的下落。"

朱七七心头一凛，突然想到胜滢或许也跟着展英松等人到仁义庄去了，或许也死在仁义庄里。

幸好她易容之后，面色虽变，别人也瞧不出，当下强笑道："在下月前虽见过令兄一面，但他的去向，却不知道了。"

胜泫叹息一声，道："家兄出堡已有半年，竟毫无信息带回，家父家母，俱都在关心记挂着他，是以才令小弟出来寻找。"

朱七七赶紧岔开话题，说道："在下瞧此地群豪毕集，想来必有盛事……是什么事？兄台可知道？"

胜泫道："此事说来，倒真不愧是一盛举，只因丐帮帮主之位久悬，是以丐帮弟子柬邀群豪来到此地，为的自然是选帮主了。"

朱七七失声道："原来竟是这件事。"

这件事自然与王怜花有关，她忍不住扭头瞧了王怜花一眼，却发觉胜泫的目光，也正在偷偷去瞧看王怜花。

这少年已说了许多话，有时欢喜，有时叹息，但无论他在说什么话，每说一句，总要偷瞧王怜花一眼。

要知王怜花本就是个风流俊俏的人物，如今扮成女子，在灯光下瞧来，当真是天香国色，我见犹怜。

尤其是他那一双桃花眼，更是勾人魂魄，他此刻心里正是哭笑不得，流入目光中，却似嗔似怨，令人销魂。

胜泫竟不知不觉瞧得有些痴了。

朱七七却几乎要笑断了肠子，她一生之中委实再也没有见过如此好笑的事，眼珠子一转，突然道："胜兄，你瞧我这侄女怎样？"

胜泫的脸立刻飞红起来，垂下了头，道："这……咳，咳咳……"

他实在说不出话，只有拼命咳嗽。

朱七七忍住笑道："唉，我这侄女年纪可也不小了，只是眼光太高，是以直到今日还未找着婆家，兄台若有机会，不妨留意留意。"

胜泫红着脸，扭捏了半晌，终于壮起胆子，问道："不……不知要……要怎么样的人物？"

朱七七道："第一，要少年英俊；第二，要出身世家；第三，要……呀，对了，像兄台这样的人物，就必定可以了。"

胜泫又惊又喜，又有些害臊，却又忍不住偷偷去瞧王怜花，瞧了一眼，又赶紧垂下了头。

王怜花却恨得牙痒痒的，哭笑不得，既恨不得将朱七七舌头咬断，更恨不得将胜泫两只眼珠子挖出来。

朱七七弯着腰，捧着肚子，虽已笑得眼泪都流了出来，却又不敢笑出声音，一个头几乎已钻到桌子下面。

突听一人大呼道："沈浪……沈公子。"

朱七七一惊，抬头，"砰"地，头撞上桌子，撞得她金星直冒，她也顾不得了，赶紧扭头向呼声传来之处去瞧。

只见"雄狮"乔五已推开窗子，正向窗外放声大呼道："沈浪……"

立时熊猫儿的身子也已箭似的自窗子里蹿了出去。

胜泫奇道："沈相公在这里，他们为何却向外呼唤？"

朱七七怔了一怔，道："这……我怎会知道？"

胜泫道："嘿，只怕是有人同名同姓亦未可知。"

朱七七抚掌笑道："对了，世上同名同姓的人，本就多得很。"

她知道熊猫儿一下去，必定会将沈浪拖上来的。

她眼睛便不由自主，直往楼梯口瞧，一颗心也"扑通扑通"地直跳，真的几乎要跳出嗓子眼了。

此刻她心里是惊？是喜？是怨？是恨？

天知道……只怕天也不知道。

熊猫儿果然将沈浪拉来了。

两人的身子还未上楼，笑声已上了楼。

只听沈浪笑道："你这猫儿，眼睛倒真尖。"

熊猫儿笑道："可不是我瞧见你的，是别人。"

朱七七咬紧了牙，握紧了拳头，眼睛瞪着楼梯口。

这冤家，这可爱又可恨，这害死人不赔命的冤家，你为何又来到这里，又来到我眼前？

她瞧见了这冤家的头。

然后，是两只秀逸而英挺的眉……一双神采奕奕的眼……然后，便是那淡淡的、懒散的笑容，就是这害死人的笑容，迷死人的笑容，天下人人都会笑，为什么他的笑容就特别令人心动？

朱七七虽然握紧拳头，但手还是不由自主抖了起来，她真恨不得将这双拳头塞进沈浪的嘴，好教沈浪永远笑不出。

只有沈浪和熊猫儿，金无望竟不在，朱七七却全未留意，瞧见沈浪，别的事她完全不留意了。

这时酒楼上群豪的眼睛，也不觉都来瞧沈浪——就连那品酒的小老人，神情也似乎变得有些异样。

"雄狮"乔五更早已大步迎来，大笑道："沈公子还记得乔某么？"

沈浪失声笑道："呀，原来是乔大侠，幸会幸会。"

熊猫儿笑道："瞧见你的，就是他。"

乔五笑道："正是如此，所以沈公子便该坐在我那桌上。"

熊猫儿笑嘻嘻道："你拉生意的本事倒不错。"

乔五大笑道："我不但要拉他，还要拉你……乔某两眼不瞎，想交交你这朋友了，你既识得沈公子，那更是再好没有。"

熊猫儿亦自大笑道："好，就坐到你那桌上去，反正都是不要钱的酒菜，坐到哪里去不是一样？只是我的弟兄倒早已想瞧沈兄想得久了，也得让他们敬沈兄一杯。"

乔五大笑道："一杯？既是不要钱的酒，你怎地如此小气？"

熊猫儿大笑道："是极是极，一杯不够，至少也得十杯。"他那些兄弟也早已拥了过来，一群人拥着沈浪，走了过去。

这一来酒楼上可更热闹了，七八个人抢着去敬沈浪的酒，笑声、呼声，几乎震破别人的耳朵。

朱七七突然一拍桌子，道："婆子们，扶起姑娘，咱们走。"

胜泫道："兄台怎地这就要走了？"

朱七七恨声道："这种人，我瞧不惯。"

虽然瞧不惯，还是狠狠往那边盯了一眼，咬着牙，长身而起，一迭声催那两个婆子扶起王怜花，大步走了。

胜泫呆在那里，又怔了半晌，突也赶过去，问道："不知沈兄借宿何处？"

朱七七此刻哪里还有心情理他，随口道："就在那家最大的客栈。"

"噔、噔、噔"下了楼，恨不得将楼板也踢破。

胜泫呆呆地瞧着她的背影，喃喃道："这位沈相公，脾气怎地如此古怪……"

突然想起这位"沈相公"虽然走了，但那边却还有位"沈相公"，目光便忍不住转了过去……

那边的沈相公，已喝下了第十七杯酒。

沈浪虽已喝下了十七杯酒，但面上神情却丝毫未变，甚至连目中都绝无丝毫酒意，目光仍是那么清澈、敏锐。

酒楼上，这许多目光都在瞧着他，这些目光中，有的含蕴着好奇，有的含蕴着艳羡，有的则是赞美。

自然，也有的是在嫉妒，有的是在讨厌。

无论别人怎样瞧他，沈浪面色也丝毫不变。

对那些恶意的目光，他既不会觉得厌恶，对那些赞美的目光，他也并不会觉得有什么得意。

他既不会意气飞扬，志得意满，也不会意气沮丧，心怀不忿，无论在任何情况下，无论喝过多少酒，他神智永远是清醒的。

能够将自己的神智永远保持清醒，这在别人眼中看来，自然是一件可慕可羡的事，但在沈浪自己看来，这却是件痛苦——一个人若是永远清醒，他所能感觉到的痛苦，委实是比别人多些。

人，有时的确要迷糊些的好。

此刻，沈浪望着狂笑的熊猫儿，心里暗暗羡慕，只因熊猫儿有时的确可以放开一切，忘去一切。

熊猫儿若在快乐时，便是真正在快乐的。

而沈浪，沈浪此刻虽也在欢乐中，但却忘不了一切痛苦的事。

他此刻眼中所见到的虽全都是快乐的人，但在他心里，却时时会浮现出一些痛苦的人的影子。

朱七七……白飞飞……金无望……

朱七七走了，他不知道朱七七到哪里去了。朱七七虽是他赶走的，但他却仍不能不替朱七七担心。

他对朱七七的无情，正也是他的多情，“情到浓时情转薄”，但……唉，这朱七七又怎会了解？怎会知道？

白飞飞呢？

这孤苦伶仃的女孩子，此刻已落入魔掌。

他和她虽然全无关系，但他却总是觉得应该为她的命运，为她的将来，作一番妥善的安排。

而如今……唉，她若真的有了什么三长两短，他怎对得住自己，他一心想救她，但又该往何处着手呢？

最后，金无望也走了。

金无望是自己坚持要走的，而像金无望这样的男人，若是真的坚持要走，又有谁拦得住他。

沈浪早已瞧出金无望的决心，自然不会再去勉强他，只不过仍忍不住问他："往何处去？有何打算？"

金无望没有回答。

其实，他根本不用回答，他的心意，沈浪是知道的。

他不愿以自己的残废之身，来拖累沈浪——沈浪并非凡人！沈浪要做的事是那么多，责任是那么大。

他的仇恨，必须要报复，必须要自己报复，他虽已残废，却未气沮，他身体虽残，却还未废。

他还要一个人去闯，闯出一番惊天动地的事。

沈浪不能勉强他，也拉不住他，只有眼瞧他走了，瞧着他披散的长发在风中飘飞，瞧着他身子逐渐远去。

他身子已远不如昔日那般坚强，他肩头也有些倾斜了，沈浪瞧着这些，能不为之痛心？

半载挚友，一旦相别，别后又岂能相忘。

这些，是沈浪的心事，他心事重重，但别人都是永远也不会知道的，别人只瞧得见他的微笑。

只因他只愿以自己的欢笑与别人分享，而不以自己的痛苦来使别人烦恼，他已学会将心事隐藏在微笑中。

笑，欢笑。笑声，使这寒夜也充满暖意。

熊猫儿大笑道："好，沈浪，别人都和你干过了，就剩下我，我可得跟你干三杯……今日能够在这里遇到你，可真是天大的乐事。"

沈浪笑道："我实也未想到这么快就能再见到你。"

熊猫儿道："朱姑娘呢？金兄哪里去了？"

沈浪默然半晌，一笑举杯，仰首饮尽，道："这……你以后自会知道的。"

熊猫儿没有再问了，只因他已瞧出这其中必定有些难言之隐，他喜欢沈浪，所以他不愿触痛沈浪的心事。

"雄狮"乔五道："沈相公来到此地，莫非也因接着了丐帮的请柬？"

沈浪微笑道："在下只不过是适逢其会而已……在昨夜才知道此

事，如此机会，岂能错过？是以虽未接着请柬，却也要赶来做个不速之客。”

乔五大笑道：“什么不速之客？丐帮此会有沈相公这样的人物前来，正是他们天大的面子，四妹，你说是么？”

花四姑轻笑道：“沈相公此番前来，最高兴的只怕就算是乔五哥了，自从那日仁义庄一别，五哥总是挂念着沈相公的。”

沈浪瞧了瞧乔五，又瞧瞧花四姑，他瞧见了乔五对花四姑的关切，也瞧出了花四姑笑容中的妩媚，于是他举杯笑道：“小弟且敬两位三杯。”

花四姑的脸，居然也有些红了。

乔五却大笑道：“好，四妹，咱们就喝三杯。”

沈浪连饮三杯，笑道：“如今我才知道，乔五哥乃是世上最幸福的男子，也是最聪明的男子。”

乔五道：“我有哪点聪明？”

花四姑笑道：“他说你聪明，只因你没有去找漂亮的女孩子，反来找……找我，其实，你找到我这么丑的女子，才是最笨的哩。”

乔五目光凝注着她，柔声道：“我一生中所做的最聪明的一件事，就是找到你了，只有聪明的人，才能瞧出你的美，才能瞧出你比世上任何女孩子都美十倍，沈相公也是聪明人，我想，他说的话必定是真心在夸赞你。”

花四姑目光也在凝注着他，柔声笑道：“谢谢你们两个聪明人。”

熊猫儿本在奇怪，如此英雄的“雄狮”乔五，怎会喜欢上这样个女孩子，如今，他终于知道原因了。

只因他已瞧出花四姑的确和别的女孩子有所不同，她的一举一动，一言一笑，都是那么温柔，那么体贴。

但她全没有一丝做作，一丝扭捏，她虽有男子的豪放，但却也有女子的细心和聪慧，无论什么人和她一比，都会觉得舒服而坦然，她就像一池温柔的水，可以洗去你的一切世俗的忧虑。

而朱七七，却是海浪，多变的海浪，当你沉醉在她温柔的波涛中时，她却突然会掀起可令你粉身碎骨的巨浪。

这时，花四姑目光移向沈浪，微笑道：“沈相公，你今日突然说出这样的话，是不是因为你那位美丽姑娘，又令你添加了许多心事？”

沈浪笑道：“我哪有什么心事？”

花四姑柔声笑道：“我知道像你这样的男人，纵有心事，也不会说的，但在这许多好朋友面前，你纵有心事，也该放开。”

这是第一个瞧出沈浪有心事的人，沈浪口中虽不能承认，但心中却不得不佩服她感觉的敏锐。

他想：这真是个不凡的女子。

于是他再次举杯，笑道：“不知小弟可否再敬两位三杯？”

突然间，远处一人带笑道：“那边的公子好酒量，不知老朽是否也可和公子喝几杯？”

这语声既不雄浑，也不高亢，更不尖锐，但在乔五、熊猫儿这许多人震耳的笑声中，这语声听来竟然还是如此清晰——这平和缓慢的语声，竟像是有形之物，一个字一个字地送到你耳里。

这语声正是那奇怪的小老人发出来的。

第二十一章

狭路相逢

沈浪一上楼，便已瞧见了这独自品酒的小老人，他早已对此人的神情气度，觉得有些奇怪。

只因这老人看来虽平常，却又似乎带着一种说不出的神秘诡奇之意，他知道凡是这样的人，都必定有种神秘的来历。

此刻，他自然不肯放过可以接近这神秘人物的机会，当下长身而起，抱拳含笑道：“既承错爱，敢不从命。”

那小老人竟仍端坐未动，只是微微笑道：“如此便请过来如何？”

沈浪道：“遵命。”

熊猫儿却忍不住低声骂道：“这老儿好大的架子……沈兄，我陪你去。”

两人前后走了过去，那小老人目光却只瞧着沈浪一个人，缓缓地道：“请恕老朽失礼，不能站起相迎……”

他笑容突然变得有些奇怪，缓缓接道：“只因老朽有个最好的理由请公子原谅此点……”

熊猫儿忍不住道：“什么理由？”

那老人且不作答，只是将衣衫下摆微微掀起一些。

他竟已失去双腿。

空荡荡的裤管，在衣衫掀起时，起了一阵飘动。

老人的目光，冷冷瞧着熊猫儿，道：“这是什么理由，只怕已无需老朽回答，足下也可瞧出了。”

熊猫儿不觉有些歉然，讷讷道：“呃……这……”

老人道：“足下已满意了么？”

熊猫儿道：“请恕在下……”

老人冷冷截口道：“足下若已满意，便请足下走远些，老朽并未相邀足下前来，足下若定要坐在这里，只怕也无甚趣味。”

熊猫儿僵在那里，呆了半晌，突然大笑道：“不想我竟会被人赶走，而且还发不得脾气，这倒是我平生从来未遇过之事，但我若不坐下，只是站在一边，这又当如何？”

老人道：“足下若真个如此不知趣，也只有悉听尊便。”他再也不去瞧熊猫儿一眼，目光回向沈浪时，面上又露出笑容，微微笑道：“请坐。”

沈浪抱拳笑道：“谢座。”

熊猫儿进又不是，退也不是，只有站在那里。

但见那老人又招手店伙，送上了七只酒杯，整整齐齐放到沈浪面前，老人神情似是十分欢悦，含笑道：“相公既豪于酒，想必知酒。”

沈浪笑道：“世上难求知己，何妨杯中寻觅。”

老人抚掌道：“妙，妙极。”

取起第一只酒樽，在沈浪面前第一个杯中，浅浅斟了半杯，淡青而微带苍白的酒正与老人的面色相似。

老人笑道：“足下既知酒，且请尽此一杯。”

沈浪毫不迟疑，取杯一饮而尽，笑道：“好酒。”

老人道：“这是什么酒，足下可尝得出？”

沈浪微微笑道：“此酒柔中带刚，虽醇而烈，如初春之北风，严冬之斜阳，不知是否以酒中烈品大曲与竹叶青混合而成？”

老人拍掌笑道：“正是如此，相公果然知酒……竹叶青与大曲酒性虽截然不同，但以之掺和而饮，却饮来别有异味。”

沈浪道：“但若非老丈妙手调成，酒味又岂有如此奇妙？”

老人喟然叹道：“不瞒相公，老朽一生之中，在这‘酒’上的确花了不少工夫，只是直到今日，才总算遇着相公一个知音。”

熊猫儿在一旁忍不住大声道：“这有什么了不起，将两种酒倒在一起，连三岁小孩子都会倒的，不想今日竟有人以此自夸。”

老人神色不变，更不瞧他一眼，只是缓缓道：“有些无知小子，只道将两种混成一味，必定容易已极，却不知天下酒品之多，多如天上繁星，要用些什么样的酒混在一起，才能混成一种动人的酒味，这其中的学问，又岂是那些无知小子梦想能及。”

熊猫儿吃了个瘪，满腹闷气，也发作不得。

沈浪含笑瞧了他一眼，道：“常言道，文章本天成，妙手偶得之。老丈调酒，想必亦是此理。”

老人拍掌笑道：“正是。胡乱用几个字拼成在一起，又岂可算得上是文章？而高手与俗手作成的文章，相差又岂可以道里计？文章如此，酒亦如此。字，需要高手连缀，才能成为文章；酒，亦需高手调配，才能称得上妙品。”

沈浪笑道：“既是如此，且让在下再尝一杯。”

老人果然取起第二只酒樽，在沈浪面前第二个酒杯中又浅浅斟了半杯，琥珀色的酒，却带着种奇异的碧绿色。

这正与老人目光的颜色相似。

沈浪取杯饮尽，又自叹道：“好酒！不知道是否以江南女儿红为主，以茅台与竹叶青为辅，再加几滴荷药酒调和而成？”

老人大笑道：“正是如此！老朽调制此酒，倒也花了不少心思，是以便为此酒取了个名字，唤作唐老太太的撒手锏……”

沈浪截口笑道：“酒味既佳，酒名更妙，此酒饮下时，清凉醒脑，但饮下之后，却如一股火焰，直下肠胃，那滋味的确和中了唐门毒药暗器有些相似。”

老人大笑道：“调酒之难，最难在成色之配合，那是丝毫也差错不得的，此酒若是将女儿红多调一成，便成了‘唐老太太的裹脚布’，再也吃不得了。”

两人相与大笑，竟是愈见投机。

那老人开始为沈浪斟第三杯酒时，熊猫儿已实在耽不住了，只得抽个冷儿，悄悄溜了回去。

乔五笑道：“兄台终于回来了。”

熊猫儿耸耸眉宇，笑道：“喝酒原为取乐，哪有这许多麻烦？若先花这许多心思来调酒配酒，这酒倒不喝也罢。”

乔五大笑道：“对，还是一大杯一大杯的烧刀子喝着干脆。”

熊猫儿道：“不想乔兄倒是小弟知己，来，敬你一杯。”

两人干了三杯，嘴里在喝酒，眼角还是忍不住偷偷往那边去瞧，目光中终是多少有些羡慕之意。

花四姑抿嘴笑道："看来你两人对那老头子樽中的酒，还是想喝的。"

乔五眼睛一瞪，道："谁说我想喝。"

花四姑咯咯笑道："只是喝不着，所以就说不好了。"

乔五道："正是，喝不到的酒，永远是酸的。"

熊猫儿含笑叹道："沈浪的福气，当真总是比人强。他不但艳福比人强，就连口福，也要比别人强上几分。"

花四姑微微笑道："但你却也莫要当他这几杯酒是容易喝的。"

熊猫儿眨了眨眼睛，道："此话怎讲？"

花四姑道："他喝这几杯酒，当真不知费了多少气力。"

熊猫儿奇道："有人将酒倒在他面前的杯子里，他只要一抬手，一仰脖子，酒就到了肚子里，这又要费什么气力？"

花四姑道："就因为别人替他倒酒，他才费气力。"

熊猫儿苦笑道："愈说愈不懂了。"

乔五道："非但不懂，我也糊涂得很。"

花四姑笑道："你们再仔细瞧瞧。"

熊猫儿、乔五早已一齐凝目望去，只见沈浪此刻已喝光了第五杯酒，刚举起第六只酒杯。

花四姑道："现在沈相公举起了酒杯，是么？"

熊猫儿揉了揉鼻子，道："是呀！"

花四姑道："现在呢？"

熊猫儿道："现在……那老儿举起了酒樽。"

花四姑道："嗯……接着往下瞧，瞧仔细些。"

"现在，那老儿将酒樽歪了下去……"

熊猫儿道："现在，那老儿瓶口已碰着沈浪酒杯。"

乔五道："好，现在他开始倒酒。"

花四姑道："你还瞧不出奇怪么？"

乔五皱眉道："这……这又有什么奇……"

熊猫突然拍掌道："对了，这老儿不但动作缓慢，而且倒酒也特别慢，我说了这许多话，他却连半杯酒还未倒完。”

花四姑道：“这就是了，但他倒酒为何特别慢，这原因你已瞧出？”

熊猫儿目光截住，道：“他倒酒的那只手，虽然稳得很，但衣袖却不住飘动，像是整条手臂都在发抖似的。”

乔五道：“不错，他穿的是皮袍子，又厚又重，这衣袖终不是被风吹动的，但他手臂为何发抖？莫非……”

熊猫儿接口道：“莫非他正拼命用力气？”

花四姑道：“你倒再瞧沈相公。”

熊猫儿道：“沈浪还在笑……但他这笑容却死板得很，嗯！他的衣袖，也有些动了……哎呀！你瞧他那酒杯。”

乔五亦自失声道：“他那酒杯难道缺了个口么？”

熊猫儿道：“那酒杯方才明明还是好的，但此刻竟被那老儿的酒樽压了个缺口……嘿，你再瞧那酒樽。”

乔五笑道：“这酒樽的瓶口已弯了……”

花四姑笑道：“不错，你两人此刻总该已瞧出，他两人表面在客客气气喝酒，其实早已在暗暗较量上了。”

熊猫儿叹道：“不想这老儿竟有如此深厚的内力，竟能和沈浪较量个不相上下，这倒是出人意外得很。”

乔五沉声吟道：“依我看，还是沈相公占了上风。”

熊猫儿道：“自然是沈浪占上风的，但能让沈浪出这许多气力的人，江湖中又有几个？”

乔五叹道：“这倒是实话。”

熊猫儿道：“所以我愈想愈觉这老儿奇怪，武功如此高，人却是残废，神情如此奇特，你我却想不出他的来历。”

乔五道：“看来，他与沈相公之间，必定有什么过不去之处，否则又怎么才一见面，便不惜以内力相拼？”

熊猫儿道：“对了……嗯，不对，他若和沈浪真的有什么仇恨，却为何不肯言明，反要装出一副笑脸？”

乔五皱眉沉吟道：“嗯，这话也不错……”

目光触处，只见那酒樽与酒杯终于分了开来。

沈浪居然还是将那杯酒一饮而尽，居然还是笑道：“好酒。”

那老人“砰”地放下酒樽，整个瓶口突然中断，落了下来，但老人却也还是若无其事，笑道：“此酒自然是好的……老朽调制的酒，好的总是留在后面。”

沈浪笑道：“如此说来，这第七杯酒想必更妙了。”

老人笑道：“妙与不妙，一尝便知。”缓缓吸了口气，取起第七只酒樽，缓缓伸了出去。

沈浪亦自含笑端起第七只酒杯，缓缓迎了过来。

熊猫儿皱眉道：“这老儿倒也奇怪，明知内力不及沈浪，为何还要……”

语声未了，突见沈浪手掌一翻，用小指将酒杯扣在掌心，却以食、拇、中三指，捏着瓶口，将老人手中的酒樽，轻轻夺了过来。

那老人面不改色，仍然笑道：“相公莫非要自己倒酒？”

沈浪笑而不答，却推开窗子，向下面瞧了瞧，然后伸出酒樽，竟将一樽酒全都倒在窗外。

老人终于变色，道：“相公这是为什么？”

沈浪笑道：“老丈这第七杯酒，在下万万不敢拜领。”

老人怒道：“你既然喝了前面六杯，更该喝下这第七杯，你此刻既要对老夫如此无礼，方才为何又要将那六杯酒喝下去？”

沈浪微微笑道：“只因那六杯酒喝得，这第七杯酒却是喝不得的。”

老人怒道：“此话……”

沈浪突然出手如风，往老人衣袖中一摸。

那老人猝不及防，失声道：“你……”

一个字方说出，沈浪手已缩了回去，手中却已多了个小巧玲珑，仿佛以整块翡翠雕成的盒子。

这时酒楼之上，除了花四姑、乔五、熊猫儿三人之外，也早已有不少双眼睛，在一旁眼睁睁地瞧着这幕好戏。

沈浪突然施出这一手，众人当真齐地吃了一惊。

那老人更是神情大变，只是勉强控制，冷冷喝道：“老夫好意请你喝酒，你怎敢如此无礼？……还来……”

沈浪笑道："自是要奉还的，但……"

他缓缓打开了那翡翠盒子，用小指挑出了粉红色粉末，弹在酒杯里，凝目瞧了两眼，叹道："果然是天下无双的毒药。"

老人双手紧紧抓着桌沿，厉声道："你说什么？"

沈浪笑道："老丈方才若是未曾将这追魂夺命的毒药，悄悄弹在那第七樽酒里，在下自然早已将第七杯酒喝了下去。"

老人怒道："放屁，你……"

沈浪含笑截口道："老丈方才屡次与在下较量内力，只不过是想借此引开在下的注意而已，在下若真的一无所知，方才再与老丈较量一番内力，等到老丈不敌缩手，在下难免沾沾自喜，于是又将那第七杯酒喝下去……"

他仰天一笑，接道："那么，在下今生只怕也喝不着第八杯酒了！"

那老人面上已无丝毫血色，犹自冷笑道："我与你非但无冤无仇，简直素昧平生……你甚至连我名字都不知道，我为何要害你？"

沈浪微微笑道："老丈其实是认得在下的，而在下么……其实也早已认出了老丈。"

老人动容道："你认得我？"

沈浪缓缓道："来自关外，酒中之使……"

老人厉叱一声，满头毛发，突然根根耸起。

那边的对话，熊猫儿等人俱都听得清清楚楚。乔五悚然道："不想这老儿竟是快活四使！"

花四姑道："不想他行藏虽如此隐秘，却还是被沈相公瞧破了。"

熊猫儿叹道："普天之下，又有哪件事，能瞒得过沈浪，唉……沈浪呀沈浪，你难道真是无所不能，无所不知的么？"

那"快活酒使"的一双眼睛，此刻生像已化为两柄利剑，直恨不得能将之齐根插入沈浪的心脏里。

但他狠狠瞪了沈浪半晌后，目光竟渐渐柔和，耸立着的头发，也一根根落了下去，怒火似已平息。

沈浪含笑道："在下猜得可不错么？"

老人嘴角竟也泛起一丝笑容，道：“厉害厉害……不错不错……”

沈浪道：“既是如此，不知大名可否见告？”

老人道：“老朽韩伶。”

沈浪抚掌笑道：“好极好极，昔日刘伶是为酒仙，今日韩伶是为酒使，小子有幸得识今日酒使，幸何如之？”

韩伶亦自抚掌笑道：“只惭愧老朽全无刘伶荷锄饮酒的豪兴。”

两人又自相与大笑，笑得又似乎十分开心。

群豪面面相觑，都有些愣住了。

乔五叹道：“沈相公当真是宽宏大量，这老儿几次三番地害他，他非但一字不提，居然还能在那里坐得住。”

熊猫儿苦笑道：“沈浪的一举一动，俱都出人意外，又岂是我等猜得透的。”

乔五道：“这老儿虽在大笑，但目光闪烁，心里又不知在转着什么恶毒的念头，沈相公还是该小心才是。”

熊猫笑道：“你放心，沈浪从不会上人家当的。”

花四姑突然失声道：“不好……”

乔五道：“什么事？”

花四姑道：“你瞧……你瞧那老人的两条腿。”

熊猫儿奇道：“他哪里有腿……”

话犹未了，只听沈浪一声长笑，他面前的整张桌子，俱都飞了起来，桌子下竟有湛蓝色的光芒一闪。

熊猫儿已瞧出这光芒竟是自韩伶裤腿中发出来的。

双腿齐膝断去的韩伶，裤腿中竟是两柄利剑。

两柄淬毒的利剑。

他谈笑之间，双“腿”突然自桌下无声无息地踢出，沈浪只要沾着一点，眨眼之间，便要毒发身死。

哪知沈浪竟似在桌子下也长着只眼睛，韩伶的“腿”一动，他身子已凭空向后移开了三尺。

韩伶一击不中，双手抬起，整个桌子，却向沈浪飞过去，他自己却自桌子边蹿过，“腿中剑”连环踢出。

他平日行路，俱是以剑为腿，二十多年的苦练下来，这两柄淬毒利剑，实已如长在他腿上的一般。

此刻他的剑踢出，寒光闪动，剑气袭人，其灵动处居然远胜天下各门各派的腿法，其犀利处更非任何腿法所能望其项背。

满楼群豪，俱都悚然失色，脱口惊呼。

熊猫儿、乔五更早已大喝着扑了上去。

就在此时，只见沈浪身子在剑光中飘动游走，韩伶连环七剑，俱都落空，突然反手击破窗子，箭一般蹿了出去。

等到熊猫儿、乔五追到窗口，这身怀武林第一歹毒外门兵刃的恶毒老人，身形早已消失不见。

第二十二章

爱恨一线

酒楼上的骚动，久久都不能平息。

熊猫儿跌足道："沈兄，你为何不还手？你为何还不追？"

沈浪默然半晌，轻轻叹道："瞧在金无望面上，放他这一次。"

熊猫儿亦自默然半晌，叹道："不错，该放的。"

乔五道："怕是纵虎容易擒虎难。"

沈浪笑道："有'雄狮'在此，虎有何惧。"

乔五大笑道："在下若是雄狮，兄台便该是神龙了。"

熊猫儿道："你们一个雄狮，一个神龙，却叫我这只猫儿如何是好？"

大笑声中，三个豪气干云的男子汉，竟似乎在瞬息之间，便已将方才的凶杀不快之事，抛在九霄云外。

突见一个锦衣华服的美少年，大步走了过来，走到沈浪面前，停下脚步，上上下下，瞧个不停。

沈浪忍不住道："这位兄台……"

那美少年随口道："在下胜泫。"

熊猫儿道："他脸上又没长花，你瞧个什么。"

胜泫宛如未闻，又瞧了两眼，自己点头道："不错，你才是真的沈浪。"

沈浪笑道："真的沈浪……难道还有假的沈浪不成？"

胜泫叹道："倒是有一个。"

熊猫儿大声道："假的沈浪……你瞧见过？"

胜泫道："方才还在这里。"

熊猫儿动容道："此刻哪里去了？"

胜泫道："此刻他……"眼前突然泛起个娇弱动人的影子，语声立刻停顿。

熊猫儿道："说呀，怎地不说了？"

胜泫微微一笑道："说不定那只是个与沈相公同名同姓的人。"

熊猫儿道："你且说出，咱们好歹去瞧瞧。"

胜泫道："这……"

熊猫儿一把抓住他手臂，厉声道："你说不说？"

胜泫冷笑一声，道："我本非必要说的，不说又怎样。"

熊猫儿瞪了他一眼，突然大笑道："好，不想你也是条汉子，我熊猫儿平生最喜欢的就是你这样有骨头的汉子，来……不管别的事，咱们先去喝一杯。"竟真的拉着胜泫去喝酒了。

乔五摇头失笑道："这猫儿倒真有意思。"

沈浪笑道："武林中人若不认得这猫儿，当真可说是遗憾得很。"

只见胜泫已被糊里糊涂地灌了三杯酒回来，他本已喝得不少，再加上这三杯急酒喝下去，步履已不免有些踉跄。

沈浪伸手扶住了他，含笑道："下次莫和猫儿拼快酒，慢慢地喝，他未必喝得过你。"

熊猫儿大笑道："胜兄又非大姑娘小媳妇，怎肯一口口地泡蘑菇，醉了就醉了，躺下就躺下，这才是男儿本色。"

胜泫抚掌笑道："正是正是，醉了就醉了，躺下就躺下，有什么了不起……但小弟却还未醉，沈相公，你说我醉了么？"

沈浪笑道："是是是，没有醉。"

胜泫道："好，好，沈兄果然不是糊涂人，沈兄，告诉你，你只管放心，你若要见另一个沈浪，只需等到明日。"

沈浪道："明日？"

胜泫道："不错，明日……明日丐帮之会，他必定也会来的。"

沈浪目光凝注，缓缓颔首道："好，明日，丐帮之会……在此会中，我想必还会遇见许多人，许多我十分想见到的人。"

胜泫道："对了，此次丐帮之会，必定热闹得很。"突然反身一拍熊猫儿肩头，道："猫儿，你醉了么？"

熊猫儿大笑道："我？醉了？"

胜泫道："你若未醉，咱们再去喝三杯。"

熊猫儿笑道："正中下怀，走。"

胜泫道："但……但咱们却得换个地方去喝，这……这房子盖得不牢，怎地……怎地已经在打转了……嗯，转得很厉害。"

突见一个店伙大步奔了过来，眼睛再也不敢去瞧那熊猫儿，远远便停下了脚步，垂着头道："哪一位是沈浪沈相公？"

沈浪道："在下便是。"

那店伙躬身道："敝店东主，在后面准备了几杯水酒，请沈相公进内一叙。"

沈浪方自沉吟，熊猫儿笑道："嘿，又有人请你了，你生意倒真不错。"

胜泫道："怎……怎地就没有人请我？"

沈浪沉吟半晌，缓缓笑道："烦你上复店东，就说沈浪已酒醉饭饱，不敢打扰了。"

那店伙赔笑道："敝店东吩咐小的，请沈相公务必赏光，只因……只因敝店东还有事与沈相公商量，那件事是和一位朱姑娘有关的。"

沈浪动容道："哦……既是如此，相烦带路。"

那店伙展开笑脸，躬身道："请。"

两人先后走了，乔五道："朱姑娘，可就是那位豪富千金？"

熊猫儿道："就是她……莫非她也来了……莫非她又惹出了什么事……但她却又和这酒楼店东有何关系？"

朱七七寒着脸，直着眼睛，自酒楼一路走回客栈，走回房，等那两个婆子一出门，她就"砰"地关上了门。

王怜花就坐在那里，直着眼，瞧着她。

只见朱七七在屋子里兜了七八个圈子，端起茶杯，喝了半口茶，"砰"地将茶杯摔得粉碎。

王怜花仍然瞧着她，眼睛里带着笑。

朱七七突然走过来，一掌拍开了他的穴道，又走回去，有张凳子挡住了她的去路，她一脚将凳子踢得飞到床上。

这一脚踢得她自己的脚疼得很，她忍不住弯下腰，去揉揉脚，王怜花忍不住“扑哧”笑出声来。

朱七七瞪起眼睛，大喝道：“你笑什么？”

王怜花道：“我……哈……”

朱七七道：“笑！你再笑，我就真的将你嫁给那姓胜的小伙子。”

没说完，她自己也忍不住笑出声来。

但这笑，却是短促得很，短促得就像人被针戳了一下时发出的轻叫——想起沈浪，她再笑不出。

王怜花喃喃道：“何苦……何苦……自己踢椅子，踢疼自己的脚，自己去找个人，来伤自己的心……这岂非自作自受。”

朱七七霍然回首，怒道：“你说什么？”

王怜花笑嘻嘻道：“我只是在问自己，天下的男人是不是都死光了，只剩沈浪一个，据我所知，有许多人却比沈浪强得多。”

朱七七冲到他面前，扬起手。

但这一掌，她却实在掴不下去。

她也在暗问自己：“天下的男人，难道真的都死光了么？为什么……为什么我还是对沈浪这么丢不开，放不下？”

她跺了跺脚，大声道：“我要报复……我要报复。”

王怜花缓缓道：“凭你一人，若想对沈浪报复，只怕……”

朱七七道：“只怕怎样？你说我不行？”

王怜花笑道：“自然可以的，但……却要加上我，有了我替你出主意，有了我帮忙，你还怕沈浪不遭殃么？”

朱七七目光凝注着他，良久良久，突然转回头，转过身子，她身子不住颤抖，显见她心中正在挣扎着。

王怜花微微笑道：“其实，依我看来，你虽受了一些气，也就算了吧，像他那样的人，当真是惹不得的，你又何苦……”

朱七七霍然再次回身，怒道：“谁说他惹不得，我就偏要惹他。”

王怜花笑道：“那么，你心里可有什么主意？”

朱七七道：“我……我……”目光一闪，突然大声道：“我要叫所有的人都恨他，和他作对。”

王怜花点首笑道：“这主意不错，但你如何才能叫别人都和他作对……你方才想必已瞧见，他如今是极受欢迎的人物。”

朱七七道："哼，我自有主意。"

她又在屋子里兜了七八个圈子，突又驻足回身，目光又紧紧凝注着王怜花，一字字地缓缓道："那丐帮之会究竟是怎么回事，你想必清楚得很。"

王怜花笑道："没有比我再清楚的了。"

朱七七道："说。"

王怜花道："左公龙想当帮主，已想得快疯了，我答应助他一臂之力，是以他将丐帮弟子，全都召集到此处。"

朱七七道："但如今左公龙已逃得无影无踪，你……嘿，你自己也是自顾不暇。"

王怜花笑道："这些事的变化，丐帮弟子又怎会知道，他们接到了'丐帮三老'的手令，自然就从四面八方赶来。"

朱七七问道："那些赶来赴丐帮之会和观礼的武林豪士，却又是谁约来的？"

王怜花道："自然也是左公龙，能坐上丐帮帮主的宝座，乃是他一生中最得意的事，他自然恨不得天下武林英雄都来瞧瞧。"

朱七七猛地一拍巴掌，道："这就是了。"

王怜花道："瞧你如此得意，莫非你已有了妙计？"

朱七七目中果然充满了得意之色，笑道："王怜花，告诉你，我可也不是什么好人，我不想坏主意害人也就罢了，我若要想坏主意害人，可也不比你差。"

王怜花笑道："究竟是何妙计，在下愿闻其详。"

朱七七目光闪烁，道："丐帮弟子们接着左公龙手令后，便立刻全都赶来，显见左公龙在丐帮弟子心目中，仍是领导人物。"

王怜花道："正是如此。"

朱七七道："那些武林豪士，甚至包括七大高手在内，接到左公龙的请柬，也俱都不远千里而来，显见左公龙在武林中声望不弱。"

王怜花笑道："左公龙在江湖中，素来有'好人'之誉，若以声望而论，昔年丐帮的熊故帮主，也未必能比他强胜多少。"

朱七七道："由此可见，直到今日为止，江湖中还没有人知道左公龙的真面目，大家仍然都对他爱戴得很。"

王怜花道：“只要你我不说，就绝无人知道。”

朱七七沉下脸，眯着眼睛，缓缓道：“所以，这时若有人对大家扬言，说左公龙已被沈浪害了，那么要为左公龙复仇的人，必定不少。”

她虽然努力想做出阴险狞恶的模样，却偏偏装得也不像，王怜花瞧得暗暗好笑，口中却大声赞道：“妙，果然是妙计。”

朱七七道：“咱们不但要说左公龙是被沈浪害死的，还要说单弓、欧阳轮也是死在沈浪手中，那么要找沈浪复仇的人，就更多了。”

王怜花笑道：“妙！愈来愈妙了……”

突然一皱眉头，道：“但这里只有一点不妙。”

朱七七道：“什么不妙？”

王怜花道：“只可惜左公龙并未死，他若来了……”

朱七七笑道：“说你是聪明人，你怎地这么笨，左公龙来了岂非更好，他难道不是对沈浪恨之入骨？他若来了咱们便可授意于他，叫他说自己乃是自沈浪手下死里逃生，但单弓和欧阳轮却真的死了。”

她拍掌笑道：“左公龙亲口说出的话，相信的人必定更多，是么？”

王怜花笑道：“是极是极，妙极妙极。”突又一皱眉头，接道：“但你我此刻……你我说的话，别人能相信么？”

朱七七道：“所以，这其中还要个穿针引线的人，这些话，你我不必亲自去说，而要自他口中传将出去。”

王怜花道：“嗯，好。”

朱七七道：“为了要使别人相信此人的话，所以他必须是个颇有威望的人物，说出来的话，也必须有些分量。”

王怜花叹道：“这样的人，只怕难找得很。”

朱七七笑道：“这里现成就有一个，你怎地忘了？”

王怜花道：“谁……哦，莫非是那小子？”

朱七七道：“就是那小子，胜泫。”

王怜花道：“但……他……”

朱七七道：“他自己虽只是毛头小伙子，在武林中全无威望，但胜家堡在武林中却可称得上是世家望族，这种世家子弟说出的话，别人最不会怀疑了。”

王怜花道：“不错，问题只是……这样说，他肯说么？”

朱七七笑道：“这自然又要用计了。”

王怜花道：“在他身上，用的又是何计？”

朱七七道：“反间计……”瞧了王怜花一眼，嘻嘻笑道：“自然，还有美人计。”

王怜花怔了一怔，大惊道：“美人计，你……你……你莫非要用我……”

朱七七咯咯笑道：“对了，就是要用你这大美人儿……竟然有人对你着迷，你真该开心，真该得意才是。”

她话未说完，已笑得弯下了腰。

王怜花又气，又急，道：“但……但这……”

朱七七弯着腰笑道：“这才是天大的好事，我为你找着了这样个如意郎君，你也真该好好地谢谢我才是。”

王怜花苦着脸，惨兮兮地道：“但……但他若真要和我……和我……”

朱七七笑得几乎喘不过气来，道：“这就是你的事了，我……我怎么管，我可管不着……”突然推开房门，高声唤道：“店家……伙计。”

王怜花瞧着她，暗暗摇头，暗暗忖道：“这到底算是个怎么样的女孩子，说她笨，她有时倒也聪明得很，说她聪明，她有时却偏偏奇笨无比，片刻前她还是满腹怨气，片刻后她又会开心起来，玩笑时她会突然板起了脸，做正事时，她却又会突然莫名其妙地开起玩笑来……唉，这样的女孩子，可真是教人哭笑不得，头大如斗，但有时为何又偏偏使人觉得她可爱得很。”

有钱的大爷呼唤。

那店伙自然来得奇快无比。

朱七七道：“我有件事要你做，你可做得到？”

店伙赔笑道：“公子只管吩咐。”

朱七七道：“我有个朋友，姓胜……胜利的胜，名字叫泫，也来到这里了，却不知住在哪家客栈中，你可能为我寻来？”

店伙道：“这个容易，小的这就去找。”

朱七七道：“找着了，重重有赏，知道么？”

店伙腰已弯得几乎到地了，连声道：“是是是。”

说着便一溜烟地去了。

朱七七笑道：“有钱能使鬼推磨，这话，可真不错，王怜花，你……”

突然间，只听一人大嚷道：“喂，小子，慢走，我问你，你这里可有位年轻的公子，带着个标标致致的小姑娘住在这里？”

这人嗓子比锣还响，声音远远就传了过来。

朱七七变色道：“不好，这是那猫儿的声音，他怎地也来了？”

又听另一人道：“那……那相公姓沈……沈。”

朱七七道：“呀，这就是胜泫，但怎会和猫儿在一起？又怎会来找我？莫非……”

只听那店伙的声音道：“公子贵姓？”

又听得胜泫道：“胜……大胜回朝的胜。”

那店伙笑道：“原来就是胜公子，好极了，好极了，沈公子正要找你去……”

笑声，随着脚步声一齐过来了。

朱七七失色道：“不好，全来了，这怎么办……”

王怜花笑道：“无妨，听声音，这两个小子已全都醉了，绝对认不出你……何况，以我之易容，那猫儿就算未醉，也是认不出你的。”

朱七七道：“但是……你赶快睡上床。”

她冲过去，抱起王怜花，“砰”地抛在床上，拉起床上棉被，没头没脸地将他全身都盖住了。

这时，胜泫已在门外大声道：“沈兄，沈公子，小弟胜泫，特来拜访。”

熊猫儿和胜泫果然全都醉了。

沈浪被人请去后，熊猫儿又拉着胜泫喝了三杯，乔五说他欺负人，便又拉着他喝了九杯。

这九杯下去，熊猫儿也差不多了，于是拿着酒壶，四处敬酒——已有六分酒意时，喝酒当真比喝水还容易。

此刻，朱七七一开门，便嗅到一股扑鼻的酒气。

她皱了皱眉，熊猫儿已拖着胜泫撞了进来。

朱七七瞧他果然已醉得神智迷糊，心头暗暗欢喜，心中却道："这位兄台贵姓大名？有何见教？"

胜泫舌头也大了，嘻嘻笑道："他……就是鼎鼎大名的熊猫儿。"

熊猫儿笑道："不错，熊猫儿……喵呜……喵呜，猫儿，一只大猫儿……哈哈，哈哈。"

朱七七忍住笑道："哦，原来是猫兄，久仰，久仰。"

熊猫儿道："我这只猫儿，此番前来，乃是要为胜兄做媒的……"伸手"啪"地一拍胜泫肩头，大笑接道，"既然来了，还害什么臊，说呀。"

胜泫垂下头，嘻嘻笑道："我……这……咳咳……"

熊猫儿大笑道："好，他不说，我来替他说……这小子自从见了令侄女后，便神魂颠倒，定要央我前来为他说媒……哈哈，说媒，妙极妙极。"

胜泫红着脸笑道："不是……不是我，是他自告奋勇，定要拉着我来的。"

熊猫儿故意作色道："好好，原来是我定要拉你来的，原来你自已并不愿意，既是如此，我又何苦多事……"抱了抱拳，道："再见。"竟似真的要走了。

但他身子还未转，已被胜泫一把拉住。

熊猫儿道："咦？奇怪，怎地你也拉起我来了？"

胜泫嘻嘻笑道："熊兄，小弟……小弟……"

熊猫儿道："到底是熊兄在拉小弟，还是小弟在拉熊兄？"

胜泫道："是……是小弟……"

熊猫儿哈哈大笑道："你这小弟，总算说出老实话，既是如此，我这熊兄也就饶你这一遭。"向朱七七抱了抱拳，又道："却不知我这媒人可当得成么？"

朱七七一只手摸着下巴，故意迟疑道："这……"

她不过才迟疑了一眨眼的工夫，胜泫却已着急起来，连声道："小子虽不聪明，却也不笨，身家倒也清白，人品也颇不差，而且规规矩矩，从无什么不良嗜好……"

熊猫儿大笑道："这些话本该是媒人替你说的，你怎地却自吹自擂起来？"

胜泫着急道："但……但这全是真的。"

熊猫儿道："你自吹自擂，真的也变作假的了。"

胜泫急得涨红了脸，道："我要你来帮忙的，你怎地拆起台来，你……你……你……"

朱七七瞧得早已几乎笑断肚肠子。

她暗笑忖道："这样的媒人固然少见，这样来求亲的准女婿可更是天下少有，我若真有个侄女会嫁给这样求亲的才怪。"

熊猫儿已大声道："好，好，莫要吵了，听我来说。"

只见他一拍胸膛，道："我姓熊，名猫儿，打架从来不会输，喝酒从来不会倒，坏毛病不多，书读得不少，这样的男儿，天下哪里找？"

胜泫着急道："你……你……你究竟是在替我做媒，还是替你做媒？"

熊猫儿道："是替你。"

胜泫道："既是替我做媒，你为何却为自己吹嘘起来，唉……我寻得你这样的媒人，当真是倒了穷霉了。"

熊猫儿正色道："这个你又不懂了，我既替你做媒，自然要先为自己介绍介绍，做媒的若是低三下四之人，这个媒又如何做得成。"

胜泫怔了半晌，讷讷道："这……这倒也是道理。"

熊猫儿道："这道理既不错，你便在一旁听着……"

朱七七突然道："好。"

熊猫儿大笑道："兄台已答应了么？"

朱七七道："我答应了，我侄女嫁给你。"

熊猫儿也不禁怔了怔，道："嫁……嫁给我？"

胜泫更吃惊道："嫁给他？我又如何？"

朱七七故意板着脸道："他这样的男人既是天下少有，我侄女不嫁他嫁给谁？"

熊猫儿摸着头，苦笑道："这……这……"

胜泫顿着脚，长叹道："这……这怎么办，这怎么办……熊猫儿，你……你……"

朱七七再也忍不住，笑得弯下了腰去。

熊猫儿道："好，算是我吹牛的，你们再听我说……熊猫儿，虽不差，胜家儿郎更更佳，熊猫儿只不过配替他搓搓脚板丫。"

朱七七笑得喘不过气来，吃吃道："原来他比你更强。"

熊猫儿道："是，是，他比我强得多了，你侄女还是嫁给他吧。"

朱七七故意又迟疑半晌，缓缓道："好，就嫁给他吧。"

她话未说完，熊猫儿已欢喜得跳了起来。

胜泫却呆站在那里，竟已开心得痴了。

熊猫儿"啪"地一拍他肩头，道："喂，你不高兴么？"

胜泫道："我不高兴……我不高兴……"

突然跳了起来，凌空翻了个筋斗，大笑大嚷着冲了出去，一眨眼，他又大笑大嚷着冲了回来，手里已多了一缸酒。

熊猫儿拍掌道："好，好小子，谢媒酒居然已拿来了。"

朱七七笑道："这谢媒酒自是少不得的。"

找了两只茶碗，道："待小弟先敬媒人。"

胜泫道："我先来。"

朱七七眼睛一瞪，道："你莫非已忘了我是谁？"

胜泫一怔，道："你……你是……"

熊猫儿已拍掌大笑道："对，你莫忘了，他此刻已是你未来的叔叔，你怎可与他争先？"

胜泫反手就给了自己一耳光，笑道："是，是，小侄错了，叔叔先请。"

朱七七笑道："这才像话。"

于是替熊猫儿倒了满满一杯，却只为自己倒了小半杯，道："请。"

熊猫儿眼睛早已花了，别人倒的酒是多是少，他已完全瞧不见，举起杯，一仰脖子就喝了下去。

此刻摆在他面前的就算是尿，他也一样喝得下去。

朱七七一杯杯地倒，他一杯杯地喝……

突然，熊猫儿大叫道："好家伙……你们是谁……沈浪在哪里……谁说沈浪比我强……熊猫儿天下第一，喝酒……喝酒……"

"扑通"一个筋斗翻在地上，不会动了。

朱七七唤道："猫兄……熊猫儿……"

熊猫儿动也不动。朱七七伸出手，在熊猫儿眼前晃了晃。熊猫儿眼睛怎么会张开？

朱七七"哧哧"笑道："醉了……这只猫儿真的醉了。"

转脸一瞧，胜泫却已伏在桌子上睡着。

朱七七皱了皱眉，转了转眼珠，将桌子上那壶冷茶提了起来，一倒，冷茶成了一条线，全都灌进胜泫脖子里。

胜泫先是伸手摸了摸脖子，然后又缩了缩肩头，最后，终于"哎哟"大叫一声，整个人跳了起来。

朱七七笑嘻嘻道："你醒了么？"

胜泫在甜梦中被人一壶冷水倒下，那滋味自然不好受，他本已有些怒发冲冠的模样，像是立刻就要动手。

但等他瞧见倒他冷水的，原来是他"未来的叔叔"，他满腹火气，哪里还有一星半点发作得出。

他本要伸出来打人的手，此刻也变作向人打躬作揖了，他本来板起的脸，此刻只有苦笑，道："失礼失礼，小弟不想竟睡着了……"

朱七七却板起脸，道："小弟？"

胜泫道："哦，不是小弟，是……是小侄。"

朱七七这才展颜一笑，道："这就对了……贤侄酒可醒了些么？"

胜泫笑道："小侄根本未醉……"

朱七七笑道："就算醉了，这壶冷水，想必也可让你清醒清醒。"

胜泫道："是……是……"

又摸了摸脖子，当真全身都不是滋味——他此刻酒意当真已有些醒了，垂下头，讷讷道："时候已不早，小侄也不便再多打扰。"

朱七七道："你要走？"

胜泫道："小侄这就告辞，明日……明日小侄再和这位熊兄前来拜见……"

他逡巡了半晌，终于鼓足勇气道："关于行聘下礼之事，小侄但凭吩咐。"

朱七七突然冷冷一笑，道："行聘下礼，这……只怕还无如此容易。"

胜泫大惊失色，道："方……方才不是已说定了。"

朱七七道："凡是要做我家女婿的人，却要先为我家……也是为江湖做几件事，我瞧他能力若是不差，才能将侄女放心交给他。"

胜泫道："如此……便请吩咐。"

朱七七道："明日丐帮之会，定在何时？"

胜泫道："日落后，晚饭前。"

朱七七道："嗯……你若能在正午之前，将一件重要的消息，传布出去……还要使得参与此会之人，大都知道，那么你这人才可算有点用处。"

胜泫道："这个容易，只是……却不知是何消息。"

朱七七道："我方才在酒楼上突然走了，你可知是何缘故？"

胜泫道："这……是因为另一沈……"

朱七七道："不错，只因另一沈浪乃是个大大的恶人，'丐帮三老'就全都是被他害死的……这厮做出了此等大奸大恶的事，咱们怎能不让别人知道。"

胜泫悚然动容，失色道："这……这是真的？"

朱七七道："你不信？"

胜泫呆了半晌，道："这……这事委实太过惊人，于江湖中影响也委实太大……小侄在未得着真实证据前，委实不敢胡乱说出去。"

朱七七暗暗点头，心中忖道："武林世家出来的子弟，果然不敢胡作非为。"但面上她却作出大怒之色，喝道："你不信我的话？难道那沈浪……"

胜泫亢声道："小侄与那沈浪虽无关系，但总也不能胡乱以如此重大的罪名，加在他身上，此点你老人家必须原谅。"

朱七七冷笑道："不想你居然还为他说话，你可知道，你的兄长胜滢为何失踪，你可知道他是被什么人害死的？"

胜泫面色惨变，道："家兄已……已遇害了……难道是……是那沈浪？"

朱七七道："就是他。"

胜泫"噗"地坐倒在椅上，嘶声道："这……这事我也不能轻信。"

朱七七道："好，你不信，我不妨从头告诉你，你兄长与'赛温侯'孙道，一起去到中州，那一日到了……"

当下她便将胜滢如何入了古墓，如何中伏被擒，又如何被人救出，如何到了洛阳，沈浪如何将他们自那王夫人手中要出，如何令他们去到"仁义庄"，他们又如何一入"仁义庄"便毒发身死……这些事全说了出来。

她口才本不坏，这些事也本就是真的，一个口才不坏的人叙说件真实的故事，那自然是传神已极。

胜泫只听得身子发抖，手足冰冷，酒早已全醒了。

朱七七悠悠道："你是个聪明人，我这些话说的是真是假，你总该听得出。"

胜泫颤声道："我……我好恨。"

朱七七道："如今，你还要帮沈浪说话么？"

胜泫突然疯了似的跳起来，就要往门外冲。

朱七七一把拉住了他衣服，道："干什么？"

胜泫道："报仇，报仇……我要去找沈浪……"

朱七七冷冷截口道："你要找沈浪去送死么？"

胜泫嘶声道："父兄之仇，不共戴天，我……我拼命也要……也要去找他。"

朱七七叹了口气，道："傻孩子，凭你这样的武功，大概不用三招，沈浪就可要你的命，你这样去拼命，岂非死得冤枉？"

胜泫道："但……我……我是非去不可。"

朱七七眨了眨眼睛，道："你家里共有几个孩子？"

胜泫道："就只我兄弟两人，所以我更要……"

朱七七冷笑截口道："你哥哥已死在他手上，如今你再去送死，那可正是中了沈浪的意了，胜家堡从此绝了后，还有谁找他去报仇。"

胜泫怔了怔，"噗"地，又坐倒，仰天叹道："我怎么办……我又该怎么办？"

朱七七道："报仇的法子多得很，只有最笨的人，才会去自己拼命……只要你肯听我的话，我包你可以报仇。"

胜泫垂着头，又呆了半晌，喃喃道："我此刻实已全无主意，我……我听你的话……"

朱七七道："好，你这就该去将沈浪所做的那些恶毒之事，去告诉丐帮弟子，去告诉武林群雄，那么，就自然会有人助你复仇了。"

胜泫咬牙道："好，我……"

朱七七截口道："但你却要悄悄地说，切莫让沈浪知道，否则……唉，你想说的话，只怕永远也莫想说出了。"

胜泫道："我省得，我……我这就去了。"再次跳了起来，冲出门去。

这次，朱七七却不再拉他了。

她只是静静地瞧着他，目中充满了得意的微笑。

朱七七拉开被，王怜花仍蜷曲在那里，动也未动，只是目光中也充满了朱七七那种得意的微笑。

他甚至比朱七七还要得意。

朱七七道："你听见了么？怎样？"

王怜花笑道："好，好极了。"

朱七七道："哼！你如今总知道我不是好惹的人了吧。"

王怜花道："我不但知道，还知道了一些别的。"

朱七七道："你知道了些什么？"

王怜花笑道："我如今才知道这些初出茅庐的世家子弟，看来虽然都蛮聪明的，其实一个个却都是呆子，要骗他们，委实比骗只狗还容易。"

他叹了口气，接道："以前，我总是将你瞧得太嫩，太容易上当，哪知江湖中竟还有比你更嫩的角色，如今你居然也可以骗人了。"

朱七七冷笑道："如今，任何人都休想再能骗得到我。"

王怜花道："自然自然，如今还有谁敢骗你。"

朱七七虽然想装得满不在乎，但那得意的神色，却不由自主从眼睛里流露出来——眼睛，是不大会骗人的。

她轻轻咳嗽了一声——这咳嗽自然也是装出来的，她又抬起手，拢了拢头发，微微笑道："你还知道什么？"

王怜花道："我还知道，一个女孩子，老是装作男人，无论她装得多像，但总还是有一些女子的动作，在不经意中流露出来。"

朱七七瞪眼道："难道我也流露出女孩子的动作了？"

王怜花笑道："偶尔有的。"

朱七七道："你倒说说看。"

王怜花道："譬如……你方才伸手拢头发，就十足是女孩子的动作，还有你方才去拉那姓胜的，不去拉他手臂，而去拉他的衣服。"

朱七七呆了呆，忍不住点头道："你这双鬼眼睛，倒是什么都瞧见了……你再说说，你还知道什么？"

王怜花道："我如今也知道，当被一个女子爱上，当真可怕得很。"

朱七七道："有人爱，总是好事，有什么可怕？"

王怜花笑道："男子有女子垂青，自是祖上积德，但那女子之'爱'若是变成'恨'时，那可是他祖上缺了德了。"

朱七七想说什么，却又默然。

王怜花接着道："常言道，爱之愈深，恨之愈切。爱之深时，恨不得将两人揉碎，合成一个；恨之切时，却又恨不得将他碎尸万段，锉骨扬灰。"

朱七七终于叹了口气，道："不错，女子若是恨上一人，那当真有些可怕，但……但你若能要她只爱你，不恨你，那又有何可怕。"

王怜花道："这话也不错，怎奈女子爱恨之间的距离，却太短了些，何况……"

朱七七道："何况怎样？"

王怜花大笑道："何况女子恨你时，固是恨不得将你碎尸万段，恨不得吃你的肉；女子爱你时，也是恨不得揉碎你，关住你，吃你的肉，这两种情况可都不好受。能让女子既不恨你，也不爱你，那才是聪明的男子。”

朱七七恨声道：“笑，你笑什么？你重伤未愈，小心笑断了气。”

王怜花果然已笑得咳嗽起来，道：“我……咳……我……”

朱七七道：“你也莫要得意，沈浪虽不好受，你也没有什么好受的，我虽然永远不会爱上你，但却也恨你入骨，也是恨不得将你碎尸万段。”

她一面骂，一面站起身来，脚下果然碰着件东西，却是熊猫儿——熊猫儿躺在地上，真是烂醉如“泥”。

王怜花目光转动突然又道：“你准备将这猫儿如何处置？”

朱七七道：“这只醉猫……哼！”

王怜花道：“明日他醒来，必定想到与胜泫同来之事，胜泫说不定已告诉他你也叫沈浪，那么，他必定可猜出要害沈浪的人就是你，所以……”

朱七七又瞪起眼睛，道：“所以怎样？”

王怜花缓缓道：“为了永绝后患，便应该让他永远莫要醒来才好。”

朱七七突然大喝道：“放屁，你这坏种，竟想假我的手，将跟你作对的人全都杀死，你……你这简直是在做梦。”

王怜花叹道：“你不杀他，总要后悔的。”

朱七七道：“他来时已醉得差不多了，此刻我将他抬出去，随便往哪里一抛，明日他醒来时，又怎会记得今日之事？”

王怜花苦笑道：“你要这么做，我又有什么法子？”

朱七七冷笑道：“你自然没法子。”

俯身搀起熊猫儿，熊猫儿却又向地上滑了下去。

朱七七恨恨道：“死猫，醉猫。”

嘴里骂着，手里却掏出了丝帕，擦了擦熊猫儿嘴角流出的口水，然后用力抱起了他，走向门外。

但走了两步，突又回身，向王怜花冷笑道：“你莫想动糊涂心思，好好睡吧。”伸出手，点了王怜花两处穴道。

长街上，灯火已疏，人迹已稀少。但黄昏的街灯下，不时还有些三五醉汉，勾肩搭背，踉跄而过，有的说着醉话，有的唱着歌。他们说的是什么，唱的是什么，可没有人听得出。

朱七七抱着熊猫儿，走出客栈。

她瞧着街上的醉汉，再瞧瞧手上的醉汉，不禁轻叹道："男人真是奇怪，为什么老是要将自己灌得跟瘟猪似的……这不是自己跟自己找罪受么。"

其实，男人也总是奇怪着："为什么酒中的真趣，女子总是不知道？"

朱七七抱着熊猫儿，往阴暗的角落里走，她虽想将熊猫儿随地一抛，却又怕熊猫儿吃了苦，着了凉。

突然间，三匹马从长街那头，飞驰而来。

朱七七本未留意，但静夜中长街驰马，无论如何，总不是件寻常的事，她不由得抬头去瞧了一眼。

她不瞧还罢，这一瞧之下，却又呆住了。

第一匹马上坐的人，神采焕发，衣衫合体，嘴上微蓄短髭，正是那不肯随意打架的酒楼主人。

第二匹马上，却赫然正是沈浪。

朱七七呆在那里——三匹马从她面前驰过，驰入黑暗中，走得不见，她还是连动都没有动一下。

三匹马上的人，也似都有着急事，一个个俱是面色凝重，急于赶路，也都没有瞧她一眼。

朱七七呆了半晌，方自喃喃道："奇怪，奇怪，他怎会和沈浪认识的，又怎会和沈浪在一起？"

"哦，是了，他想必是听酒楼中人说有个沈浪来了，而我和沈浪在一起的事，江湖中必定也已久有传闻。所以他就将沈浪找出，探询我的消息。"

这些事，朱七七倒还都猜得不错。

"但是，他究竟和沈浪谈了些什么？两个人如此匆匆赶路，又是为了什么？他们究竟是要到哪里去呢？"

这些事，朱七七可猜不透了。

她跺足低语道：“这死鬼，为什么要将沈浪拉走？明日丐帮大会时，沈浪若是赶不回来，我心机岂非白费了？”

想到这些，她再也顾不得熊猫儿是不是会受罪，是不是会着凉了，她将熊猫儿往屋檐下一摆，道：“对不起你了，谁叫你爱管闲事，谁叫你爱喝酒。”

她走了两步，又回头，脱下身上一件长衫，盖在熊猫儿身上，然后，她便匆匆地赶回客栈去了。

朱七七走了还不到片刻，突见四条黑衣大汉，自对街屋檐下的暗影中闪了出来，两人奔向客栈。

另有两人，却直奔熊猫儿而来。

这两人俱是神情剽悍，步履矫健。

两人走到熊猫儿面前，瞧了两眼，其中一人踢了熊猫儿一脚，熊猫儿呻吟着翻了个身，又不动了。

那人冷笑道：“这醉猫，何必咱们费手脚。”

另一人笑道：“头儿吩咐的，只要跟那嫩羊在一起的人，咱们就得特别费心照顾，头儿的吩咐，想必总有道理。”

那人道：“不如把他抛到河里喂王八去算了。”

另一人道：“那也不行，头儿吩咐的，要留活口。”

那人叹道：“好吧，咱们抬他回去吧。”

这两人口中的“头儿”是谁？

为什么这“头儿”要吩咐特别留意朱七七？

这其中又有何阴谋？

这些，可没有人猜得到了。

只见两条大汉迅速地抬起熊猫儿，立刻大步向长街那头走过去，但这时却正好有几条醉汉自那边高歌而来。

这几条醉汉脚步虽已踉跄，但看来还醉得不十分厉害，只因他们高歌，别人还大致可听得清。

他们大声唱着：“江湖第一游侠儿……就是咱们大哥熊猫儿……”

其中一人突然顿住歌声，笑道："你瞧，那边有个家伙可比咱个醉得还厉害，竟要人抬着走。"

另一人笑道："你可也差不多了……"

一群人嘻嘻哈哈，打打闹闹。

那两个抬着熊猫儿的大汉，想见也不愿惹事，走得远远的——一人走在街右，一人走在街左。

两边人很快就错过了，交错走了过去。

但醉汉中却突然又有一人道："不对……不对。"

另一人道："什么事不对？"

那人道："我瞧那人，怎地有点像大哥？"

另一人道："莫非是你眼花了吧。"

那人笑道："嗯……我好像是有些眼花了。"

但却又有一人道："咱们好歹过去瞧个清楚怎样？"

一群人喝了酒，兴致正高，这时无论是谁，无论提议做什么，别人都不会反对的，大家齐声道："好。"

于是一群人回身奔过去。

那两条大汉瞧见有人追来，虽不知是干什么，心里多少总有些发慌，两人打了个招呼，拔脚就跑。

他们一跑，醉汉们也就跑开了。

一群人纷纷大喝道："站住……不准跑。"

他们愈呼喝，那两条大汉跑得愈快，但这两人手里抬着熊猫儿这样铁一般的汉子，究竟跑不快。

还没到街尽头，醉汉们已追着他们，将他们团团围住。

两个大汉鼓起勇气，喝道："朋友们，干什么挡路？"

但这时醉汉们已认出了熊猫儿，纷纷喝道："呀，果然是大哥。"

"小子们，抬咱们大哥往哪儿走？"

"赶快将大哥放下来。"

喝声中，七八只拳头已向那两个大汉招呼了过去。

两个大汉手高抬着人，也还不得手——等他们放下熊猫儿时，身子早已被打了十几拳了。

这些醉汉们武功虽不高，但拳头却不轻，再加上几分酒力，那碗大的拳头擂在人身上，可真够人受的。

两个大汉武功也不高，挨了这几拳，骨头都快散了，哪里还能还手，只有抱头鼠窜而逃。

醉汉们吆喝着，还想追。

哪知熊猫儿竟突然翻身坐了起来。

醉汉们瞧见了，又惊又喜，围将过来，笑道："大哥原来没有醉。"

熊猫儿也不说话，霍然站起，举起手，只听"噼噼啪啪"一连串响，每条醉汉脸上都被他掴了个耳光子。

醉汉们被打得愣了，捂住脸，道："大……大哥为什么打人？"

熊猫儿恨声道："哼，一个耳光还不够，依我脾气，还要再打。"

醉汉们哭丧着脸道："咱们做错了什么？"

熊猫儿道："你们可知道我为什么装醉？"

醉汉们一齐摇头道："不知道。"

熊猫儿道："我装醉，只因我正要瞧瞧那两个兔崽子是什么变的，瞧瞧他们的窝在哪里？谁知却被你们这些混球坏了大事。"

醉汉们捂着脸，垂下头，哪里还敢说话。

熊猫儿道："我打你们，打得可冤么？"

醉汉们齐声道："不冤不冤，大哥还该再打。"

熊猫儿道："好。"

他手又一动，但却非打人，而是自怀中摸出好几锭银子，往这些醉汉每人手里都塞了一锭。

醉汉们道："大哥这……这又是做什么？"

熊猫儿道："你们虽该打，但瞧见我有难，就不要命地来救，可还是我的好兄弟，我也该请你们喝酒。"

醉汉们拍掌大笑道："大哥还是大哥，有这样的大哥，莫说挨两下打，就是挨三刀，六个洞，可也不算冤枉。"

大家围着熊猫儿，哪知熊猫儿却又软软的往下倒。

醉汉们又大惊失色，道："大哥莫非受了伤么？"

熊猫儿道："胡说，谁伤得了我，我只是……唉，我的脑袋没有醉，身子却真的有些醉了，手脚都软软的没个鸟力气。”

醉汉们又拍掌笑道：“看来咱们的大哥虽强，可是这酒，却比大哥更强。”

一群人又拍掌高歌：“熊猫儿虽然是铁哟，烧刀子却是钢！熊猫儿虽然是天不怕，地也不怕哟，可就怕遇见大酒缸……”

熊猫儿站了起来，笑道：“莫要唱了，我说你们，可瞧见沈浪沈相公了么？”

醉汉们道：“沈相公……沈相公方才还在找大哥。”

熊猫儿道：“现在呢？”

醉汉们道：“现在……哦，现在沈相公已和那酒楼的主人，骑着马走了。”

熊猫儿失色道：“骑着马走了……呀，糟了，糟了，这下子可糟了……你们可知道他为什么要走，又是到哪里去了？”

醉汉们你望着我，我望着你。

终于一人道：“好像是要去找两个人。”

熊猫儿急急追问道：“找谁？”

那人道：“找谁……我就不知道了，但我却瞧见，他们三匹马，是往那边出镇的。”

熊猫儿顿足道：“该死该死，方才那马蹄声，想必就是他们……”

要知他虽能听见马蹄声，但朱七七口中喃喃低语，他却是听不见的——他自然是多少有些醉了，只是醉得没有朱七七想象中那么厉害而已。

那醉汉道：“不错，他们的马，还走了没多久。”

熊猫儿道：“咱们此刻去追，只怕还追得着……兄弟们，快替我找匹马来……快，不管你们是偷是抢都可以。”

朱七七匆匆走进客栈——这几天，客栈的大门，是长夜开着的，掌柜的过来赔笑，店小二过来招呼。

但朱七七全没瞧见，也没听见。她垂头走了进去，心里一直在嘀咕。

突然间，身后有人大呼道：“前面的相公请留步。”

朱七七一惊，回首，只见两条黑衣大汉，大步赶了过来，两人脸上却赔着笑，看来并无恶意。

但朱七七却瞪起眼，道："我不认得你们，你们叫我干什么？"

黑衣大汉赔笑道："小人们虽不认得公子，但我家主人却认得公子。"

朱七七道："哦……"

那大汉道："我家主人，有件事……咳咳，有件事想找公子。"

朱七七道："什么事？"

那大汉赔笑道："没什么，没什么，只不过……只不过想请公子去……去喝两杯。"他人虽长得魁伟剽悍，但说起话来，却吞吞吐吐，奇慢无比。

朱七七皱眉道："喝酒，深更半夜找我去喝酒？哼，我看你家主人必定……"突然想起自己已经易容，世上已没有人认得自己了，不禁厉叱道："你家主人是谁？"

那大汉笑道："我家主人就是欧阳……"

朱七七叱道："我不认得姓欧阳的……"

那大汉道："但……但我家主人却说认得李公子，所以才叫小人前来……"

朱七七怒道："你瞎了眼么？谁是李公子。"

那大汉上下瞧了她几眼，又瞧了瞧他伙计，讷讷道："咱们莫非是认错了。"

朱七七大怒道："混账……以后认人，认清楚些，知道吗？"

两条大汉一齐躬身道："是，是，对不起……"

朱七七虽然满肚怒气，但也不能将这两人怎样，只得"哼"了一声，转身而行，嘴里还是忍不住骂道："长得这么大，却连认人也认不清，真是瞎了眼睛……"

她喃喃地骂着，走入长廊。

只见几个妇人女子，蓬头散发，抬着软榻，哭哭啼啼走了出来，榻上蒙着张白被单，里面像是有个死人。

妇人们一个个都低着头，哭得甚是伤心。

朱七七皱眉暗道："真倒霉，好的撞不着，又撞着死人。"

但她也只有避开身子，让路给她们过去。

妇人们一把眼泪，一把鼻涕，走过朱七七身旁，有个老婆子手一甩，竟把一把鼻涕甩在朱七七身上。

朱七七更气得要死，但瞧见人家如此伤心，她又怎能发作，只有大步冲过去，冲向自己的房间。

幸好，房间里一无变故，王怜花还躺在那里。

王怜花被朱七七点了睡穴，此刻睡得正熟。

朱七七一掌拍开了他的穴道。

她满腹怒气待要发作，这一掌拍得可真不轻。

王怜花“哎哟”一声，醒了过来。

朱七七道：“你倒睡得舒服，我却在外门倒了一大堆穷霉。”

她也不想想别人可不愿意睡的，也没有人叫她出去——漂亮的女孩子若是不讲理，别人可真是没法子。

而此时此刻的王怜花，却更是没有法子。

他被朱七七如此折磨，伤势非但没有减轻，反似更重了，目光更是黯淡，几乎连呻吟都无力气。

朱七七道：“你可知道沈浪方才竟走了？”

王怜花叹道：“我……我怎会……知道……”

朱七七道：“我只担心，他明日若不回来，我心机岂非白费。”

王怜花道：“不会的……如此盛会，他……他怎会不来？”

朱七七想了想，展颜道：“不错……你这一辈子，就算这句话最中我意……好，瞧你眼睛都睁不开的模样，我就让你睡吧。”

王怜花道：“多谢。”又叹了口气，道：“连睡觉都要求人恩典，向人谢谢，你说可怜不可怜……”

朱七七也不禁笑了，于是不再折磨他，在墙角一张短榻上倒下，不知不觉，也迷迷糊糊地睡着了。

朱七七也的确累了，这一睡，睡得可真舒服。

但她醒来时，王怜花却还在睡，她皱了皱眉，又不禁笑了笑，下床，穿鞋，拢头，揉眼睛，伸了个懒腰，然后，推开门。

突然，一个人自门外撞了进来。

朱七七一惊，但惊叱之声还未出口，她已瞧清了这个撞进来的人，便是那在王怜花眼中不值一文的胜泫。

胜泫也站稳了身子。

他眼睛红红的，神情憔悴，一副睡眠不足的模样。

朱七七知道昨夜这一夜必定够他受的——世家的公子哥儿，几时吃过这样的苦，她不禁笑道：“你可是在门外睡着了么？”

胜泫红着脸道：“我方才来时，听得里面鼻息，知道两位在沉睡，我不敢打扰……”他偷偷瞧了那边的王怜花一眼，讷讷接道：“所以我就等在门外，哪知……哪知却倚在门上睡着了。”

说完这句话，他又瞧了王怜花好几眼，也瞧了朱七七好几眼，目中的神色，显然有些奇怪。

朱七七笑道：“我这位侄女染得有病，夜半需人照顾，出门在外，又未曾带得使女，我只得从权睡在这里，也好照顾她。”

胜泫被人瞧破心意，脸更红了，垂首道：“是是。”

朱七七道：“我吩咐的事，你做了么？”

胜泫这才抬起头，道：“都已做了，我……小侄昨夜，在一夜之间，将那一个沈浪的作恶之事，说给了五十七个人听……那沈浪绝对还不知道。”

朱七七道：“好，那些人听了，反应如何？”

胜泫道：“丐帮弟子听了，自是怒愤填膺，有些人甚至痛哭流涕，有些人立刻就要去找那个沈浪报仇，还是小侄劝他们稍微忍耐些。”

朱七七道：“别人又如何？”

胜泫道：“别的人听了，也是怒形于色……总之，那个沈浪今日只要在丐帮会上出现，他是万万无法再整个人走出来了。”

朱七七恨声道：“好……好好，我就要看他那时的模样……我当真已有些等不及了，如今已是什么时刻？”

胜泫沉吟道：“还早得很，只怕还未到……”

却见个店伙探头进来，赔笑道：“客官可要用饭？”

朱七七道：“用饭？是早饭还是午饭？”

店伙赔笑道：“午时已快过了，小的已来过好几次，只是一直不敢惊动。”

朱七七道：“呀，原来午时都已将过，快了，快了！”

想到沈浪立刻就要祸事临头，她忍不住要笑了出来——但不知怎地，却又偏偏笑不出来。

她咬了咬牙，道："好，摆饭上来吧。"

店伙一走，她喃喃又道："吃过了饭，咱们就得出去，胜泫，你可得多吃些，吃饱了，才有力气，才能杀人。"

胜泫叹道："可惜只怕小侄还未出手，那个沈浪已被人碎尸万段了。"

第二十三章

真相大白

饭摆上来，那两个婆子也跟着来了，为的自然是服侍王怜花用饭，王怜花吃一口，叹口气，简直食难下咽。

胜泫也是吃一口，叹口气，还不时停下筷子，望着屋顶发呆，又不时偷偷去瞧王怜花一眼。

朱七七却是狼吞虎咽，似乎吃得津津有味，其实，唉！天知道，无论什么好东西，吃到她嘴里，却像是嚼木头似的。

沈浪就要被人“碎尸万段”了，而且是她一手造成的。

她想：“我真了不起，只有我了不起，沈浪又算得什么？他还不是一样要栽在我手里，我岂非该庆祝庆祝自己？”

于是她夹了一大块糖醋鱼。怎么是苦的？苦得令人流泪。

她突然“啪”地放下筷子，大声道：“沈浪呀沈浪，我既得不到你，我就要你死……我既得不到你，我也不要任何一个别的人得到你。”

胜泫怔了怔，道：“你……你说什么？”

朱七七道：“什么……没有什么，快吃饭，少说话。”

胜泫道：“小侄已吃饱了。”

朱七七道：“看你倒像个汉子，怎地吃饭却像个大姑娘似的……哼，饭都吃不下两碗，还像什么男子汉。”

胜泫脸一红，垂首道：“小……小侄……还可以吃。”

赶紧满满地盛了一碗饭，大口大口地往嘴里扒，连菜都顾不得吃了——这饭吃下肚，委实不是滋味。

朱七七道：“既吃不下，还往里面塞什么，难道是填鸭子不成……哼！你以为饭吃得多，就是男子汉了么？”

胜泫张口结舌，讷讷道："但……但这是你……你要我……"

他自然不知道朱七七肚子里一有气，就喜欢出在别人身上的脾气，当真被整得哭笑不得，也不知该说什么。

这顿饭吃得真是艰苦之至，但总算吃完了。

胜泫喘了口气，不住悄悄抹汗。

朱七七又开始在屋子里踱来踱去，神情更是焦躁，胜泫哪里还敢去招惹她，闷声不响，远远坐着发呆。

王怜花却又睡下了——蒙着头而睡，他显然不愿被胜泫这样瞧——一个男人被另一个男人这样瞧，真是受不了。

时间，就在这种难堪的情况下溜过，莫说朱七七，就连胜泫也觉此一个时辰过得比平时一年还慢。

朱七七推开窗子，关起窗子，已有十几次了。

她第十三次开起窗子，终于忍不住道："时候到了么？"

胜泫道："大概差不多了。"

朱七七道："那地方你可知道？"

胜泫道："昨夜去过一次。"

朱七七道："好，叫那婆子进来，咱们走。"

胜泫怔了怔，望着床上的王怜花，道："她……去得么？"

朱七七瞪眼道："为何去不得？"

胜泫低下头，讷讷道："小……小侄只怕有些不便。"

朱七七道："有何不便？"

胜泫道："那里人太多，又太杂，万一有人伤着她……"

朱七七道："哼，他还没嫁给你，还是我家的人，我都不担心，你担心什么……有我在这里，谁伤得了他？"

胜泫脸又红得跟红布似的，垂首道："是……是……"

赶紧跑出去，将那两个大脚婆子唤了进去——他发誓，以后无论"这位叔叔"说什么，自己绝不回嘴了。

街上，自然要比昨夜更热闹。

每隔十几步，屋檐下就有个乞丐打扮的汉子站着，背后大多背着三四只麻袋，显见是丐帮的执事弟子。

他们有的抱着胳膊，斜倚在人家门口，有的就蹲在路旁边，别人不去找他们说话，他们也不找别人。

这是丐帮的规矩。

他们虽是为了接待武林朋友而来，但在大街上，除了要钱、讨饭外，他们是绝不许和别人说话的。

自然也有些武林中人去找他们打听、问路，他们就朝东边一指——丐帮大会，显然是在东郊外。

朱七七要胜泫带路，所以胜泫走在前面，中间是两个婆子搭着王怜花，朱七七便紧跟在王怜花的软兜后。

街上的人，瞧见他们，都不免要多瞧几眼，但瞧见朱七七瞪着大眼睛，满脸想找麻烦的神气，大家又不禁赶紧转过头去。

走出了闹区，丐帮弟子更多了。

这时，丐帮弟子中有些人瞧见胜泫，才含笑招呼。

但他们的笑容却都有些勉强，目光中都有些悲戚之色，装出来的笑容，掩饰不了他们重重的心事。

朱七七瞧见他们的神色，便知道那左公龙绝对还没有现身，她眼珠子一转，赶到胜泫身旁悄声道："少时到了那里，你最好莫要和我们坐在一起。"

胜泫道："为……为什么？"

朱七七瞪眼道："只因为我叫你这样。"

胜泫叹了口气，道："是！"

朱七七道："但你也莫要坐得太远……"目光一转，突然失声道："熊猫儿在那里。"

胜泫也瞧见他在远处人丛中闪了闪，赶紧道："我去招呼他。"

朱七七厉声道："这种酒鬼，你招呼他则甚。"

胜泫只得又垂首道："是！"

只见两个丐帮弟子远远地走过来，左面一人，形状猥琐，满脸都是麻子，但背后却背着六只麻袋。

右面一人，年纪不大，矮矮胖胖的身材，圆圆的脸，脸上笑嘻嘻的，看来有些傻头傻脑，但背后也是六只麻袋。

六袋弟子，丐帮中已不多。

朱七七悄声道：“这两人你认得？”

胜泫道：“认得，这两人都是昔年熊帮主的嫡传弟子，据说他们在丐帮中的名头都不小，仅在‘丐帮三老’之下。”

朱七七道：“叫什么名字？”

胜泫悄声道：“左面的叫‘遍地洒金钱’钱公泰，右面的叫……叫什么‘笑脸小福神’，姓高，名小虫。”

朱七七不禁笑道：“小虫？这名字倒真奇怪。”

这时，两人已迎面走来。

钱公泰躬身道：“昨夜多谢胜公子传讯……”

瞧了朱七七一眼，改口道：“这位是……”

胜泫还未说话，朱七七已抢着道：“我是他表叔。”

钱公泰诧声道：“哦……”

忍不住上上下下瞧了朱七七几眼。

朱七七道：“你瞧我太年轻，不像是么？”

钱公泰躬身笑道：“哪里哪里。”

朱七七道：“你们是来带路的么？”

钱公泰道：“这……正是。”

朱七七道：“好，走吧。”

钱公泰只得再次躬身道：“请。”

他们本是来找胜泫的，但胜泫却连一句话也没说。

胜泫只有苦笑。

那丐帮大会之地，本来好像是一大片稻田，此刻隆冬时分，秋收早过，田上唯有稻草和积雪而已。

北方乡村多产毛竹，丐帮弟子，便用碗口般粗细的毛竹子，在这片稻田上，搭起了一圈四方竹棚。

他们显见是匆忙行事，竹棚自然搭得简陋得很，竹棚里摆的也只是些长条凳子，粗木板桌。

但此时坐在竹棚里的，却大多是衣着华丽，神情昂扬的人，这景象瞧起来，多少有些不显眼。

四面竹棚外，尽是丐帮弟子，有的在来回闲荡着，有的在闭着眼晒太阳，有的就在这冬日阳光下捉虱子。

这些人模样看来虽悠闲，其实一个个却都是面色沉重，两百多人在一起，竟极少有人说话的。

本非要带路的钱公泰，被朱七七两句话一说，只得带路来了，那高小虫却什么话也不说，只是傻笑。

钱公泰将朱七七一行人带到北面的竹棚坐下——北面自然是上棚，这时棚里坐的人还不多。

朱七七什么人也不瞧，大摇大摆地坐下。

钱公泰赶紧抱拳道："三位就请在此待茶，在下还要去外面招呼招呼。"他也觉得这位"表叔"难缠得很，赶紧就想溜了。

朱七七却道："且慢。"

钱公泰道："阁下还有何吩咐？"

朱七七道："你们既在吃饭的时候请人来，怎地却只请别人喝茶？"

钱公泰神情已有些哭笑不得，道："有的有的，只是粗菜淡酒，还得请包涵则个。"

朱七七道："嗯，那倒罢了。"

胜泫赶紧赔笑道："钱兄若有事，就请去吧。"

一直傻笑的高小虫突然道："我没事，我在这里陪着。"钱公泰瞧了他一眼，苦笑了笑，匆匆去了。

朱七七道："好，你既在此陪着，先倒茶来。"

高小虫果然笑嘻嘻倒了三碗茶，道："请。"

这竹棚里坐着的十几个人，目光早已悄悄往这边瞧了过来，有些人已窃窃议论，显然是在暗中猜测。

"这横小子究竟是谁？"

朱七七的眼睛，也老实不客气地往这些人一个个瞧了过去，只见这些人年纪都已在四十开外，衣衫质料，俱都十分华贵，神情也俱都十分持重，显然都是在江湖中有些身份的角色。

但这些人她却一个也不认得。

熊猫儿在竹棚外转了好几圈，瞧见朱七七与胜泫等人，眼睛一亮，人却悄悄退走，喃喃道：“好，这小子来了……但沈浪呢……”

他追了一夜，也没追着沈浪。

这时人已愈来愈多。

熊猫儿又转了个圈子，喃喃道：“我真是个笨蛋，何苦在这里等，到镇上去拦他，不是更好。”

他是想到什么做什么的脾气，心念一转，立刻回头就走，一路上东张西望，还是没瞧见沈浪。

等他回到街上时，街上人已少了，别人都已去到会场，只有那些丐帮弟子，还在屋檐下。

熊猫儿就在街口转角处停下了，喃喃道：“沈浪若是回来，必定会经过这里。”

他也抱着胳膊斜倚在别人门口，等了半晌，突见一个人拿了十枚铜钱出来，塞在他手里。

熊猫儿奇道：“这……这……”

那人笑道：“烦大哥到别处站着吧，小店还要做生意。”

熊猫儿先是一怔，又觉好笑，心里暗道：“原来别人也将我当乞丐了。”

瞧了瞧自己身上，那打扮果然也和乞丐差不了许多，他不禁大笑起来，将铜钱拿在手里，道：“多谢多谢。”

走到街对面一个小酒摊子，道：“打十文钱烧酒。”

给钱的那人摇头叹气道：“真是要饭的胚子，一有了钱，就喝酒。”

熊猫儿是何等耳力，这些话他自然听到了，心里更是好笑，酒来了，他一饮而尽，突然掏出锭大银子，往摊子上一抛道：“再来三碗。”

给钱的那人瞧得眼睛都直了，怔了半晌，摇着头，叹着气走了回去，口中犹自喃喃道：“这年头，怪人怪事可真不少。”

熊猫儿喝下第四碗酒，街上人更少了。

突见一个丐帮弟子走来，在街口拍了拍巴掌，那些站在街口的丐帮弟子，便都随他走向郊外。

但沈浪还是没有来。

熊猫儿更着急了，喃喃道："难道他不回来了么……不会的呀，丐帮之会，他怎能错过……但他明明知道会期，却又为何要走？是为的什么急事？"

这时街上再也瞧不见有武林朋友的影子，两旁的店家，本都有些愁眉苦脸，此刻却都有了笑容。

此刻愁眉苦脸的，已是熊猫儿了。

他又喝了碗酒，衣襟敞得更开，喃喃道："他若不回来，我又当如何是好？"

朱七七不认得别人，眼睛就盯着那高小虫。

若是换了别人，被她如此盯着瞧，必定早已坐立不安，但这高小虫却仍然若无其事，仍然不住傻笑。

朱七七忍不住道："瞧你整日在笑，你心里是不是开心得很？"

高小虫点头笑道："是。"

朱七七道："你有什么开心的？"

高小虫道："开心的事多啦……你瞧，太阳如此暖和，雪地如此好看，客人来了这么多……这岂非都令人开心。"

朱七七道："下雨时你也开心么？"

高小虫道："嗯。"

朱七七道："下雨时你又有何开心？"

高小虫笑嘻嘻道："若没有下雨的时候，怎知道出太阳的快活……何况，雨水还可滋润草木、稻麦，也可替人洗一洗屋顶上的积尘……"

朱七七道："你有没有不开心的时候？"

高小虫道："没有……天下到处是令人开心的事，我为何要不开心。"

朱七七道："一年三百六十五天你都开心？"

高小虫道："嗯。"

朱七七呆呆地瞧了他半晌，失笑道："你倒真是个怪人。"

她想，自己遇着的怪人，可真不少了，沈浪、熊猫儿、金无望，甚至胜泫，这些人哪一个不怪？

但幸好，凡是怪人，倒都是蛮可爱的。

突见竹棚中已有人站了起来，道："乔大侠来了。"

她眼睛一转，果然瞧见乔五和花四姑。

乔五四下抱了抱拳，昂然而入——他脸上难得有笑容，也不肯和人应酬，但奇怪的是，他人缘却不错。

四下竹棚中，都有人站起来向他含笑抱拳招呼。

朱七七道："奇怪，架子这么大的人，也会有人缘。"

高小虫笑道："只要不做坏事，只要良心好，所作所为，俱是行侠仗义之事，架子虽大些，别人还是喜欢他的。"

朱七七道："你知道的事倒不少。"

高小虫笑嘻嘻道："不多不多……"

突听竹棚外传来"笃、笃、笃"三声木梆响。

高小虫笑道："师兄传令集合，我也得走了。"

朱七七拧首望去，只见散布在四面的丐帮弟子，此刻果然已聚在一起，排成了整齐的队伍。

竟是那钱公泰与高小虫带领着队伍，走入竹棚间的空地，两百多个丐帮弟子，齐地躬身道："多谢赏光。"

然后，便一起在这积雪的稻草上坐了下来。

朱七七着急了，喃喃道："大会已开始，沈浪怎地还不来？"

熊猫儿喝下第十一碗酒了，若不是马蹄声传来，他也会喝下第十二碗、十三碗，甚至第二十八碗。

沈浪不回来，他只有借酒浇愁。

但此刻已有马蹄声传来。

熊猫儿抛下酒碗，狂奔着迎了上去。

三匹马奔来，果然是沈浪和那酒楼主人——还有匹马上坐的却是曾经挨了熊猫儿一拳的大汉。

三匹马后，还跟着辆大车。

熊猫儿张开双臂，迎了过去，大呼道："沈浪……沈兄，你再不回来，我可要急疯了。"

沈浪勒缰下马，却道："你们可认得么？"

那大汉苦着脸不说话。

酒楼主人笑道："若非在下还算聪明，昨夜也挨了这位兄台的老拳了。"

熊猫儿大笑道："小弟这厢赔罪，但沈浪却要借给小弟去说两句私语。"一把拉住沈浪，远远拉到街那一头。

沈浪笑道："什么事如此秘密？"

熊猫儿道："昨夜你可知我到哪里去了？"

沈浪笑道："你这猫儿喝了几杯酒后，有谁找得到你？"

熊猫儿却正色道："昨夜我可听见了件惊人之事。"

沈浪从未见到熊猫儿如此正经地说话，也不禁动容道："什么事？"

熊猫儿道："那姓胜的公子哥儿，喝了两杯酒后，硬要拉着我去替他做媒，我只得和他一起去到那老平安店……"

当下将昨夜眼见之事，听见的话，俱都说了出来。

沈浪变色道："那些话你全都听清了么？"

熊猫儿道："他们当我已烂醉如泥，是以说话全不避我，哪知我酒醉人清醒，听到他们说了几句话后，才装成烂醉如泥的模样的。"

沈浪沉吟道："想来那人便是胜泫所说假冒的沈浪了。"

熊猫儿道："不错。"

沈浪道："以你看来，此人可能是谁？"

熊猫儿道："听此人说话的口气……唉……"

两人对望了一眼，俱都叹了口气，彼此都又知道对方心里想着的是谁了，沈浪更不禁连连长叹道："她怎会如此……她为何要如此？"

熊猫儿道："但你想她真会是朱七七么？"

沈浪道："算来已有九成是她，别人不会如此说话的。"

熊猫儿道："但……听来虽像，瞧来却一点儿也不像。"

沈浪道："那时你已醉眼昏花，怎瞧得清？"

熊猫儿摇头道："不是……我进去时还不算太迟，那人的确已有八成不像朱七七……奇怪的是听来她又非是朱七七不可，这岂非活见鬼么！"

沈浪沉吟道："她必已经过巧妙的易容。"

熊猫儿道："但她不会易容呀，除非……"

沈浪道："除非王怜花。"

熊猫儿变色道："你想……你想王怜花会替她易容么？"

沈浪一字字沉声道："我想那女子就是王怜花。"

熊猫儿骇了一跳，道："不可能……不可能……"但瞬又跌足道："见鬼见鬼，真的可能就是他……他将朱七七易容成男子，自己却改扮成女子，但……但……但他这样做，岂非更是活见鬼么？"

沈浪道："他必定被朱七七逼的。"

熊猫儿动容道："朱七七能强迫他？"

沈浪道："朱七七想必抓住个不寻常的机会，将王怜花制住了……她吃足了这样的苦，此刻便想以其人之道，还治其人之身。"

熊猫儿道："不错不错，一点儿也不错，朱七七制住了王怜花，王怜花为她易容，她……她有些恨你，于是便想报复报复。"

沈浪叹道："正是如此，她素来任性得很，若说世上有个人什么事都做得出来，此人便必定就是朱七七。"

熊猫儿长叹道："此事唯有如此解释才合理……唉，什么复杂的事，一到你手里，就变得简单了，什么事都瞒不过你。"

沈浪沉吟道："自昨夜到此刻你可曾有何动作？"

熊猫儿苦笑道："你的好处，我别的虽没学会，但却终于学会沉住气了……我什么事都等你回来后再说。"

沈浪道："好。"语声微顿，又道："你想此事要如何处置？"

熊猫儿缓缓便道："我想……最好先找着那左公龙，然后，逼他说出事情的始末……嘿，我有法子让他说出实话来。"

沈浪默然半晌，道："你可知昨夜我到哪里去了？"

熊猫儿笑道："天知道。"

沈浪一字字道："我找左公龙去了。"

熊猫儿跳了起来，道："真的么？"

沈浪瞧了那酒楼主人一眼，道："他带我去的。"

熊猫儿惊喜交集，道："你找到了么？"

沈浪道："找到了。"

熊猫儿一跳八尺高，大喜道："他此刻在哪里？"

沈浪又自默然半晌，道："随我来。"转身向那还停着的马车走了过去。

熊猫儿更是欢喜，喃喃道：“这就方便了，原来这厮就在马车里……”

沈浪已缓缓推开车门——

左公龙果然在马车里。

太阳将落，天色已暗了下来。

暗淡的天光斜斜照进马车，照在左公龙的身上，只见他面容扭曲，前胸插着柄匕首，直没在胸背里。

熊猫儿身子一震，踉跄后退，道：“死了，他……他已死了。”

沈浪叹道：“不错，我一夜奔波，只找着他的尸身。”

熊猫儿道：“他……他被谁杀死的？”

沈浪道：“我若知道就好了。”

熊猫儿道：“这柄匕首上可有标记？”

沈浪道：“这是左公龙自己的匕首……杀他的人，能拔出他自己的匕首，由他前胸插入，而且看来左公龙并未抵抗，由此可见，他……”

熊猫儿截口道：“他必定是左公龙的熟人，而且是在左公龙完全想不到的时候动手的……但他是谁？他会是谁呢？”

沈浪默然无语。

熊猫儿顿足道：“左公龙一死，事情更麻烦了，丐帮弟子，都已有了先入之见，只要你一露脸，说不定就要拼命。”

沈浪道：“可能……”

熊猫儿道：“你暂时还是莫要去吧，以后……”

沈浪道：“今日我若不去，以后更无法解释。”

熊猫儿道：“但……但你若去了，他们若是……”

沈浪微微一笑，道：“无论如何，先去了再说吧。”

熊猫儿瞧了他半晌，喃喃叹道：“奇怪奇怪，你居然还能笑得出来……”

此时此刻，除了沈浪，天下还有谁能笑得出来。

严冬酷寒，稻草积雪，纵然有人给你十两银子，只怕你也不会坐上去的，但丐帮弟子坐在上面，却似舒服得很。

天色虽尚未暗，已有十余个丐帮一袋弟子，双手高举火把，走了过来，将那松枝火把，扎在竹棚柱上。

朱七七皱眉道："怎地大家都坐着发呆，也不说话……"

话犹未了，"遍地洒金钱"钱公泰已长身而起。

他面上一片凝重之色，满脸的麻子，被火光一映，一粒粒当真有如金钱一般，但看来却不可笑，反而更见庄严。

只见他转转身子，四面一揖，然后沉声道："此次敝帮劳动各位叔伯兄弟的大驾，不远千里而来，敝帮上下千百弟子，俱都感激万分，只是敝帮长者俱都不在，是以只得由弟子代表敝帮向各位深致谢意。"说着再次行礼。

四面竹棚里，群豪纷纷道："好说好说。"

又有人道："丐帮三老被什么事耽误了？怎地还不来？"

钱公泰惨然道："敝帮此次奉请各位前来，除了大选帮主之外，本也为与各位谋一欢会，但是，此刻……此刻……"

他仰天长叹一声，接道："此刻弟子却要向各位报告一件噩耗。"

群豪悚然道："噩耗……什么事？"

钱公泰嘶声道："敝帮三位长老，都已遇害了。"

这句话说出，当真有如巨石投水，四面竹棚立刻全都骚动起来，群豪人人面目变色，纷纷道："此讯当真？"

钱公泰惨然道："弟子也宁愿此讯乃是误传，但……据弟子所知，此事确是千真万确，丝毫不假。"

群豪自然叹息唏嘘——自然除了朱七七之外。

钱公泰黯然道："三位长老既已仙去，敝帮帮主之位，只有暂且虚悬，但弟子还是要请各位大驾留在此地。"

他再次仰天一叹，接道："敝帮虽已不能与各位欢聚痛饮，但却要请各位目睹敝帮弟子手刃杀了三位长老的仇人。"

群豪更是悚然大惊，纷纷道："那是什么人？"

钱公泰厉声道："据弟子所知，此人就会来的，他……"

突然间，竹棚外传来一阵冷笑，道："那人又不是呆子，难道会来送死么？"

钱公泰变色叱道："什么人？"

叱声之中，已有一个人自东面竹棚外走了进来。

火光闪动间，只见此人弯着腰，驼着背，衣衫褴褛，面容猥琐，慢慢吞吞，一摇一摆地走了进来。

朱七七急忙掩住了嘴，只因她差点便惊呼出声："金不换……金不换也来了！"

金不换走到目定口呆的钱公泰身旁，笑嘻嘻道："兄弟'见义勇为'金不换，各位想必听说过。"

群豪有的认得他，有的不认得他，不认得他的听得此人便是当今天下的七大高手之一，又不禁骚动起来。

"雄狮"乔五却皱眉道："这厌物，他来则甚？"

花四姑轻轻笑道："咱们等着瞧就是。"

这时，竹棚外，在暗中，已有三条人影来了。

钱公泰是认得金不换的，他虽在暗中皱眉，口中却道："金大侠……"

金不换叱道："什么金大侠……别人称我金大侠，你怎能称我金大侠，丐帮中的后辈，怎地愈来愈不懂事了。"

钱公泰只有忍住气，道："前辈来此有何贵干？"

金不换怒道："说你不懂事，你更不懂事了……丐帮中发生如此大事，我老人家怎会不来？你问得岂非多余。"

钱公泰变色道："但前辈你……你并非本帮……"

金不换大怒道："你说什么？你说我老人家并非丐帮门下……嘿，我老人家入丐帮时，你还未曾出世哩。"

竹棚里，花四姑悄悄问道："他真是丐帮弟子么？"

乔五道："这个不错，他昔日确曾入过丐帮，但等到他成名立万后，便从未提起，除了身上穿的还是丐帮服色外，他实已脱离丐帮了。"

花四姑叹道："但此刻他却又以丐帮弟子面目出现，不知可要玩什么花样了。"

乔五冷冷道："有我在这里，他什么花样也莫想玩。"

只见钱公泰已垂手肃立，连声道："是……是……"

原来已有人证实了金不换的话。

金不换道："不知者不罪，我老人家也不怪你。"

高小虫竟然嘻嘻笑道："你老人家这次来，到底是为什么呀？"

金不换道："我老人家要告诉你们，蛇无头不行，本帮数千弟子，怎能一日无帮主，本帮近年日渐衰微，便是因为群龙无首，弟子们便无法无天了。"

高小虫道："你老人家莫非想做帮主么？"

金不换怒喝道："畜生，住口！本帮帮主之位，岂是想做便能做的么，三位长老既已仙去，便该另选一人……"

高小虫笑嘻嘻地道："如何选法呢？"

金不换道："无论任何武林帮派，要选帮主时，不以声名资历，便以武功强弱，你难道连这都不懂么？"

高小虫笑道："如此说来，也不必选了。"

金不换怒喝道："你说什么？"

高小虫道："若论声望资历，是你老人家最高；若论武功，咱们后辈又怎是你老人家的敌手……这还要选什么？"

朱七七暗笑道："这高小虫看来虽傻，其实倒真一点也不傻，金不换脸皮再厚，听见这几句话，只怕也要脸红了吧。"

哪知金不换脸非但不红，反而笑道："好孩子，你说的倒也有理，若是别人也无异议，我老人家也就却之不恭。"独眼四下一瞪，大声道："谁有异议？"

丐帮弟子望着钱公泰，钱公泰怔在那里，高小虫嘻嘻直笑，四面竹棚中的武林群豪又骚动起来。

金不换哈哈大笑道："那我老人家……"

突听一人大喝道："谁当丐帮帮主都可以，就是你金不换当不得。"

金不换怒道："这话是谁说的？"

那语声道："我，乔五！"

三个字说完，"雄狮"乔五那魁伟的身子，已凌空飞掠出来，但听"呼"的一声，火焰闪动。

雄狮乔五已到金不换面前。

金不换脸色早已变了，跺足道：“你……原来你也来了。”

乔五冷笑道：“算你运气欠佳，又遇着我。”

金不换道：“我和你究竟有什么过不去，你……你……你处处都要和我作对。”

乔五厉声道：“天下的为非作歹之徒，都是我乔五的对头，连你这样的见利忘义之辈，若是都能做丐帮帮主，武林中焉有宁日。”

金不换道：“我们丐帮的事，要你管什么？”

乔五大喝道：“我偏要管，你又如何？”

金不换牙齿咬得吱吱作响，却说不出话来。

这时钱公泰已将高小虫拉到一边，悄声埋怨道：“你方才怎能那么说话？”

高小虫笑道：“我早就知道别人不会让他登上帮主宝座的，咱们既不知该如何驳倒他，何必不让别人出头。”

钱公泰叹道：“说来倒是你有理了。”

高小虫嘻嘻一笑，只听乔五已厉声道：“金不换，乔某也并非欺负你，只要丐帮弟子都对你心悦诚服，乔某绝不多事，但你若想以强凌弱，威胁公意，乔某却容不得你。”

金不换连忙道：“本帮弟子自然都对我……”

高小虫突然截口笑道：“若说老人家武功较强，声名较响，咱们都没话说，若说咱们是真心要求你老人家为帮主，那就错了。”

金不换怒道：“你……你……这小子竟敢吃里爬外。”

乔五喝道：“金不换，你废话少说，此刻你若不赶紧远离此地，便快快扬起袖子，来与乔某决一死战。”

金不换果然一卷袖子，大声道：“姓乔的，你只当我老人家怕了你么？”

竹棚中花四姑咯咯笑道：“你本来就是怕他的。”

金不换瞧瞧四下群豪，又瞧瞧乔五，满头大汗涔涔而落，嘶声道：“我……我……”

突然间，东面的竹棚之上，传下了一阵阴恻恻的冷笑声，一个也说不上像什么声音的语声，慢吞吞道：“金不换，你怕什么，丐帮的事，别人本就不能管的。”

这语声非但缓慢，而且像是有气无力，听来就仿佛此人已快死了，就剩下最后一口气似的。

但这阴阳怪气的语声自两丈多高的竹棚上传下来，下面几百个人，却又都觉得他就好像在自己耳旁说话一般。

那笑声更像是有个人在自己耳旁吹着冷气，教人不得不听得汗毛直竖，激灵灵地直打冷战。

每个人都不由自主抬起了头，向上瞧。

只见那黯黝黝的竹棚顶上，不知何时，已多了个人，盘膝坐在那里，眼睛尖的已看出这人是个老头子。

朱七七变色道：“原来是他……这不就是那日在悦宾楼上，一个人喝酒，却用七八只酒杯的小老人么？”

胜泫本已站开一边，此刻也忍不住凑过来，悄声道：“此人姓韩名伶，听说是……”

只听乔五已喝道：“原来是你，谁要你来多管闲事？”

韩伶阴恻恻地笑道：“你若不多管闲事，我老人家也绝不多管闲事。”

金不换抚掌大喜道：“正是正是……”

乔五厉声道：“原来你竟和金不换……”

韩伶冷冷道：“我老人家并不认得他，只是主持公道而已。”

金不换笑道：“正是正是，他老人家根本就不认得我金不换，只是瞧不惯你无事生非，是以出来伸张正义。”

乔五大怒喝道：“你若要管闲事，乔某在此等着你。”

他本可揭破韩伶的身份，也可揭穿韩伶的阴谋。

金不换做了丐帮帮主，江湖上自然多少要乱一乱，这自然于快活王有利，何况像金不换这样的人，快活王若想收买他，也是容易得很。

但乔五却是烈火般的脾气，此刻脾气发作，哪里还管这么多，说是在下面等着，其实人已直掠了上去。

韩伶大笑道：“好，居然有人愿意送死。”

花四姑也大呼道：“五哥，他的腿中剑狠毒得很，你小心了。”

金不换拍掌大笑，群豪轰然而动……

纷乱之中，乔五已掠上竹棚，向韩伶扑了过去。

他雄狮之名，得来委实并非幸致，此刻身形展动处，当真有如狮扑一般，威猛凌厉，锐不可当。

韩伶还是盘膝坐在那里。

乔五的铁拳，如泰山压顶，直击而下。

就在这时，只听韩伶森森一笑，身子突然弹了起来，长衫飘动处，青光一闪，直取乔五咽喉。

乔五错步拧身，“霸王卸甲”。

哪知韩伶腿中剑“鸳鸯双飞”，一剑之后，还有一剑，乔五身子方自拧到左边，第二剑又已到了他咽喉。

这第二剑虽然后发，其实先至——韩伶竟早已算好了乔五的退路，这一剑早已在那里等着!

这是何等辛辣，何等狠毒的剑法。

群豪不禁俱都悚然失色。

花四姑更不禁脱口惊呼道：“五哥……”

乔五方自拧身，旧力已竭，新力未生。

他势已不能再次拧身避开这一剑。

即使他勉强拧身闪动，身子的力量，必定失去平衡，势必要跌倒，那快如闪电般的剑光，怎容他跌倒。

他若俯身，虽可避开这刺向咽喉的一剑，但腿中剑自上而下，就必定会由他背脊上直穿而入。

而韩伶身在空中，他势必也无法以攻为守。

此刻他根本连韩伶的衣角都碰不到。

这是令人避无可避，闪无可闪的剑法。

这是必取人命的剑法。

乔五既不能躲，亦不能攻，岂非只有必死之一途。

花四姑声音撕裂了。

但乔五——好乔五。

他双腿突然一蹬，竹棚立时裂开了个大洞。

他身子便自洞中落了下去——剑，自然落空。

这虽是不成文的招式，但却是死里逃生的绝招。

这一招正是任何武林大师都无法传授的，这只是“雄狮”乔五一生经验与智慧的精粹。

花四姑的惊呼变成了欢呼。

韩伶自也未想自己这一招杀手竟然落空，一怔之下，浊气上升，他身子也不由得自洞中落了下去。

竹棚中群豪四下奔走。

乔五身形落地，猛然一个翻身，倒退两丈。

韩伶却飘飘然落在一张桌子上，又复盘膝而坐。

两人面面相对，目光相对。

韩伶森森笑道：“不想丐帮弟子粗制滥造的竹棚，倒救了你一命。”他说得不错，这竹棚造得若是坚固，乔五此刻已无命了。

乔五沉声道：“不错，若是比武较技，乔五已该认输了，但此刻……”双手一伸一缩，双手中已各自多了件精光闪闪的兵刃。

只见这兵刃长仅九尺，在火把照耀下，莹莹发光，看来有如只无柄的铜叉般，只是叉身却又弯曲如爪。

这正是“雄狮”乔五仗以成名的“青狮爪”。

“雄狮”乔五竟然动了兵刃，群豪心里，都不禁泛起一阵兴奋的热潮，只因眼前已必然有一场更惊人的恶战。

就在这时，乔五已虎吼着扑去。

青光也已电掣而来！

群豪眼中，只见光芒交错，宛如闪电，耳中只听得一连串惊心动魄的“叮当”声响，两人已各各攻出五招。

竟没有人瞧出他们这五招是如何出手的。

韩伶身形凌空，宛如游龙般夭矫盘弄，五招击出后，他身形竟仍未下坠，第六招、第七招又自攻出。

原来他“腿中剑”与“青狮爪”一击之后，他便已喘过一口气来，借力使力，竟然剑剑凌空。

群豪虽然俱都久走江湖，但几曾见过这诡异已到了极处的剑法，人人身不由主，俱都围了过来。

韩伶冷笑道：“可厌……”

“腿中剑”在“青狮爪”上一点，身形突然有如轻烟般直升而上，竟又从那洞中蹿了出去。

乔五但觉眼前一花，已没了韩伶的影子。

但闻韩伶在竹棚上冷冷道：“你敢上来么？”

花四姑着急道：“上去不得，他必定在洞旁等着你……”

语犹未了，乔五双臂一振，已直拔而上。

但他却非自那洞中蹿出去的，竟以那锋利的“青狮爪”，将棚顶又撕下一片，借着这一扯之力，凌空一个翻身，直蹿而出。

群豪自然又齐地奔出竹棚外，仰首瞧上去。

竹棚上青光已化为匹练，盘旋在乔五头顶。

这一战自棚上打到地上，再由地上打到棚顶，打的人因是生死呼吸，间不容发，瞧的人也是惊心动魄，不觉汗流浃背。

乔五“青狮爪一百零七抓”，抓、撕、钩、缠、扯、绞、封……因是武林罕睹的外门功夫，令人难以抵挡。

怎奈韩伶这“腿中剑”，更是武林中闻所未闻、见所未见的功夫，无一招不辛辣，无一招不诡异。

最厉害的是，他一剑跟着一剑，变招之快，简直不可思议，教对方根本无法缓过气来。

数十招激战过后，乔五已是强弩之末。

这时，远处黑暗中，静伏着三条人影。

第一人轻叹道：“好诡异的剑法。”

第二人道：“我想来想去，也不知该如何破解。”

第三人微微笑道：“世上焉有不能破解的武功。”

第一人道：“但……这剑法又该如何破解？”

第三人道：“以退为进，以虚为实。”

第一人默然半晌，道：“呀，不错，若以此方法，这韩伶剑剑落空，便根本寻不着借力换力之处，身子便必定要落下了。”

第二人道：“他身子一落下，纵能再次跃起，但已慢了一步，他剑法本以迅急为主，教人缓不过气来，只要慢一步，那威力便发挥不出了。”

第一人叹道："只可惜乔五想不出这破法……"

第三人笑道："但这却不是唯一的破法。"

第二人道："还有什么破法？"

第三人道："他还有最大的克星。"

第二人道："谁是他的克星？莫非就是沈兄？"

第三人笑道："不是我，是你。"

第二人默然半晌，突也笑道："不错，我的兵刃，的确是他的克星。"

第三人道："所以等一下，你要……如此如此，这般这般。"

第二人道："知道了。"

第一人抚掌笑道："果然妙计……但沈兄又怎能断定，左公龙是被金不换杀的？"

第三人道："左公龙若不是他杀的，他又怎能断定左公龙死了，他若不能断定左公龙死了，又怎会来夺帮主之位？"

这时乔五已是汗透重衣，但他正是宁折毋弯的脾气，此刻虽已是强弩之末，但却仍不肯示弱，招式仍是威猛凌厉之极。

他手中一双"青狮爪"，仍在节节进攻。

韩伶却连连后退——已由东棚退至南棚。

就连花四姑都未瞧出乔五的败象，群豪自然更是连连为乔五喝彩助威，有人更不禁抚掌道："好汉子，好雄狮，你瞧他自始至终，简直没有退过一步……"却不知道"节节进攻"，正是乔五致命的错误。

剑爪相击，不时闪出星星火光，眩人眼目，那一连串叮当不绝的响声，更是摄人魂魄。

突听韩伶咯咯笑道："一招之内，拿命来吧。"

笑声中双剑连环踢出。

乔五"青狮爪"急迎而上。

"叮"的一声，剑爪再次相击，火花四溅。

就在这时，韩伶右掌在腰间一搭、一扬，手中突然多了柄精钢软剑，迎风一抖，急刺而下。

乔五做梦也未想到他腰里还缠着第三柄剑。

这第三柄剑当真是致命的一剑。

乔五双手迎着他两柄腿中剑，这第三柄剑刺下，乔五哪里还能闪避，哪里还有手招架。

群豪骇然再次惊呼……

就在这间不容发的刹那间，突听远处一人叱道：“打。”

“嗤”地，风声破空，直打韩伶后背。

群豪一生中当真从未听过如此强劲的暗器破风声，更未想到世上竟有如此厉害的暗器手法，如此强的手力。

韩伶更是大惊失色，哪里还顾得伤人，但闻风一响，暗器已到了他后背，他全力反手挥剑……

又是“叮”的一响，又是一串火花。

韩伶手腕，竟被这小小一粒暗器震得发麻。

他惊怒之下，大喝道：“暗器伤人的鼠辈，出来。”

黑暗中传来一阵嘹亮的笑声，一人道：“来了。”

笑声起处，人影出现，“来了”两字说完，这人已到了棚顶上，身法的迅急，实是骇人听闻。

韩伶自义已盘膝而坐，黑暗中望去，虽瞧不清此人面目，却瞧见了他敞开的衣襟，蓬乱的头发，大大的眼睛，有如天上的明星一般。

朱七七失声道：“猫儿来了。”

胜泫喃喃道：“不想他竟有这么俊的身法……”

只听熊猫儿笑道：“乔五暂且歇歇，待我这小酒鬼，来对付这老酒鬼。”

乔五默然半晌，仰天长叹一声，顿足道：“好！”

翻身掠下，花四姑已在等着他。

黑暗中，韩伶的眼睛，像是已要爆出火花。

熊猫儿笑道：“又是个多管闲事的来了，你还坐着干什么，动手吧。”

韩伶狠瞪着他，不说话，也不动手。

熊猫儿笑道：“你若是要等我先动手，你可就惨了……你那日在酒楼中，就该知道我是从来不肯先出手的。”

韩伶目中的火已熄，却变得寒冷如冰。

地上的高小虫突然嘻嘻笑道："此人要胜了。"

钱公泰道："你怎能断定？"

高小虫道："我瞧他不肯先出手，就知他要胜了。"

钱公泰道："那也……"

"未必"两字还没说出口，韩伶身子已如箭一般射出，青光一闪，又是直刺熊猫儿的咽喉。

熊猫儿哈哈一笑，退后三步。

韩伶身子凌空一转，右足剑追击而出。

熊猫儿行云流水地又后退三步，手已搭上腰间的酒葫芦。

韩伶两击不中，身子一缩，斜斜向后翻下，但剑尖轻轻一点，身子又复弹起，青光又划出。

此番他用的显然又是"鸳鸯双飞"之式，第一剑刺出时，第二剑的光芒已在衫角下闪动。

熊猫儿大喝道："来得好。"

这一次他不退反进，不避反迎，腰间的酒葫芦，已到了他手中，他右臂一振，酒葫芦迎着剑光挥出。

"叮、叮"两声，"鸳鸯双飞剑"快如闪电，两柄剑都击在这葫芦上。

韩伶待借力变招，哪知这两柄剑竟被这酒葫芦黏住了——这正如两条腿俱已被人抓在手中。

别人兵刃若被黏住，还可撒手，但他这兵刃却是丢不开、放不下的。

韩伶这一惊可真是非同小可，大惊情急之下，右手剑"斜劈华山"，哪知"叮"地，第三柄剑也被黏住。

熊猫儿大笑道："下去吧。"

酒葫芦向下一扯，韩伶整个人眼见就要被人扯了下来，要知他身形凌空，自然无力与熊猫儿相抗。

四下群豪忍不住欢呼起来。

哪知就在这时，韩伶左掌中突然也有寒光一闪，他手中已多了柄银光闪闪的七寸匕首。

匕首斜挥而下，但却非刺向熊猫儿，竟骇然砍向他自己的双腿——那两柄青光耀眼的长剑。

只听又是“叮、叮”两声，银光过处，竟将两柄剑一挥为二——这匕首竟是削铁如泥的神物。

剑一断，韩伶顿时自由，凌空一个翻身，远退三丈，再一闪，人影已没入黑暗中，瞧不见了。

四下群豪俱都怔住，熊猫儿也怔住了。

他怔了半晌，苦笑摇头道：“不想这厮居然还有第四柄剑。”

这第四柄剑，却是救命的剑。

金不换知道大势已去，已想溜了。

但是他一抬脚，熊猫儿已笑嘻嘻站在他面前。

金不换咯咯强笑道：“熊兄好功夫！”

熊猫儿也笑道：“好说好说。”

金不换道：“在下与熊兄，可从来没有什么过不去之处。”

熊猫儿突然仰天大笑道：“金不换，你花言巧语拍我马屁又有什么用？我今日若放过你，沈浪可要替你背黑锅了。”笑声突顿，厉喝道：“丐帮的朋友听着，左公龙左长老，就是被他害的。”

群豪悚然动容，丐帮弟子更是喧然大哗。

金不换变色呼道：“你……你……我与你无冤无仇，你为何要含血喷人？”

熊猫儿道：“我说的话，自然有证据。”

金不换神情突又镇定，冷笑道：“证据……拿来瞧瞧。”

熊猫儿喝道：“你只道你这事做得神不知鬼不觉，世上绝不会有人瞧见，更不会有人拿得出证据来，是么？”

金不换道：“哼哼，哈哈……”

熊猫儿狂笑道：“金不换，你可知道天网恢恢，疏而不漏，你自以为做得神不知鬼不觉，但却偏偏有人……”

金不换冷笑截口道：“若要买个人证，那也容易得很。”

熊猫儿道：“别人虽不能证明，这人却可以的。”

金不换道：“这是什么人，我倒要瞧瞧。”

熊猫儿道："这人就是左公龙自己。"

金不换面色又变了，道："你……你说什么？"

熊猫儿厉声道："你那一刀，并没有杀死他。"

突然向上一指，大喝道："你且瞧瞧那是谁？"

群豪不由自主，全都随着他手指望去。

只见南面竹棚上，缓缓站起一条人影，黑暗中虽瞧不清他面目，但依稀仍可认出他正是左公龙。

群豪大哗，丐帮弟子失声呼道："左长老……"

金不换宛如被巨雷轰顶，惊得怔了半晌，嘶声呼道："假的假的，这是假的，我那一刀明明插入他心……"突然发现自己说漏了嘴，发了疯似的就想逃。

但这时他哪里还逃得了？

丐帮弟子已怒吼着向他扑上来。

金不换大喝一声，蹿上竹棚顶。

哪知左公龙的身子突然倒下，后面却轻烟般掠出一个人来，轻烟般挡住了金不换的去路。

这人正是沈浪。

第二十四章

守株待兔

沈浪还未出手，金不换身子已软了，魂灵已出窍。

沈浪轻轻一挥手，金不换便已从棚顶上滚下。

朱七七瞧见沈浪，身子也已软了，口中喃喃道："完了……又完了……"

她的苦心妙计，遇着沈浪，半点用也没有了。

胜泫也怔在那里，喃喃道："沈浪……好厉害。"

朱七七嘶声道："他简直不是人，是鬼！为什么世上竟没有一个人能击倒他？别人无论怎样害他，他为什么总像是事先便已知道？"

外面在大乱着，金不换已被丐帮弟子绑住。

群豪在谈论，在私议，但无论是什么人，口中却都只有一个人的名字，那自然是："沈浪……沈浪。"

朱七七真恨不得伏在桌上，放声大哭一场。

她忍住，眼泪在眼里打转，她垂下头，悄悄地擦。

但等她抬起头时，第一眼瞧见的便是沈浪——沈浪那潇洒的、懒散的、令人瞧见说不出是何滋味的微笑。

熊猫儿也到了她面前，也在笑。

朱七七只觉一颗心已将跳出腔子，用尽全身之力，才算勉强忍住没有大叫大跳起来，故意装作没瞧见他们的模样。

沈浪却微微笑道："你好吗？"

朱七七道："你……你是谁？我不认识你。"

熊猫儿笑道："你真的不认得我们？"

朱七七道："奇……奇怪，我为何一定要认得你们。"

她装得再好，说话的声音也不禁有些发抖了。

熊猫儿笑道："算了吧，你还装什么，你纵能瞒得过别人，却瞒不过我，也是瞒不过沈浪的……你几时见过世上有什么事瞒过沈浪的？"

朱七七道："你……你说的话，我不懂。"

熊猫儿笑嘻嘻道："你真要我说破么？"

朱七七霍然扭过身子，道："这种人真莫名其妙，胜泫……"

胜泫终于走过来，挡在熊猫儿面前，讷讷道："熊兄，他既不认得你，也就罢了。"

熊猫儿瞧了他两眼，突然大笑道："你这是在帮你未来夫人的叔叔说话么？"

胜泫脸一红，道："我……我……"

熊猫儿道："你若真娶了这位侄女，那才是天大笑话。"

他说别的胜泫都无所谓，但说到自己的心上人，胜泫可真气了，脸色也变了，嘿嘿冷笑道："如何是笑话，难道在下配不上？"

熊猫儿道："嗯！你的确配不上。"

胜泫怒道："难道你才配得上？"

熊猫儿大笑道："我更配不上了……这样的大美人儿，我熊猫儿可真无福消受。"

胜泫厉声道："在姑娘面前，你说话须放尊重些。"

熊猫儿道："你想为'她'打架？"

胜泫道："嘿嘿！打架我也未必怕你。"

熊猫儿摇头叹道："可怜的孩子，被人骗得好惨。"

胜泫气得脸都白了，怒道："你才是可怜的孩子，你才被人骗了。"

熊猫儿道："我……至少我总不会要娶个大男人做妻子。"

胜泫怔了一怔，突然狂笑道："这人疯了，这人疯了，竟说这位姑娘是男人。"

群豪眼见王怜花那娇滴滴的模样，也都不禁觉得熊猫儿的脑袋有点不大正常，有的甚至已在暗地窃笑。

熊猫儿却笑得比谁都响，笑道："你说我疯了，可要我拿证据出来？"

胜泫道："你若拿得出，我脑袋给你。"

熊猫儿道："我也不要你脑袋，只要你打几壶好酒，也就罢了……"

突然一闪身，自胜泫身侧掠过去，掠到那"娇滴滴的王怜花"面前，一把抓住他衣襟，喝道："你且瞧瞧他是男是女？"

"嘶"的一声，"王怜花"前胸的衣襟已生生被他撕开了。

沈浪面上的笑容突然消失不见。

这"王怜花"被撕开的衣襟下，竟是女人的胸膛——那一对诱人的紫珠，已在寒风中尖挺起来。

在这一刹那中，沈浪、熊猫儿固然大惊失色，但他们的惊奇，却还比不上朱七七的万分之一。

这明明是王怜花，又怎会变成女子。

她明明亲眼瞧着王怜花自己易容改扮女子，这万万不会错的，但此刻怎地偏偏错了。

难道王怜花本身原来就是女子。

不可能，绝不可能。

那淫亵的微笑与眼神，绝不会是女子的。

尤其是朱七七，她体验过王怜花的爱抚、拥抱，那是她一辈子也忘不了，一万辈子都不会错的！

那也是任何女子都做不出的。

但——此刻这王怜花却偏偏变了女子。

朱七七失声惊呼。

沈浪、熊猫儿目定口呆。

胜泫勃然大怒。

群豪有的惊奇，有的愤怒，有的好笑，有的转过头去，有的瞧得目不转睛，有的向前拥，有的向后退。

混乱，简直乱得不可形容。

而那"王怜花"，那女子，却大声哭了起来。

她哭着嚷道："你们这些自命英雄的大男人，就眼睁睁地让这野小子欺负我么？欺负我这个生了病的女人……"

胜泫扑过来，一把扭住熊猫儿的衣襟，嘶声道："你……你说……

你说……”

熊猫儿苦着脸道：“我……我……”

两人一个气，一个急，都说不出话来。

胜泫话虽说不出，但手却可以动的——他一句话未说出，手已“砰砰蓬蓬”在熊猫儿身上擂了几拳。

熊猫儿只好挨着——虽然胜泫气极，并未使出真力，虽然熊猫儿身子如铁，但这几拳也够他受的。

群豪已有人在拍掌道：“打得好！打得好……”

熊猫儿既不能还手，又无法闪避，只有大呼道：“沈浪……沈浪，你可不能站着在旁边瞧呀。”

沈浪突然掠到朱七七面前，道：“你就眼瞧着熊猫儿挨打么？”

朱七七心慌意乱，道：“我……我……”

沈浪道：“你纵然恨我，但你莫要忘了，这猫儿曾经不顾性命地救你，他……”

朱七七突然大呼道：“胜泫，放开手……”

这时唯一能命胜泫放开手的，只怕也唯有朱七七了。

胜泫放开了手，他虽然打了不少拳，但怒气犹未平复，厉声道：“熊猫儿，今日你再也休想我和你善罢甘休，你……”

转首向朱七七道：“你说该将这厮如何处置？”

朱七七却叹了口气，道：“放过他吧。”

胜泫一怔，道：“什么……放过他？”

群豪也觉有些意外，已有人喝道：“放他不得。”

朱七七道：“我说放过他，就要放过他。”

胜泫怒道：“为什么？”

朱七七道：“只因为……只因为……”

她转眼一望，望见沈浪的目光，熊猫儿苦着的脸，望见群豪怒气汹汹，要对付熊猫儿的模样。

她突然咬了咬牙，跺脚道：“你们瞧吧！”

帽子、束发带、长外衣，一样样被她抛在地上。

在四面惊异声中，她露出了如云长发，紧身衣裳——紧裹着她那窈窕而丰满的身材的衣裳。

她那脸虽没有改变，但此刻除了瞎子外，无论是谁，都已可看出她是个女子，每分每寸都是女子。

群豪再次耸动："女的。这男人原来也是个女的。"

胜泫更是张口结舌，瞪大了眼睛，讷讷道："你……你怎会是个女的？"

朱七七道："我为何不能是女的？"

胜泫望着那"王怜花"道："那么她……"

朱七七道："我是女的，'他'自然是男的。"

群豪纷纷笑喝道："你是女的，却也不能证明他是男的。"

朱七七跺脚道："我说'他'是男的。"

群豪笑道："她明明是女的，你说她是男的也没有用。"

朱七七咬着樱唇，又急又气，道："他明明是……他明明是……"

沈浪叹道："他既然明明是王怜花，又怎么变成女的，她若是被人掉了包的，你也该知道……你难道不知道？"

朱七七跺脚道："我就是不知道，我……我……"

突然一把抓起那女子，大声道："说，怎会变成女子？"

那女子道："我本来就是女人呀。"

朱七七道："你是否被人掉了包？"

那女子道："你一直跟着我的，我怎会被人掉包？"

朱七七怒道："你还不说实话，我……我……"

扭着那女子手腕一扭，那女子立刻杀猪般的叫了起来。

朱七七道："你说不说？王怜花是如何将你掉的包？"

那女子嘶声道："没有……真的没有……"

朱七七眼睛都红了，大怒道："你还说没有？"

手掌再一用力，她疼得眼泪都掉了下来。

朱七七道："你再不说，我就将你这只手扭断！"

那女子嘶声道："放手，求求你放手吧。"

朱七七冷笑道："十个女人，有九个是怕疼的，我也是女子，自然知道，你既然迟早忍不住，还不如早些说了吧。"

那女人流着泪道："好！我说了……我说了……"

朱七七道："那么你就快说，王怜花在哪里，用的究竟是什么手法，来和你掉了包……快！老老实实地说。"

那女的道："昨天晚上……"

一句话还未说完，人丛中突有风声一响，只听"嗖"的一声，那女子腰下已中了五枚夺命银针。

她惨呼一声，白眼珠子一翻，立时就死了。

这暗器好毒，她死得好快。

朱七七又惊又怒，大喝道："谁？谁下的毒手？"

熊猫儿已展动身形，虎吼着扑了出去。

但要在这许多人中寻出杀人的凶手，那当真比大海捞针还难——甚至根本没人瞧见这暗器是自何方向发出的。

群豪大乱。

朱七七暴跳如雷，只有那高小虫却仍笑嘻嘻的，像是一点也不在意，反而慢吞吞地笑道："姑娘也不必急了，反正什么事都有水落石出的一天，姑娘此刻就算急死了，又有什么用？"

沈浪道："这位兄台说得本不错……"

朱七七跳脚道："放屁，我急死了也和你们没关系。"

只听一人笑道："但和我却有关系的。"

说话的正是那酒楼主人，朱七七抬眼瞧见了他，先是一怔，却又立刻纵身扑进他的怀里，放声大哭道："姐夫！姐夫！他们都欺负我……"

这酒楼主人，正是朱七七的三姐夫，中原武林中的豪富巨商，人称"陆上陶朱"范汾阳。

他开的店铺，遍布大江以北各省各县，就是朱七七那耳环可随意提取银子的地方。

朱七七伏在她姐夫怀里哭着，这是她几个月来第一次瞧见的亲人，她恨不得将满怀委屈全哭出来。

范汾阳柔声道："是！他们都欺负你，姐夫替你出气。"

朱七七道："那沈浪，他……他……"

范汾阳道："沈浪是个大坏蛋，咱们不要理他。"口中说话，暗中却向沈浪使了个眼色，指了指朱七七，又指了指自己，意思显然是在说："你把她交给我吧。"

沈浪含笑点了点头，道："此间事自有小弟处理。"

范汾阳围起朱七七的肩头，道："这些人都欺负你，咱们谁也不理，咱们走。"分开人丛，竟哄孩子似的将朱七七哄走了。

群豪正在乱中，也没人去理他们，却有个丐帮弟子赶了过来，躬身行了一礼，赔笑道："敝帮备的有车马，不知范大侠是否需用？"

范汾阳笑道："你认得我……好，如此就麻烦你了。"

那丐帮弟子躬身笑道："这有什么麻烦。"撮口呼哨了一声，过了半晌，就又有两个丐帮弟子，一个赶着辆大车，一个牵着匹健马过来。

那丐帮弟子笑道："车马全都在侍候着，不知范大侠是否要乘马，否则就和这位姑娘共乘一辆马车也好。"

范汾阳迟疑半晌，笑道："七七，你坐车，我还是乘马吧，路上也好瞧清楚些，说不定还可发现些什么。"其实，他也有几分是避嫌疑，不肯与朱七七同坐车厢。

姐夫对小姨子，总是要避些嫌疑的。

熊猫儿自然查不出那杀人的凶手。

他垂首丧气，回到竹棚，口中不住骂道："我熊猫儿平生最恨的就是这种只会偷偷摸摸，躲在暗中伤人的鼠辈，他若落在我手中，哼哼……"

沈浪微笑道："你也莫要气恼，总有一日，他要落在你手中的。"

熊猫儿恨声道："但我却连他是谁都不知道。"

沈浪道："你怎会不知道？"

熊猫儿道："莫非你已知道了？"

沈浪道："除了王怜花的门下杀人灭口，还会是谁？"

熊猫儿动容道："这些人里难道也有王怜花的门下？"

沈浪叹道："我早就说过，王怜花此人，委实不可轻视，此刻中原武林各地，只怕……唉！已都有他的党羽。"

熊猫儿咬牙道："总有一日，我要将这班鼠辈一个个全都找出来，收拾收拾……此刻第一个要收拾的就是金不换。"

说话中他已将金不换提了过来，惊叹道："不想沈兄方才一刹那间，竟已点了他五处穴道。"

沈浪微笑道："这厮又奸又猾，我委实怕他又逃了。"

熊猫儿叹道："你好快的出手。"

钱公泰突然插口道："不知两位要将他如何处置？"

熊猫儿道："这厮简直坏透顶了，不但我两人恨他入骨，就像乔大侠，咦，乔五与花四姑都到哪里去了？"

沈浪叹道："乔大侠方才大意落败，以他的身份，以他的脾气，怎会再逗留此地？方才已在乱中悄悄走去了。"

熊猫儿道："你瞧见他走的？"

沈浪道："我虽然瞧见，但也不便拦阻。"

钱公泰道："这正是沈大侠体贴别人之处。"语声微顿，躬身又道："却不知沈大侠是否也肯体贴敝帮弟子，将金不换交给敝帮处置，左长老死于他手，敝帮弟子莫不盼望将他以家规处置。"

沈浪道："在下也正有此意，只是……"

钱公泰道："沈大侠莫非有何碍难之处？"

沈浪笑道："那倒没有，我只要先问他几句话。"

钱公泰道："若是不便，弟子等可以回避。"

沈浪道："那也无需……"伸手拍开了金不换三处穴道，金不换张开了眼睛，吐出了口气，他能说出的第一句话就是："沈浪呀沈浪，算我金不换倒霉，竟又遇见了你。"

沈浪道："你将那位白飞飞姑娘弄到哪里去了？"

金不换大声道："沈浪，告诉你，我金不换虽非好人，可也不是好色淫徒，那小妞儿我金不换还未瞧在眼里。"

沈浪冷笑道："既是如此，你……"

金不换道："要动手绑她的架，可全是王怜花的主意，王怜花将她弄到哪里去了，我也不知道，反正王怜花这王八羔子总不会对她存有什么好心。"

熊猫儿冷笑道："王怜花若在这里，你敢骂他么？"

金不换道："我如何不敢，我还要宰他哩，只可惜却被朱七七救了去。"

熊猫儿失声道："朱七七救了他？"

金不换道："沈浪呀沈浪，说起来真该感激我才是……"当下将王怜花如何受伤，自己如何要杀他，朱七七如何凑巧赶来之事一一说出。

他自然绝口不说自己为了贪财才要动手之事，自然将自己说得仁义无双，自然也将朱七七骂得狗血淋头。

沈浪沉吟道："如此说来，王怜花是真的已落在朱七七手中……但他却又怎会突然变成女的，实在更令人想不通了。"

熊猫儿道："嗯，朱七七必定在寸步不离地看守着他，我亲眼见她连睡觉时都不肯放松，两人睡在一间房。"突然失声道："呀！是了。"

沈浪道："什么事？"

熊猫儿道："朱七七昨夜将我送到街上时，只有王怜花一个人留在房里……但那时，我也亲眼瞧见她点了王怜花好几处穴道，除非有别人救他……"

沈浪道："王怜花落入朱七七之手，根本无人知道。"

熊猫儿道："除了金不换。"

金不换赶紧大声道："王怜花此刻已恨不得要剥我的皮，我怎会帮他？"

熊猫儿冷笑道："你说的话我可不能相信，我得问问朱七七……呀！原来朱七七也走了，沈浪，你……你怎么能放她走？"

沈浪道："我将她交给了她姐夫。"

熊猫儿道："她若又出了事，如何是好？"

沈浪微笑道："范汾阳之为人，你难道还不清楚，此人行事最是小心谨慎，当真可说是滴水不漏的人物。"

熊猫儿失笑道："对了，我那日虽气得他要死，但是在未摸清我底细之前，也绝不肯和我动手，这样的人，难怪要成大业，发大财了。"

沈浪道："将朱七七交给他，自然可以放心。"

熊猫儿："像这样的人，走路也一定不快，咱们去追，也许还追得着。"

沈浪还未答话，人丛中突然有人接嘴道："他们两位方才是乘着马车走的，追不着了。"

熊猫儿笑道："那范汾阳果然是大富户的架子，他跟我们一起来的，却想不到他竟然令人在外面准备好了车马。"

沈浪摇头道："不会是他，他与我一路赶回，片刻不停就到了这里……也许是丐帮兄弟为他们备下车马……"

熊猫儿笑道："管他是谁的车马，反正……"

钱公泰突然沉声道："敝帮遵行古训，从来不备车马。"

沈浪微一沉吟，忽地变色道："不好。"

熊猫儿极少瞧见沈浪面目变色，也不禁吃惊道："什么事？"

沈浪道："此事必定又有诈，说不定又是王怜花……"

熊猫儿跺脚道："又是王怜花？"

沈浪道："无论如何，咱们快追。"

熊猫儿将金不换推到钱公泰面前，道："这厮交给你了，你可得千万小心，否则一个不留意，就会让他逃了……"语声未了，已与沈浪双双掠了出去。

朱七七坐在车厢里，心里乱七八糟的，她既想不通王怜花怎会变了女子，又在恨着沈浪……沈浪……

范汾阳的马，就在车旁走，他那挺直的身躯，成熟的风仪，在淡淡的星光下，显得更是动人。

朱七七暗叹忖道："三姐真是好福气，而我……我不但是个薄命人，还是个糊涂鬼，明明抓住了王怜花，偏偏又被他跑了。"

只听范汾阳笑道："这次你真该去瞧瞧你的三姐才是，她听说你从家里出来，着急得三天没有吃下饭。"

朱七七道："她反正已在发胖，饿几天反而好。"

范汾阳大笑道："正是正是……但这话你可不能让她听见，她现在就怕听见'胖'字，有人说她胖，她真会拼命。"忽又叹了口气，道："只可惜八弟……"

朱七七失声道："八弟的事你也知道了？"

范汾阳垂首叹道："这也是沈浪告诉我的……唉，那么聪明的一个孩子，偏偏……唉，只望他吉人天相，还好好活着。"

提起她八弟火孩儿，朱七七又不禁心如刀割，眼泪又不禁流下来——这可爱的孩子，究竟到哪里去了？

她幽幽问道："这件事，爹爹可知道么？"

范汾阳道："谁会告诉他老人家，让他伤心？"

朱七七垂首道："对了，还是莫要让他老人家知道的好，总有一天……我发誓总有一天我会将老八找回来的。"

范汾阳默然半晌，突然笑道："告诉你个好消息，你五哥近日来，名头愈发高了，日前在大同府与人一场豪赌，就赢了五十万两，大同府的人都在说，朱五公子一来，就将大同府的银子全带走了。最可笑的，太行山的'拦路神'李老大，居然想动他主意，那日却被他倒打一耙，非但削了李老大的两只耳朵，连太行山窖藏的两千多两金子，也被他带走了。日前你三姐过生日，他就送了对金寿星，你三姐高兴得要命，后来把那金寿星称了一称，恰巧是两千多两。"

朱七七叹道："三姐的生日，我都忘了。"

范汾阳兴致冲冲，又道："你大哥……"

朱七七掩起耳朵，道："你莫要再说他的事了，他运气总是好的，你们运气都好，只有我……是个倒霉的人。"

范汾阳笑道："你错了，朱七小姐的名头，近日在江湖中可也不弱，我虽未见着你，但你的事却听了不少。"

朱七七道："所以你就找沈浪问，是么？"

范汾阳笑道："我只是……"

朱七七冷笑截口道："告诉你，我的事与他无关，你以后莫要再向他问我，他……他……他，我根本不认识。"

范汾阳耸了耸肩，笑道："好，你既不认得，我就……"

话未说完，胯下的马，突然疯了似的一跳。

范汾阳吃惊之下，赶紧夹紧了腿。

只见那匹马竟发狂般向斜地里奔了出去，上下跳跃，不住长嘶，饶是范汾阳骑术精绝，竟也无法将它控制。

朱七七大惊叫道："姐夫，姐夫你……"

她话犹未了，这马车突也发了狂似的向前狂奔起来。

朱七七又惊又怒，呼道："赶车的……喂！你……"

那赶车的丐帮弟子自车厢前的小窗口探首出来，笑道："姑娘，什么事？”

朱七七道：“你瞎了眼么，等一等呀，我姐夫……”

赶车的丐帮弟子笑道：“你姐夫吃错了药，那匹马也一样，疯人疯马，正和在一起，等他则甚。”

朱七七大惊道：“你……你说什么？”

赶车的哈哈一笑，道：“你不认得我？”

朱七七道：“你……你是谁？”

赶车的笑道：“你瞧瞧我是谁？”

大笑声中，伸手往脸上一抹——王怜花，又是王怜花。

朱七七又惊又怕，简直又快发疯了，狂叫道：“鬼，又是你这恶鬼！”

王怜花嘻嘻笑道：“朱姑娘，你吃惊了么？”

朱七七探首窗外，范汾阳人马都已瞧不见了，她想拉开车门往下跳，怎奈这车门竟拉不开。

王怜花大笑道：“朱姑娘，你安静些吧，这马车是特制的，你逃不了的。”

朱七七怒喝道：“恶鬼，我和你拼了。”拼命一拳，向那小窗子打了过去。

但王怜花头一缩，朱七七就打了个空。

她拳头打出窗外，手腕竟被王怜花在窗外扣住了。

朱七七两条腿发疯般向外踢，怎奈这马车乃系特制，车厢四面竟夹着钢板，踢得她脚趾都快断了。

王怜花却在外面嘻嘻笑道：“好姑娘，莫要动，我伤还没有好，不能太用力。”

朱七七嘶声道：“你为什么不死，你死了最好。”

王怜花笑道：“你难道没有听说过，好人不长命，祸害遗千年，像我这样的坏人，一时间怎会死得了？”

朱七七拼命挣扎，怎奈脉门被扣，身子渐渐发软。

只觉王怜花的嘴，竟在她手上亲了又亲，一面笑道：“好美的手，真是又白又嫩……”

朱七七怒喝一声，道：“好恶贼，我……我……”

突然一头撞向车壁，立刻晕了过去。

沈浪、熊猫儿，一路飞掠。

突听道旁暗林中传出一声凄惨的马嘶。

两人对望一眼，立刻转身飞掠而去，只见范汾阳站在那里不住喘息，他身旁却倒卧着一匹死马。

沈浪失声道："范兄，这是怎么回事？"

范汾阳连连跺足，道："糟了！糟了！"

熊猫儿着急道："什么事糟了，你倒是快说呀。"

范汾阳道："你们可瞧见朱七七了？"

熊猫儿大惊道："她不是跟着你的么？"

范汾阳再不答话，转身就走。

熊猫儿、沈浪对望一眼，都已猜出大事又不好了，两人齐地放足跟去，熊猫儿不住问道："这究竟是怎么回事，七七究竟到哪里去了？"

但范汾阳却是一言不发，放足急奔。

沈浪、熊猫儿也只得在后面跟着。

三个人俱是面色沉重，身形俱都有如兔起鹘落。夜色深深，星光淡淡，城郊的道路上，全无人影。

忽然间，只见一辆马车倒在路旁，却没有拉车的马。

范汾阳一步蹿了过去，拉开车门。

车厢中空空的，哪里有人？

熊猫儿动容道："这可是她乘的马车？"

范汾阳脸色凝重，点头示意。

熊猫儿道："但……但她怎地不见了？"

范汾阳惨然长叹一声，道："我对不起她爹爹，对不起她三姐，也……也对不起你们。"

熊猫儿跌足道："果然出了毛病了，这……"

突听沈浪道："你瞧这是什么？"

车座上，有块石头，压着张纸条。

熊猫儿一把抢过来，只见纸条上写着："沈浪沈浪，白忙一场，佳人已去，眼青面黄。沈浪沈浪，到处逞强，遇着王某，心碎神伤。"

熊猫儿大喝一声，道："气死我也，又是王怜花。"

范汾阳切齿道："好恶贼，果然好手段，不想连我都上了他的当。"

熊猫儿厉声道："咱们追。"

沈浪叹道："他抛下车厢，乘马而行，为的便是不留痕迹，也不必沿路而行，此人狡计多端，巢穴千百，却教我等追向哪里？"

熊猫儿怒道："如此说来，难道咱们就算了不成？"

沈浪淡淡道："你等我想一想，说不定可以想出主意。"伸手抚摸着车厢，久久不再言语。

朱七七醒来时，只觉头上冰冰的，冷得彻骨。

她的人立刻完全清醒，伸手一摸，头上原来枕着个雪袋，她一把抛开，便要夺身跳起来。

但是她上身刚起来，立刻又只得躺下。

她竟是赤裸裸睡在棉被里，全身上下，没有一寸衣裳。

而王怜花那双邪恶的眼，正在那里含笑瞧着她。

朱七七只得躺在床上，拥紧棉被，口中大骂道："恶贼，恶鬼，恶狗……"

王怜花笑嘻嘻道："你若吃狗肉，我就让你吃如何？"

朱七七嘶声道："恶贼，还我的……我的衣服来。"

王怜花大笑道："有人告诉我，对付女人最好的法子，就是脱光她的衣服……哈哈，这法子果然再妙也不过。"

朱七七红着脸，切齿道："总有一天……"

王怜花笑道："总有一天，你要抽我的筋，剥我的皮，是么……哈哈，这种话我也听得多了，我也想尝尝被人抽筋剥皮的滋味，只可惜那一天却迟迟不来。"

朱七七道："你……你……"突然翻过身子，伏在枕上，放声大哭起来。

她既不能打他，也打不过他，骂他，他更全不在乎——她除了放声痛哭一场，还能做什么？

她一面痛哭，一面捶着床。

王怜花笑嘻嘻地瞧着她，悠然道："手莫要抬得太高，不然春光就被我瞧见了。"

朱七七果然连手都不敢动了，将棉被裹得更紧。

王怜花长叹一声，道："可怜的孩子，何必呢？"

朱七七嘶声道："你若是可怜我，就杀了我吧。"

王怜花道："我怎舍得杀你，我对你这么好……"

朱七七大呼道："噢，天呀，你对我好。"

王怜花笑道："你仔细想想，我从开始认识你那天到现在，有哪点对你不好？你想打我，杀我，我却只想轻轻地摸摸你。"

朱七七痛哭道："天呀，天呀，你为什么要生这恶贼出来折磨我……我……"

王怜花笑道："对了，我命中就是你的魔星，你想逃也逃不了，你想反抗也反抗不了，这是天命，任何人都没有法子。"

他笑着站起来，笑着走向床边。

朱七七一骨碌翻身坐起来，用棉被紧裹住身子，缩到床角，瞧见王怜花那双眼睛，她怕得连哭都哭不出来了。

她颤声道："你……你想做什么？"

王怜花嘻嘻笑道："你明明知道，何必问我？"

他走得虽慢，却未停下。

朱七七嘶声大呼道："你站住。"

王怜花道："你若是想叫我站住，你只有起来抱住我，除此之外，只怕世上再也没有人能有法子叫我站住了。"

沈浪手抚着车厢，突然大声道："有了。"

熊猫儿喜道："你已想出了法子？"

沈浪道："你我想追王怜花的下落，就只有一个法子。"

熊猫儿急急问道："什么法子？"

沈浪道："就是等在这里。"

熊猫儿怔了一怔，道："等在这里？难道天上还会凭空掉下馅饼不成？难道王怜花那么笨，还会自己送上门来？"

沈浪微微一笑，道："你摸摸这车子。"

熊猫儿、范汾阳都忍不住伸手摸了摸车厢。

沈浪道："你可摸出有什么异样？"

范汾阳沉吟道："这车子看来分外沉重，似乎夹有铁板。"

沈浪道："不错，这车子乃是特制。"

熊猫儿道："车子是特制又如何？"

沈浪道："要制成这么样一辆车子，并非易事，王怜花绝不会白白将之舍弃。"

熊猫儿道："你是说他会回到此地，将这车子弄回去？"

沈浪道："正是。"

熊猫儿摇头道："这车子纵是金子打的，王怜花也未必会为这部车子来冒险，这一次，你大概是想错了。"

沈浪笑道："只因他决不会觉得这是冒险，才会回到这里……"

范汾阳拍掌道："不错，在他计算之中，必定以为我们瞧见车中纸条之后，立刻就去四方追查，绝不会想到我们还会等在这里。"

熊猫儿亦自拍掌道："连我们自己也想不到守在这里，王怜花那厮又不是沈浪肚子里的蛔虫，自然更想不到了。"

沈浪道："这就叫作出其不意，攻其无备。"

熊猫儿道："但……我想他自己决不会来的。"

沈浪道："何必要他自己前来，只要有他的部下来拉车子，我们就能追出他的下落，这总比四处盲目搜寻好得多。"

熊猫儿叹道："看来也只有如此了。"

王怜花已走到床边。

朱七七颤声道："你……你若敢上来，我就自己将舌根咬断。"

王怜花道："你宁可死，也不愿……"

朱七七道："对了，我宁死也不愿被你沾着一根手指。"

王怜花道："你这么讨厌我？"

朱七七道："我不但讨厌你，还恨你，恨死你了。"

王怜花笑道："你若是真是恨我，就该嫁给我。"

朱七七道："恨你反而要嫁给你，你……简直在放屁。"

王怜花大笑道："只因你根本就只有一个法子对付我，这法子就是嫁给我，你嫁给我后，这一辈子都可折磨我，要我赚钱给你用，要我为你做牛做马，稍不如意，还可向我撒娇发威，你瞧除了嫁给我，你还有什么法子能这样出气。”

这些话当真是空前的妙论。

朱七七听得呆了，既是气恼，又觉哭笑不得。

王怜花笑道：“看来你也同意了，是么，来……”

他一条腿已要往床上抬。

朱七七大喝道：“下去，你……你莫要忘了，我也有一身武功，而且……你伤还未愈，你……你……你何必现在就拼命。”

王怜花笑道：“牡丹花下死，做鬼也风流……”

朱七七身子往后退，直往后退。

她虽然明知王怜花伤势还未愈，但不知怎地，她瞧见王怜花就害怕，竟不敢和王怜花动手。

王怜花那双眼睛里，竟似有股淫猥的魔力，这种淫猥的魔力，最能令女孩子情怯心虚。

王怜花的手，已拉住那床棉被了。

朱七七突然笑了起来。

此时此刻，她居然会笑，当真比什么事都要令王怜花吃惊，他的手，也不知不觉停住了。

朱七七笑得很甜，也很神秘。

王怜花忍不住问道：“你笑什么？”

朱七七道：“我笑你真是个呆子。”

王怜花笑道：“我会是呆子？我一生中不知被人骂过多少次，什么恶毒的话都有人骂过我，但却没有人骂过我呆子。”

朱七七道：“但你却当真是个呆子。”

王怜花笑道：“我呆在哪里，你倒说来听听。”

朱七七道：“难为你还自命风流人物，居然竟一点也不懂女孩子的心事。”

王怜花道：“哦……”

朱七七道：“你可知道女孩子最恨的，就是男人对她粗鲁，最讨厌的就是男人不解风情，你若不是呆子，为什么偏偏要被人恨，要被人讨厌呢？”

王怜花叹道：“噢……嗯……唉……”

朱七七道：“你若是以温柔对我，说不定我早就……早就……”

她嫣然一笑，垂下了头。

她的语声是那么温柔，甜美。她的笑，是那么娇羞，而带着种令人不可抗拒的诱人魅力。

她情急之下，终于使出了女子最厉害的武器。

王怜花默然半晌，突然反手打了一掌，道：“不错，错了。”

朱七七笑道：“什么不错、错了？”

王怜花叹道：“你说得不错，是我错了。”

朱七七嫣然笑道：“既然如此，你就该好好坐在那里，陪我聊聊。”

王怜花道：“好，你说聊什么吧。”

朱七七眼波一转，道：“你是怎么从我手里逃出来，我到现在还想不通。”

王怜花笑道：“我若不说，只怕你永远也想不通。”

朱七七道：“所以我才要你说呀。”语声微顿又道：“我先问你，可是你手下帮着你？”

王怜花笑道：“我被点了好几次穴道，又受了伤，若没有人帮我，我怎逃得出。”

朱七七道：“但你已经易容，我也易容，他们怎会认得出你？你已被人捉住的事，本没有一个人知道呀。”

王怜花大笑道：“你可知道，我虽经易容，却在脸上留下了个特别的标志，这自然是我事先已与属下约定好的，否则我纵非被迫，也时常易容，面貌可说千变万化，他们又怎会认得出谁是他们的帮主？”

朱七七暗中咬牙，口中却笑道：“呀，到底是你聪明，这一点我实在没想到。”

王怜花笑道：“你虽然以为别人认不出我，其实我一到街上，我的属下立刻就知道，那条街上，我属下至少有十个。”

朱七七心里更恨，笑得却更媚，道：“他们既已认出你，为何还不下手呢？”

王怜花道："那时我性命被你捏在手中，他们投鼠忌器，自然不敢轻举妄动，胡乱出手，但从那时起，便已有人在暗中盯着你，等待机会。"

朱七七叹道："想不到你的属下倒也都厉害得很。"

王怜花笑道："强将手下，自然无弱兵了。"

朱七七道："他们的耐心倒也不错，竟等了那么久。"

王怜花道："他们只等到你送那猫儿出去时再进来，为了行事方便，不引人注意，来的人却都是女的，我便在其中选了一个，来做我的替身，我穴道被解后，立刻就将她改扮成我那时的模样。"

朱七七道："但这件事可要花不少时间呀？"

王怜花笑道："他们自然也怕你中途撞见，所以早已在门外另设埋伏，故意阻挡你，故意拖延你的时间……"

朱七七道："呀，我知道了，那两个认错人的汉子，也是你的属下，他们故意认错我，就是为了拖延我的时间。"

王怜花颔首笑道："不错。"

朱七七道："后来我在走廊上遇见的那些送丧的女子，也必定就是进去救你的人……只恨她们其中还有个人故意弄了我一身鼻涕。"

王怜花笑道："那白床单下的死尸，就是我。"

朱七七长长叹了口气，道："你们行事，安排得当真周密。"

王怜花哈哈大笑道："过奖过奖。"

朱七七道："但我不懂了，你既已脱身，你们为何还不向我下手？为何还要故意留个替身在那里，这岂非多费事么？"

王怜花道："那时我为何要向你下手？那时他们纵然擒住你或是伤害了你，只是伤害了你，于我倒可说没有半分的好处。"

朱七七道："但你们这样做，又有什么好处呢？"

王怜花道："那时我们若是惊动了你，你势必便已停止暗算沈浪的计划，那对我可说是有害无益，所以最好的法子，就是稳住你。"

朱七七叹道："你好厉害。"

王怜花笑道："女孩子最幸运的事，就是嫁给个厉害的男人做妻子，这样，她一辈子都不会被人欺负了。"

朱七七眨了眨眼睛，缓缓道："这话倒不错。"

她眼睛望着王怜花，心里却又不禁想起沈浪："沈浪，可恨的沈浪，你若不要我走，我会被人欺负么？"

王怜花长长吐了口气，道："现在，什么事你都懂了吧。"

朱七七道："我还有件事不懂。"

王怜花道："什么事？你问吧。"

朱七七道："你易容之后，却又在脸上留下了什么标志？"

王怜花微一沉吟，笑道："你瞧我脸上可有什么特别的地方？"

朱七七瞧了半晌，道："你脸上……没有呀。"

王怜花将脸凑了过去，道："你瞧仔细些。"

朱七七沉吟道："你鼻子很直，眼睛很大……你的嘴……呀，我瞧出来了，你是不是说你嘴角上的这粒痣？"

王怜花笑道："就是这颗痣，我无论怎样易容，这粒痣必定都在的。"

朱七七道："但……但这痣并不太大，而且，世上长这种痣的人，也并不少，你的属下又怎会就瞧出你呢？"

王怜花笑道："他们自然久经训练，对这粒痣的角度、部位，都记得特别清楚，我再向他们使个眼色，他们再不懂，可就真是呆子了。"

朱七七凝目瞧着那粒痣，口中却笑道："想不到你竟真将这种秘密告诉了我。"

王怜花道："你高兴么？"

朱七七道："我高兴……高兴极了。"

王怜花缓缓道："其实你该难受才是。"

朱七七瞪大眼睛，道："难受，为什么？"

王怜花缓缓道："你若有逃走的机会，我会将这种秘密告诉你么？"

朱七七道："你若一直这么温柔地对我，你就算请我走，我也不会走的，又怎会逃？"她虽然极力想笑得很甜，但那笑容终是显得有些勉强。

王怜花笑道："你说的话可是真的？"

朱七七道："自然是真的，我……对沈浪早已伤心了，而世上除了沈浪外，又有什么别的男人比得上你？"

王怜花笑道："既是如此，来，让我亲亲。"

他身子又扑了上去。

朱七七面色立变，口中犹自强笑道："你瞧你，咱们这样说说话多好，又何必……"

王怜花突然仰首大笑起来，笑道："好姑娘，莫再玩把戏了，你那小心眼在想什么，我若再瞧不出岂非真的是呆子。"

朱七七道："我……我是真的……"

王怜花道："你若是真的，我此刻就要证明。"

说话间，人已扑了上去，一把抱住朱七七的身子，咯咯笑道："对别的女孩子，我若温柔些，也许可以打动她的心，但对你……我早已知道对你就只有这一个法子。"

沈浪、熊猫儿、范汾阳三人躲在暗中。

夜深，风雨虽住，但天地间却更寒冷。

熊猫儿不住举起那酒葫芦，偷偷喝一口，范汾阳不住仰望天色，显得甚是不耐，只有沈浪……

沈浪仍是始终不动声色。

熊猫儿终于忍不住道："依我看，他们未必会来。"

沈浪道："会来的。"

熊猫儿叹道："你若是判断了一件事，就永远没有别的事能动摇你的信心么？"

沈浪微笑道："正是如此。"

熊猫儿长叹一声，道："这一点，我倒真佩服……但若换了我是王怜花，就再不会回来取这劳什子的马车了。"

沈浪笑道："所以你永远不会是王怜花，像他那种野心勃勃的人，若有必要时固然不惜牺牲一切，但若无必要时，他就会连一个车轮也不肯牺牲了。"

范汾阳突然道："沈兄说得不错。"

沈浪笑道："若是熊猫儿，固然绝不会再回来取这马车，但若换了范汾阳，他也会回来拿的……范兄，你说是么？"

范汾阳道："正是。"

熊猫儿“咕嘟”喝下口酒，长叹道：“这就难怪你们会发财了。”

范汾阳微微一笑道：“发财，并不是坏事。”

突听一阵人声传了过来。

熊猫儿大喜道：“果然来了。”

第二十五章

诡计多端

沈浪等人侧耳细听，已知来的人绝不止两三个。人声笑语，还夹杂着马蹄声，在这寂静的寒夜里，听来分外刺耳。

熊猫儿摩拳擦掌，神情兴奋，轻笑道："沈浪果然不愧为沈浪，果然有两下子。"

但沈浪却是面色沉重，喃喃道："他们此刻就来了，真想不到，想不到……"

熊猫儿道："你明明想到了，怎地却说想不到？"

沈浪道："我虽算定他们要来，却想不到他们会来得这么早。"

熊猫儿奇道："为什么？"

沈浪道："丐帮之会还未散，这里又是散会群豪的必经之道，他们要来，本当在会散之后……纵然先来，也不该如此喧哗吵闹，毫无避忌。"

熊猫儿果然不禁为之一怔，但瞬即笑道："这些混账小子们狗仗人势，自然胆大心粗，范兄，你说是么？"

范汾阳沉吟道："这……"

话未出口，那一伙人已来到近前，五个人，两匹马，吵吵闹闹地扶起了马车，套上辔头。

其中一人笑道："咱们头儿果然不愧为头儿，果然有两下子，只要闭着眼睛一算，什么事都好像亲眼瞧见似的。"

另一人笑道："说书的常说古代一些名将，说什么'运筹帷幄，决胜于千里之外'。我瞧咱们头儿，可真比这些名将还要厉害。"

第三人笑道："可不是么，那些大将在帐篷里多少总得还要伤伤脑筋，而咱们头儿却只要在屋里抱着小妞儿乐着，什么事都正如他所料，一件件都办得漂漂亮亮，干净利落，连一星半点岔子都不会出。”

五个人兴高采烈，赶着马车去了，对四下事物，全未留意。沈浪等人莫说躲得如此隐秘，就算站在树下，他们也未必瞧得见。

熊猫儿跃跃欲动，道：“咱们快追。”

哪知沈浪却一把拉住了他，沉声道：“咱们不追。”

熊猫儿大奇道：“咱们辛辛苦苦等了这么久，为的是什么？好容易等他们来了，咱们却又不追了，这……这又算什么？”

沈浪道：“追查敌踪之事，全得偏劳范兄一人。”

熊猫儿瞪大了眼睛，道：“你和我呢？”

沈浪道：“你我却需先到丐帮大会之地，瞧个明白，若是我所料不差……唉！那里想必又出了惊人的变故。”

熊猫儿大声道：“真的……真的会有……”

沈浪沉声道：“范兄跟着这马车到了地头后，切莫轻举妄动，最好再回到此处，与我们聚首商议，再作道理。”

范汾阳道：“这个小弟省得，沈兄大可放心。”

熊猫儿叹道：“这点他对你自然放心得很，否则他为何不要我去，而要你去，但那边还有丐帮上千弟子，再加上那些武林高手，可说人人都是眼里不揉沙子的老光棍了，王怜花会在那里玩什么花样，可真教人不信。”

沈浪道：“正因人人都不相信，所以他施展手脚，就会分外方便，这正是此人的过人之处，出人不意，攻敌无备。”

熊猫儿喃喃道：“我还是不信……那么多人，难道都是死人不成？”

酒香，在寒冷的冬夜中，的确比世上任何香气传得都远。沈浪与熊猫儿还未到丐帮大会之地，已闻得一阵阵酒香扑鼻而来。

熊猫儿的手，又摸到那酒葫芦上了，虽然他只是摸了摸，便缩回了手，但口中还是忍不住笑道：“丐帮弟子，平日节衣缩食，不想请起客来倒是大方得很。”

沈浪笑道：“你酒虫又在动了么？”

熊猫儿道：“没有动，它们已快饿死了。”

沈浪道："但依我看来，丐帮之酒，还是不喝的好。"

熊猫儿道："不喝的好？为什么？"

沈浪叹息一声，不再说话，但身形展动更急，片刻之间，便瞧见了那简陋的竹棚，辉煌的灯光。

简陋的竹棚在灯光照耀下，也已变得壮观起来，竹棚中人影幢幢，似乎都安安静静地坐在那里。

熊猫儿笑道："哪有什么变故，你瞧他们不都是好好坐在那里喝酒么？"

沈浪道："是么？"

熊猫儿道："若有变故，他们便该……"突然顿住语声，再也不说一个字。

只因他此刻也已发觉情况不对——这些人虽都安安静静坐在那里，但却太安静了，安静得简直可怕。

千百人坐在竹棚里，竟毫无声息，没有喝酒的人都不会如此安静，更何况是喝了酒的。

异样的安静中，已有种不祥的恶兆！

熊猫儿再也忍不住了，一个箭步，蹿入竹棚，目光扫动，又不禁被惊得呆在那里。

这四面竹棚中的千百豪杰，看来竟真的已都变成死人，有的口吐白沫晕倒在地，有的人伏在桌上，晕迷不醒，桌上的菜，还未吃到一半，但酒杯、酒坛，却零乱地撒了一地。

这些人可是全都醉了。

熊猫儿呆了半晌，扶起一个人的身子，探了探他鼻息脉搏，面色更是大变，失声呼道："毒。"

沈浪叹道："果然不出我所料，酒中有毒。"

熊猫儿跌足道："这些老江湖，怎地也会上当？"

沈浪道："在方才那等欢喜之情况中，有谁不想赶紧痛痛快快地喝两杯，有谁还有心去检查坛中之酒。"

熊猫儿长叹道："不错，若换了我，也不会的。"

寒风吹动，火光动摇，映着这一张张惨白的、扭曲的面容，那景象当真是说不出的凄惨、可怖。

熊猫儿突又失声道："你瞧，这些人衣襟全被撕开了……"

沈浪一言不发，走过去在几个人身上摸了摸，这些人怀中竟已空空如也，竟似被人洗劫，连什么都没有剩下。

熊猫儿恨声道："要了人命，还要人财物，好狠，好狠。"

沈浪叹道："吃人不吐骨头，这正是王怜花一贯作风。"

熊猫儿道："你……你瞧这些人救得活么？"

沈浪黯然道："若有对路的解药，自可将他们救活，怎奈……怎奈你我此刻连他们中的是什么毒都不知道。"

两人站在这千百个中毒而死的人之间，瞧着那一张张可怕的脸，心里想哭也哭不出，想吐也吐不出。

那当真不知是何滋味。

突然间，两人觉得在这群待死的人中，竟还有双睁开着的眼睛，这双眼睛竟似正在瞪着他们。

两人不约而同，霍然转身，果然瞧见了这双眼睛。

这是双瞪着的眼睛，眼珠子都似已凸了出来，目光中所含的怨毒之意，当真是两人一生从未见过的。

熊猫儿失声道："钱公泰。"

钱公泰竟未中毒，但却被人点了穴道，身子再也不能动弹，脸上一粒粒麻子，都似乎在发着光。

那自然是狠毒的光。

这里每一件事的发生，他自然全都亲眼瞧见的。

他嘴里全无酒气，想来滴酒未沾。

熊猫儿叹道："不喝酒原来也有好处的，这些事究竟是怎么发生的，问问他，想必就可以全都知道了……"

说话间沈浪早已解开了钱公泰的穴道。

钱公泰挣扎着爬起来，伸了伸臂，抬了抬腿。

沈浪道："你如何……"

钱公泰躬身道："在下很好，多谢两位的盛情。"

"盛情"两字出口，双手中突然飞出十数点寒星，直射沈浪，他的人也疯狂般的向沈浪扑了过去。

钱公泰人称"遍地洒金钱"，除了是说他那满脸麻子外，也正说的是他这双手发镖，满天花雨的绝技。

此刻这十余只金钱镖自他手中发出来，当真是又急，又快，又狠，又准，他骤出不意，便下毒手，若是换了别人，哪里还能闪避？

但沈浪！沈浪毕竟是沈浪。

只听满天急风响动，熊猫儿失声大呼道："你疯了么？"

呼声中沈浪的身子已急飞而起，暗器虽快于闪电，他身形的展动却比暗器更快了几分。

那满天花雨的金钱镖，竟未伤得他一丝衣袂。

熊猫儿身子一闪，已到了钱公泰背后，出手如电，抓住了钱公泰的双臂，硬生生拧转了过来。

钱公泰立时又不能动了，但口中却嘶声大骂道："姓沈的，我本当你是个侠义英雄，哪知你却是个人面兽心的畜生，你……你简直比畜生还不如。"

熊猫儿怒喝道："你才是畜生。沈浪救了你的性命，你却恩将仇报，暗下毒手，你这……还能算是人么？"

钱公泰大吼道："沈浪是畜生，你也是畜生，你们杀了我吧，反正我也不想活了，也不怕你们杀人灭口。"

熊猫儿大怒道："这人疯了，胡说八道。"

沈浪沉声道："钱公泰，我且问你，我们为何要杀人灭口？"

钱公泰嘶声道："咱们丐帮当你是朋友，哪知你却在酒中下毒，不但害了这千百位朋友，而且，竟还将他们洗劫一空。"

熊猫儿脸都气红了，大声道："放屁，放狗屁，谁说我们下毒手，谁说我们洗劫……"

钱公泰大喝道："你和沈浪大摇大摆走过来动的手，我难道没有瞧见么？"

熊猫儿气得已说不出话，反手一掌掴了过去。

但他的手却被沈浪拉住。

沈浪居然还能沉得住气，和颜悦色，道："你难道不想想，当真是我们下的手，我们怎会又回来这里？"

钱公泰冷笑道："你此番回来，正是要看看这里的人是否已死尽死绝，否则若有人将你的恶毒手段传将出来，你怎能在江湖立足。"

沈浪、熊猫儿对望一眼，心里却不禁冒出股寒意。

这是王怜花的毒辣手段。

他自己做了坏事，却要人扮成沈浪与熊猫儿的模样，竟要教别人将这笔债算在沈浪与熊猫儿身上。

而沈浪与熊猫儿此刻纵有百口，也难以辩白，只因人们若是亲眼瞧见了一件事，就必定深信不疑，无论什么话也休想改变得了。

沈浪与熊猫儿唯有将钱公泰杀了。但他们若真将钱公泰杀了，岂非更是无利有害，何况，他们也根本下不了这毒手。

两人面面相觑，竟不知如何是好。

钱公泰嘶声道："我话已说完，你们杀了我吧。"

熊猫儿恨声道："你这呆子，我真想将你杀了算了。"

钱公泰狂笑道："你为何还不动手？"

熊猫儿道："我……我……"猛一跺脚，大骂道，"王怜花，你这恶贼，害得我好苦。"

沈浪叹道："王怜花……王怜花，你果然厉害。"

熊猫儿道："沈浪，你……难道连你也想不出个法子么？"

沈浪苦笑道："此事纵是神仙前来，只怕也……"

突然马蹄声响，三人三骑，急驰而来。

这三匹马来得好快，眨眼间便到了棚外，马上跃下三条黑衣大汉，手里却提着三只特大的紫铜茶壶。

熊猫儿厉喝道："来的是什么人？"

三条大汉瞧了瞧沈浪，又瞧了瞧熊猫儿，面上神情，竟然不变，当先一人，微微一笑道："我家公子知道此间有人中毒，特地令我等前来解救。"

熊猫儿失声道："你家公子，莫非是王怜花？"

那大汉神色不动，道："正是。"

熊猫儿大喝道："好恶贼，居然敢来。"虎吼一声，便待扑过去。

但他身子却又被沈浪拉住。

熊猫儿怒道："你……你为何还要拉我？"

沈浪叹道："你此刻怎能动手？"

熊猫儿瞧了四下中毒的人们一眼——此刻他若动手，有谁能救他们？他只有咬紧牙关，忍住。

沈浪目光凝注着那大汉，一字字道："你家公子怎会知道这里有人中毒？"

熊猫儿拍掌道："对了，王怜花怎会知道？莫非是他下的毒？"

那大汉微微笑道："我家公子就怕有些人面兽心的恶徒，会暗下毒手，是故早已命我兄弟到这里来瞧过一遍了。"

熊猫儿怒吼道："放屁，你……你……你……"

那大汉道："救人之事，刻不容缓，两位故意拖延，莫非当真忍心眼睁睁瞧着这千百豪杰一个个地死么？"

钱公泰惨呼道："沈浪、熊猫儿，求求你们，饶了这些人吧，他们都是有妻有子的人，你……你们难道不是父母生的么？"

熊猫儿已快急疯了，这些人救醒后，必定要将他和沈浪恨之入骨，那时他也无法向这些人解释。

他明知这又是王怜花要借这些人的嘴，将他和沈浪的恶名传布天下。

但他又怎能不让这三条大汉动手救人？王怜花如此做法，当真比将这些人全都杀了还要厉害得多。

只听沈浪道："好，你们快动手吧。"

熊猫儿嘶声道："但我们……"

沈浪黯然道："我们……我们只有走。"

熊猫儿道："走？"

沈浪惨然一笑，道："我们此刻若不走，等大家醒来，麻烦就更多了，到那时，只怕……只怕永远也无法走了。"

三条大汉满面俱是得意的笑容，将紫铜壶中的水，一一喂给那些中毒的人，而就在这时——

沈浪与熊猫儿已黯然走出了竹棚。

钱公泰恶毒的咒骂，还在他们身后响着。

熊猫儿惨然道："你我此刻走了，这恶名岂非跳进黄河也洗不清，你……你……你何苦拦我？我宁可一死，也……"

沈浪叹道："你我一死不足惜，但你能让那些人都陪着我们死么？

我宁可担上永生都不能洗脱的恶名，宁可被天下人怀恨、痛骂，也只有先救活他们再说。”

熊猫儿牙齿咬得吱吱作响，嘶声道：“王怜花，好个王怜花，他知道丐帮已不能被他收为己用，便又想出了这条毒计，他夺了他们的一切，却还要救活他们的性命，为的是好教他们向你我复仇，无论任何人，只要还有一点可被他利用之处，他便不肯放过。”

沈浪缓缓道：“若论心肠之毒，手段之辣，此人当真可称是天下无双，看来就算那快活王，也未必能强胜于他。”

说到这里，他缓缓顿住语声，嘴角却突然露出微笑。

熊猫儿跺脚道：“老天呀老天，难为你此刻还笑得出，咱们样样事都输给他一招，这筋斗可算栽到家了，你……你究竟是怎么笑得出来的？”

沈浪微笑道：“你我件件事虽都输了他一招，但他却也有件事输了咱们一招，这一招，却是他致命的一招。”

熊猫儿愕然道：“哪一招？”

沈浪道：“他千不该，万不该，不该让咱们抓住他的尾巴。”

熊猫儿忍不住截口道：“什么尾巴？”

沈浪道：“那辆马车就是他的尾巴，咱们抓住这尾巴，就能寻着他，咱们寻着他，就能要他的命，他就算赢了咱们一千次，也抵不上输这一次。”

熊猫儿大声道：“沈浪呀沈浪，你果然是打不服，击不倒的，既是如此，咱们快去找那范汾阳，抓住那条尾巴……”

沈浪微笑道：“那条尾巴咱们已用不着了。”

熊猫儿又不禁愕然道：“为什么？”

沈浪道：“只因王怜花还有条尾巴在这里。”

熊猫儿道：“在……在哪里？”

沈浪道：“随我来。”

他展动身形，在竹棚火光照不着的黑暗中，围着竹棚兜了半个圈子，绕到那三匹马的左边。

熊猫儿悄声道：“你可是要等这里面三条大汉出来，再尾随着他们？”

沈浪道："这三人想必还要耽误许久，若是等他们，便不如去寻范汾阳来得快了，何况，这三人既已见着咱们，也必定要提防咱们尾随，未必会回去。"

熊猫儿道："我正也如此想，那么……尾巴在哪里？"

沈浪截口道："就在这里，你瞧着！"

突然手掌一扬，两缕锐风破空飞出。

他手掌中竟早已扣着两粒小石子，此刻脱手击出，第一粒石子，击断了系着第一匹马的缰绳，第二粒石子，击中马股——他眼睛里竟也像点着两盏灯似的，在如此黑暗中，准头仍不失丝毫。

那匹马负痛惊嘶一声，落荒奔去。

竹棚中大汉怒骂道："死畜生，只怕吃多了。"

三条大汉谁也没想到这会是沈浪施展的手脚，口中虽然喝骂，但手里正在忙着喂药救人，谁也没有追去。

沈浪沉声道："这匹马就是王怜花的尾巴，咱们追。"

熊猫儿还在诧异，但沈浪身形已如轻烟般掠出，他也只有跟着掠去，等他追上沈浪，终于也恍然大悟，喜道："不错，马性识途，这匹马必定要奔回它自己的马厩，咱们只要寻着这匹马的窝，也就能寻着王怜花的窝了。"

沈浪微笑道："追着马总比追人容易多了吧。"

熊猫儿忍不住大笑道："沈浪，你到底是有两下子。"

奔马虽急，沈浪与熊猫儿身形却急于奔马。

熊猫儿仍然敞开着胸膛，寒风迎面吹来，就像刀子似的，刮在他胸膛上，但他胸膛却是铁打的。

他铁打的胸膛，承受着这如刀寒风，想到立刻就要抓住王怜花那恶贼，他胸襟不觉大畅，方才所受的恶气，似乎早已被风吹走了——在这铁打的男儿胸膛里，正跳跃着一颗活泼的、豪放的、慷慨的、赤红的心。

马行如龙，马鬃在寒风中根根倒立，熊猫儿突然呼啸一声，连翻了三个筋斗，再跃下地来。

沈浪忍不住笑道："我若有个儿子，但愿他像熊猫儿。"

中原的梨，耐寒经霜，甜而多汁，正如南海的香蕉、哈密的甜瓜，同样令人馋涎欲滴，此刻，前面正有片梨树林。

梨树林旁有数椽茅屋，一星灯火，看来，这正是看守梨树林的果农所居之地，但这匹马，却笔直向梨树林奔去。

熊猫儿皱眉道："会是这里么？"

沈浪道："必定不错。"

只见那匹马奔到梨树林外，茅屋前，果然停下了。

马，扬蹄轻嘶，茅屋中已闪出两条人影，身手果然俱都十分矫健，绝不是寻常果农的样子。

两人见到一匹马回来，显然俱都十分惊异，两人低声商议了几句，一人回屋，一人牵马绕到屋后。

熊猫儿道："不错，果然是这里。"

沈浪道："等那牵马的人回来，咱们就冲进去。"

熊猫儿道："冲进去？不先察看察看么？"

沈浪微笑道："你见我平日行事，总是十分仔细，是以此刻便不免奇怪，'沈浪怎地也变得像我一样了'是么？"

熊猫儿失笑道："我正是有些奇怪。"

沈浪道："对付王怜花这样的人，再仔细也没用，倒不如索性冲过去，迅雷不及掩耳，给他个措手不及。"

熊猫儿抚掌笑道："正是，这么做最合我的脾胃。"

说话间，牵马的那个人已回来，轻轻叩了叩门，门开一线，灯光射出，那人方自侧身而入。

沈浪与熊猫儿已闪电般冲了过去。

沈浪人还未到，手指已急点那人脑后"玉枕穴"，那人还未及回声，已一声不响地倒了下去。

熊猫儿一脚踢开了门。一拳击向开门的人，那人大惊之下，伸手来挡，只听"咔嚓"一声，两条手臂已被熊猫儿打断，惨呼倒地。惨呼方出，熊猫儿伸手一托，又将他下巴卸下了。

屋子里除了开门的人外，还有五条大汉，正在围桌饮酒，此刻骤惊巨变，俱都一跃而起。

五个人一人伸手抄椅子，一人反腕拔刀，一人要掀桌子，一人冲到墙角提枪，一人奋拳扑来。

熊猫儿虎爪般的手掌一扬，已抓住这人的拳头，左手往这人后脑一托，生生将这人自己的拳头塞进自己口里。

这人连叫也叫不出了，身子已跟着被抡起。

掀桌子的那人桌子还未掀起，忽见一个人飞过来，两颗脑袋撞在一起，“砰”地，两个人都躺了下去。

那拔刀的刀还未出鞘，肘间突觉一麻，肩头又是一麻，喉头跟着又一麻，眼睛一黑，仰天跌倒。

他简直就没瞧清向他出手的人长得是何模样，是男是女？死了也不折不扣是个糊涂鬼。

沈浪左手连点拔刀大汉三处要穴，飞起一脚，连那抄椅子的大汉整个人踢得飞了出去。

提枪的那人头也不敢回，反手刺出长枪，但枪还未刺出，突然不见了，身后也没什么杀手击来。

他还未摸清身后情况究竟怎样，等了等，忍不住回头一望，却赫然发现一双猫也似的眼睛正笑眯眯瞧着他。

他大惊之下，抡起拳头，“砰、砰、砰”，一连好几拳，都着着实实擂在这人的胸膛上。

这人还是笑嘻嘻站着不动，他两只手腕却疼得仿佛断了，咬一咬牙，拼命踢出了一脚。

这一脚方自踢出，眼前突然一黑，似乎被个铁罩子生生罩住，这一脚究竟踢着别人没有，他永远也不知道了。

一眨眼工夫，连里带外七个人，已没有一个再是头朝上的，甚至连一声惊呼都未发出。

熊猫儿大笑道：“痛快呀！痛快！”

沈浪已轻烟般掠到里面，熊猫儿紧跟着冲进去，只见一个人倒在炕边，一条腿下了地，一条腿还在炕上。

沈浪却又已冲入第三间。

熊猫儿跟着冲进去，又瞧见门旁边躺着一个人，手里捏着把刀，但这柄刀却已断了三截。

沈浪冲进后面的厨房。

熊猫儿轻呼道："沈浪，留一个给我。"

冲进厨房，只见一个人自厨房中蹿出来，熊猫儿一拳闪电般击出，哪知这人影一闪，竟不见了。

他这才大吃一惊，只听一人笑道："你这猫儿当真打上瘾了么，连我也要打。"

熊猫儿转身一望，便瞧见沈浪含笑站在那里。

他也忍不住笑道："我当是谁有如此快的身手，原来是你。"

沈浪道："厨房里没有人。"

熊猫儿失声道："王怜花呢？"

沈浪道："此间必有密室，王怜花必在密室中，咱们快找。"

熊猫儿道："对，快，莫要被这厮逃了。"

只见沈浪围着这屋子一转，又掠到第二间屋子，又转了一圈，身形片刻不停，再到第一间屋子里一转。

熊猫儿跟着他转，连连问道："有没有，有没有……"

沈浪终于停住身子，摇头道："没有。"

熊猫儿着急道："那怎么办呢？莫非……莫非他不在这里？"

沈浪俯首寻思半晌，突然大步冲进厨房。

熊猫儿跟着一掠而入，只见沈浪正站在灶前，凝目观望，只瞧了两眼，面上便露出笑容，道："在这里？"

熊猫儿摸了摸头，道："在哪里？"

他方自问出，便也不禁大喜道："不错，必定在这里。"

那口灶正是北方农家通用的大灶，灶上有两只生铁大锅，这两口锅一口满是油烟，另一口却干干净净。

沈浪抓住这口干净锅的锅底转了转，突然将整口锅都提了起来，锅下面，果然现出了地道。

熊猫儿又惊又喜道："这厮做得好隐秘所在。"

想到那恶魔王怜花就在地道下，他全身热血都不禁奔腾起来，面对着如此恶魔，他毕竟也不觉有些提心吊胆。

哪知他一句话没说完，沈浪已跃下地道。

熊猫儿本当沈浪行事处处小心，未免太过谨慎，此刻才知道沈浪胆子若是大起来，谁也赶不及。

他身子跟着跃下，口中却不禁叹道："沈浪呀沈浪，今日我才知道你一身是胆……"

这句话没说完，他已入了密室。

只见那密室中果然布置得甚是精致，再加上那张锦帐绣被的大床，便宛然有如少女的绣阁。

但王怜花呢？

王怜花却连影子也瞧不见。

帐子挂得好好的，被也叠得整整齐齐，这张床，谁都可以瞧出已有许多天没有人睡过了。

熊猫儿与沈浪站在床前，你望我，我望着你，心里的难受与失望，当真再也无法形容。

沈浪面如死灰，仰首叹道："错了，错了，我竟又错了……不想王怜花在这小小的地方，所布下的密巢竟也不止一处。"

熊猫儿从未见过沈浪如此颓丧，他心中虽也不知道多么难受失望，却伸手一拍沈浪肩头，强笑道："错了一步有何关系，反正王怜花迟早是逃不过你手掌的。"

沈浪黯然道："今日一步走错，又被他逃脱，以后只怕……"

顿足长叹，垂首无语。

熊猫儿也不知该如何安慰他，绕着这密室走了两圈，瞧着那精致的陈设，香喷喷的绣被，忍不住恨声道："可恨王怜花不但是个恶魔，还是个色魔，无论走到哪里都忘不了安置下一张床……床……床……"

他愈想愈气，愈想愈恨，大声道："待我先将这张床毁了，出出这口恶气。"一步蹿到床前，伸手就要去扯帐子。

哪知他手掌方自抓住帐子，突然一连串"叽叽咯咯"的声响，自床下面断断续续传了上来。

他手掌立刻停住了，耳朵也直了。

沈浪面上立刻泛起惊喜之色，亦自凝神倾听。

只听这声音渐近，渐响。

熊猫儿哑声道："莫非是那话儿来了？"

沈浪道："想来如此……但愿如此……"

突听又是“咯”的一响，床，竟似在动了。

沈浪目光一扫，确定这密室并未因自己进来而有丝毫改变，立刻拉着熊猫儿，躲在帐后。

织锦的帐子，沉重而厚密。

熊猫儿悄声道：“咱们为何还要躲着，为什么不和他拼了？”

沈浪道：“不妨先听听他的机密再动手也不迟。”

熊猫儿道：“但是——”

话未说出，嘴已被沈浪掩住。

“咯”的再一响，床果然翻起，两个人钻了出来。

只听一人道：“你松松手，让我喘口气好不好。”

熊猫儿手立刻抖了，这正是朱七七的声音。

另一人笑道：“抱着你这样的人，我舍得松手？”

这淫猥的笑声，熊猫儿听在耳里，简直连肺都要气炸。

王怜花，这恶贼，果然来了。

只听王怜花长长喘了口气，笑道：“那厮真不是东西，早不去，迟不去，偏偏要在那紧要当口去，却将咱们的好事也惊散了。”

朱七七也长长喘了口气，道：“哼，我当你只怕沈浪，却不想你连范汾阳来了，也跑得这么快，你不怕在我面前丢人么？”

熊猫儿、沈浪对望一眼，暗暗跺脚，忖道：“早知范汾阳找对了地方，咱们那时就该一起去了。”

又听得王怜花笑嘻嘻道：“我会怕范汾阳……嘿嘿，我只怕范汾阳后面还跟着沈浪和那只又馋又贪嘴的野猫子。”

朱七七道：“哦，原来你还是怕他们的，你总算说了实话。”

王怜花笑道：“我也不是怕他们，那边反正有人对付他们，咱们何必不换个安安静静的地方，安安静静地……”

朱七七突然娇呼道：“哎哟，你的手……”

王怜花大笑道：“我的手可聪明得很，就知道该往舒服的地方走。”

朱七七喘息着道：“你……你……你先拿开。”

王怜花道：“咦，你不是已答应嫁给我了么？”

朱七七道：“但……但……”语声突然变得十分娇媚，柔声道：“但你也该先解开我的穴道呀，这样子……多不好……我这样对你，你还怕我跑么？”

王怜花道：“我实在不放心。”

朱七七柔声道：“反正我已是你的人了，不会跑的。”

王怜花笑道：“你现在还不能真算我的人，但等一会儿，你就是了……到那时你要我做什么，我就做什么。”

朱七七喘息着道：“但你……你……嗯……哎呀。”

沈浪的手掌，也不觉颤抖起来。

熊猫儿突然虎吼一声，双手分处，将那帐子生生一撕两半，只听王怜花一声惊呼，整个人翻了出去。

他身上已只穿着件短袄，面上已毫无血色，一个翻到床下，顺手执起张椅子，向熊猫儿摔过来。

熊猫儿眼睛都红了，丝毫不闪不避。

椅子摔在熊猫儿身上，立刻被撞得四分五裂，他身子却已向王怜花扑了过去，厉吼道：“王怜花，拿命来。”

王怜花出手如电，连击四掌，熊猫儿竟笔直迎了过去。

只听“噼噼啪啪”一连串声响，这四掌俱都击在熊猫儿肩上、胸上，但熊猫儿也已一把抓住了他的胸膛。

若是换了平日，熊猫儿身中他四掌，不死也要重伤，但此刻王怜花重伤未愈，十成气力已只剩下两成。

王怜花嘴唇都白了，道：“熊兄，你……”

熊猫儿嘶声道：“你还想要命么？”劈面一拳，击了过去。

这一拳击下，王怜花的脸莫说是肉做的，就算是铜浇铁铸，只怕也要被这盛怒下击的一拳打扁。

但突然一只手伸过来，轻轻一托，便将这一拳力道化解，虽然只差分毫，却毕竟未碰着王怜花的脸。

熊猫儿怒吼道：“沈浪，你还要拦我？”

沈浪默然道：“留下他的活口，我还有许多事要仔细问他，他此刻既已落入你我掌中，你还怕他飞上天不成？”

熊猫儿狠狠一跺脚，道：“我恨不得此刻便将这厮碎尸万段才好。”

他甩开手，回转头。

只见朱七七云鬓蓬乱，一双纤手，紧紧拥着被，一双眼睛，紧紧瞪着他，整个人都似已呆了。

熊猫儿颤声道："你……你……你……"突又跺了跺脚，转过头，不再瞧她，整个人却一直在抖个不停，一双拳头捏得指节都变成惨白色。

沈浪已点了王怜花七处穴道，目光也移向朱七七，他脸上似笑非笑，纵然是笑，也是苦笑，惨笑。过了良久，他终于缓缓道："你好么？"

朱七七道："我……我……"

她嘴唇启动了几次，却连声音都未发出。

沈浪又默然良久，方自轻叹道："我不懂，你为何……"

朱七七突然放声痛哭起来，就好像一柄尖刀突然刺入她肉里，刺入她心里，她痛哭着道："沈浪，你懂的，你本该懂的。"

沈浪喃喃道："我真该懂么？"

朱七七以手捶床，嘶声道："你懂，你懂，你……"

熊猫儿仍未回过头，突然大喝道："你方才既不哭，此刻哭什么？"

朱七七道："我……我……你……你……"

熊猫儿虽咬紧牙关，语声仍不禁颤抖。

他颤声道："难道你是见着我们才哭么，那么……我……我们走……走好了，让你……你和他……反正你……"

朱七七嘶声道："熊猫儿，你……你好狠，你竟说得出这样的话来……你难道不知道我是被逼的，我若不……若不那样说，又该如何？我只是想拖延时间而已。"

熊猫儿终于长叹一声，垂下了头。

沈浪缓缓叹道："其实，你还有别的法子的。"

朱七七道："不错，我还有别的法子，但我却不想死，我要复仇，我……我……我还想再见你一面。"

沈浪道："我……"

朱七七嘶声道："你不信么……你不信么……"

沈浪木然道："我信。"

朱七七道："你……你能原谅我么？"

沈浪道："我原谅。"

但朱七七却又痛哭起来，道："我知道你见我那样子心里难受，但你可以打我骂我，我只求求你，不要对我这样冷淡。"

沈浪道："我冷淡么？"

朱七七道："我……我……"

她心都裂了，哪里还能说得出话来？

沈浪缓缓走过去，拍开她穴道，道："穿起衣裳吧。"

但朱七七却扑了上来，紧紧抱住了他，她身上虽只剩下最贴身的衣服，她也完全顾不得了。

她抱得那么紧，哭得那么哀痛。

沈浪却站着动也不动，木然道："放开手。"

朱七七道："沈浪，你好狠，你难道真的不肯原谅我？"

沈浪道："我不是已原谅了你么？"

朱七七道："但你……你为何这样……"

沈浪道："你要我怎样，我怎样才算原谅你……其实，你也根本没有什么好求人原谅的，你本没有做错。"

朱七七嘶声道："你嘴里虽这么说，但你心里……心里却在怪我，我知道，天呀，我若是死了就好了，我方才本该死的，但我……我却等着要死在你的手上。"

沈浪道："我为何要怪你？你为何要死？我这样对你，只因我本来就是这样对你，这一点你本该早就知道。"

朱七七呼道："我不知道……我不知道……我只知道你爱我，你是爱我的，沈浪，是不是……是不是呀？"

沈浪道："放开手。"

朱七七突然一抹泪痕，咬牙道："好，沈浪，无论你说什么，我都只当我对不起你，无论如何，我已配不上你，我现在什么都不想了，只求你……你杀死我吧。"

沈浪道："穿起衣服。"

朱七七突然一跃而起，跃到墙畔，抽出墙上挂着的一口剑，抛给沈浪，沈浪只得伸手接住。

朱七七嘶声呼道：“沈浪……”张开双臂，挺起胸膛，向沈浪手中的剑尖扑了上去。

但沈浪手掌一抖，那柄剑竟生生齐根断了。

“当”地，剑尖落地，朱七七也已扑倒在地，那哭声……那哭声的悲惨，那哭声的悲痛，谁也无法形容。

沈浪默然半晌，缓缓道：“范汾阳必已涉险，我赶去救他，你守着他们，我就回来。”翻过床面，钻入床下的地道。

熊猫儿急道：“沈浪，等等，我去……”

但他回过身时，沈浪身形却已消失了。

壁上一盏铜灯，灯光是一直在亮着的。

闪动的灯光，照着熊猫儿的脸，他竟已泪痕满面。

他心里在说：“沈浪，你的心真冷，冷得简直像冰，我虽然知道你为何要如此忍心，但我还是恨不得要狠狠揍你一顿。”

只是他瞧着痛苦的朱七七，却一个字也说不出。

王怜花突然长叹道：“沈浪呀沈浪，你虽是我最大的仇敌，但我还是忍不住要佩服你，你既能对一个如此爱你的女子如此忍心，我委实不是你的对手。”

熊猫儿厉声道：“住口。”

王怜花道：“熊猫儿呀熊猫儿，如今我才知道你也是爱着朱七七的，否则你方才便不会那么激动，那么生气，只可惜你我……”

熊猫儿大喝道：“你再说一个字，我就宰了你。”

王怜花笑道：“好，我不说了，我本不该说出别人心里的秘密。”

他虽说不说，其实还是说了几句，此人果然不愧为一世枭雄，除了他之外，此时此刻，还有谁能像他这样镇定……

朱七七突然站了起来，哭声突然停顿，面上突然变得毫无表情，走到床边，将衣裳一件件穿了起来。

她眼中似乎已没有别的人，什么都没有了。

熊猫儿垂下头，不敢瞧她，也不忍瞧她。

朱七七却突又走到他面前，盈盈一拜。

熊猫儿道："你……你这是做什么？"

朱七七木然道："你对我太好了，而我……我……唉！我此刻唯愿只认识你，不认识别人，只可惜……天下本少有能让人如愿的事。"

熊猫儿又不禁垂下头，道："你……你不必……"

朱七七道："你什么都不必说了，你的心，我早已知道，我只恨我自已，我只恨我自己为什么不能够……"

熊猫儿突然大笑起来，伸手抚着朱七七肩头，大声道："你也不必说了，这样也很好，无论如何，我总是你的好朋友，熊猫儿生平能结一红颜知己，也算此生不虚。"

朱七七幽然叹道："你真是条好男儿，我真不知道世上能有几个像你这样的男子汉。我……我若有你这么个哥哥就好了。"

熊猫儿笑道："你为何不此刻就拜我为兄……"

朱七七道："你……你真肯收我这样个妹子么？"

熊猫儿道："我再愿意也没有了。"

朱七七道："大哥，我……我太高兴了……"语声突然颤抖，身子又盈盈拜了下去。

熊猫儿目中热泪盈眶，口中却大笑道："好妹子，好……"伸手去扶朱七七的香肩。

朱七七道："大哥，你莫忘记，我永远是你的妹子，以后……妹子纵然又做错了什么，大哥也该原谅的。"

熊猫儿道："那是当然。"

朱七七道："大哥，谢谢你……"身子突然向熊猫儿撞了过去，纤手如风，连点了熊猫儿胸前"紫宫""神封""期门""步廊"四处穴道。

熊猫儿做梦也未想到她会突然向自己出手，他甚至连身子已倒在地上后，还是不能相信。

王怜花也惊得怔了，目定口呆，作声不得。

熊猫儿道："你……你……你这是做什么？"

朱七七道："大哥，我是你的妹子……"

熊猫儿怒道："妹子是这样对大哥的么？"

朱七七道："大哥，你莫生气。"

熊猫儿大声道："我不生气？我简直气疯了。"

朱七七垂首道："大哥方才已答应我，无论我做错什么，大哥都原谅的。"

熊猫儿简直哭笑不得，道："但……但你这样……你这样我怎能……"

朱七七道："妹子这样做，自然有原因。"

熊猫儿道："你有什么狗屁原因，快说吧。"

朱七七道："我这样做，只因我要带王怜花走。"

熊猫儿又惊又怒，失声道："你要带他走，你……你竟要救他。"

朱七七道："我不是要救他，我只是要带他走。"

熊猫儿怒吼道："你不救他为何要带他走？"

朱七七道："这只因……只因……"凄然一笑，道："这原因现在我还不能说。"

熊猫儿怒道："你疯了，疯了，你脑子里必定有毛病。"

朱七七道："我没有疯……我知道我没有做错，我只有这样做。"

熊猫儿喝道："你还说没有错，你这样做，必定要后悔终生。"

朱七七道："不，我永远也不会后悔的。"

熊猫儿嘶声道："我错看你了，只怪我错看你了……我简直对不起沈浪。"

朱七七道："总有一天，大哥会知道没有错看我的。"

到了这时，王怜花竟已忍不住喜动颜色，说道："无论如何，我总没有错看你，原来你还是对我好的。"

话未说完，朱七七已蹿过去，扬手掴了他十几个耳刮子，没有一掌不是狠狠地打，重重地打。

王怜花脸被打得又红又肿，人也被打呆了，颤声道："你……你这是……"

朱七七咬牙道："王怜花，告诉你，你莫要得意，你落在沈浪手上，最多也不过只是一死，但你落在我手里，我却要叫你求生不得，求死不能。"

熊猫儿大声道："放屁放屁，他难道未曾落在你手上么？他还不是一样逃了去，我瞧你这一次还是乖乖的……"

朱七七截口道："这一次，绝对不同了。"

熊猫儿道："哼，不同，不同个屁。"

朱七七道："大哥，我知道我……"

熊猫儿大吼道："住嘴，我再也莫要你叫我大哥，我不要听。"

朱七七凄然一笑，道："大哥，我知道我对不起你，但我……我只有这样做……"咬一咬牙，拉起王怜花，向外面拖了出去。

熊猫儿眼睁睁瞧着，当真气得要发疯。

却见朱七七突又放下王怜花，走了回来，蹲下身子，伸出纤纤玉手，轻抚着熊猫儿的脸。

熊猫儿吼道："拿开，手拿开。"

朱七七却似未曾听到，只是悠悠道："大哥……熊猫儿，我真对不起，我这一生，最对不起的就是你，我这一辈子都不会忘记你……"

眼帘一合，两行泪珠沿着面颊流下，一滴滴都滴在熊猫儿脸上，她再次长身，拖着王怜花狂奔而去。

门外，又传来她的悲泣。

朱七七的眼泪，沿熊猫儿的嘴角流下来，流到他脖子里，清冷的泪珠，带着辛酸而苦涩的甜味。

熊猫儿只觉脸上痒痒的，心里……唉！他心里却当真不知是何滋味——简直不是滋味。

望着朱七七狂奔而出的背影，他真恨不得将自己的心一片片撕碎，他忍不住放声大呼，道："朱七七，回来……回来……"

但朱七七却连头也未回。

他想不通，猜不透，简直无法了解。

她为何要如此？为何要如此？为何要如此……

他气极，怒极，闷极，恼极。

他只有放声大吼道："女人，女人，天下的女人都该送下十八层地狱……"

他如今才知道女人是多么难以了解，若有哪个男人自以为了解女人，那人想必是上辈子缺了德，所以叫他这辈子受些苦难——而朱七七，若有谁自以为了解朱七七，他不是疯子，便是呆子。

熊猫儿喃喃道："我是呆子……当真是个呆子……沈浪回来时，瞧见我这模样，他会如何？我怎有脸面来见沈浪？"

但他连身子都不能动，却又怎能不见沈浪？

约摸过了有两三盏茶时分。

这一段时候，熊猫儿真不知是如何度过的。

他忽而想沈浪永远不要回来，忽而又想沈浪快些回来——就在这时，终于有一阵脚步声传了过来。

但这脚步声却非由床下地道传上来的，竟却是上面地道传下来的，来的人，竟显然绝非沈浪。

熊猫儿脱口道："谁？"

喝声未了，已有三条大汉疯狂地冲了下来，赫然竟正是方才提着铜壶去为群豪解毒的那三人回来了。

三个人瞧见上面弟兄的死尸，此刻眼睛都红了，再瞧见熊猫儿，三人狂吼一声，齐地扑了上来。

熊猫儿脸色变了一变，却突然大笑起来。

当先一条大汉厉喝道："狗娘养的……可是你这狗娘养的下的毒手？"

熊猫儿大笑道："对极了，对极了，三位来得正好。"

那大汉怒吼道："正好宰了你。"

熊猫儿笑道："多谢多谢！"

三条大汉瞧见他如此模样，反倒怔住了，三人只当他必定有诈，竟不由自主，各自后退一步。

熊猫儿道："三位为何不动手？"

那大汉道："你……你这狗娘养的，真的想死？"

熊猫儿狂笑道："畜生，老实告诉你，你家大爷正是想死了，虽然死在你们这三个小畜生手上有些不值，但却比不死的好。"

一条大汉忍不住道："这厮只怕是疯了。"

另一条大汉道："嗯！的确有些疯相。"

熊猫儿怒喝道："畜生，还不动手，等沈浪回来，就来不及了。"

三条大汉听得沈浪的名字，身子竟不由得齐地一震，三人扭转头一望，幸好，没有沈浪的影子。

当先一条大汉终于厉喝道："好，你这狗娘养的既然想死，大爷就成全了你。"

熊猫儿大笑道："好，来吧，熊大爷什么都尝过，正要尝尝死是什么滋味。"

那大汉"唰"地抽出钢刀，一刀砍了下去。

刀光闪过，只听一声惨呼，又是一声惨呼，接着三声惨呼，三条大汉都倒了下去，熊猫儿却还好好地躺在那里。

沈浪已回来，身旁还有一个满身浴血的范汾阳！

熊猫儿长叹一声，闭起眼睛，只觉有只手掌在他身上拍了两拍，他穴道立刻被解，他咬了咬牙，只得站了起来。

沈浪正静静地瞧着他。

熊猫儿跺了跺脚道："好，你问吧。"

沈浪微微一笑，还未说话。

那满脸惊诧的范汾阳却已忍不住抢先问道："熊兄，你这……"

沈浪截口道："你喝口酒吧。"

熊猫儿也不说话，举起酒葫芦，"咕"地喝下口酒。

范汾阳终又忍不住问道："这究竟……"

哪知沈浪却又截口道："咱们总算没有来迟。"

熊猫儿突然大呼道："沈浪，你为何不问我？为何不问我朱七七与王怜花到哪里去了？为什么不问我怎会变得如此模样？"

沈浪向熊猫儿微笑道："只要你安然无恙，别的事又有何妨。"

熊猫儿嘶声道："但我……"

沈浪截口道："你必已出了全力，此刻正该歇歇才是，这……这全是我的不好，方才实已心浮气躁，竟未征得你同意，便把你抛在此地，你需得原谅才是。"

熊猫儿怔了半晌，仰天长叹一声，道："本该我求你原谅的，但你却求我原谅起来……朱七七、王怜花踪影不见，如此大事，你也一字不提，反而先问我的安危，我……我交着你这样的朋友，还有什么话说，我……我……我熊猫儿只有将性命交给你了！"

范汾阳来回绕了几圈，还是忍不住道："但王怜花究竟怎会……"

沈浪叹了一声，接道："这想必又是朱七七做的好事。"

范汾阳失声道："你说王怜花是被她救走了？"

沈浪道："想来必是如此……猫兄，是么？"

熊猫儿顿足道："女人……女人……"

当下红着脸将方才之事全都说出。

范汾阳也听得怔住了，怔了半晌，也不禁顿足道："女人……女人……世上若没有女人，想必太平得多。"

沈浪沉吟道："朱七七此番将王怜花带走，不知又要做出什么事，闯出什么祸来？"

范汾阳道："沈浪你也猜不着？"

沈浪苦笑道："又有谁能猜着女人的心事？"

走到躺在地上那三条大汉前，轻轻踢了一脚。

那大汉在地上滚了两滚，跳起来就想往外逃，但哪里逃得了，熊猫儿一个耳光，就将他打了回来。

沈浪道："你好好地站着，莫要动。"

熊猫儿吼道："动一动就要你的命。"

那大汉手抚着被打肿的脸，道："你……你要怎样？"

沈浪道："只要你好好回答我的话，我不但饶了你，还饶了你的同伴，你该知道我本不愿伤你，否则我方才怎会只是点了你的穴道。"

那大汉目光闪动，面上的神色，已是千肯万肯，但口中却厉声道："无论你问什么，我都不会说，除非……"

沈浪道："除非怎样？"

那大汉道："除非你先让我做件事。"

熊猫儿怒道："你还有什么鸟事要做，你……"

沈浪却含笑截口道："让他做吧。"

那大汉道："多谢……"

缓缓退后几步，突然俯身拾起一柄长刀。

熊猫儿只道他又拼命，方待扑去，哪知这大汉扬起刀来，"唰、唰"两刀，竟将他躺在地上那两个同伴宰了。

这一来熊猫儿倒当真吃了一惊，叱道："你干吗？"

那大汉抛下长刃，喘了口气，嗄声道："这两人不死，我是什么话也不敢说的，否则，若是被这两人密告一状，我还是没有命。”

熊猫儿咬牙道：“好家伙，好黑的心。”

那大汉道：“你们只要能从我口中探出秘密，管我的心是黑的是白的？”

范汾阳叹道：“你果然不愧王怜花的手下。”

那大汉挺胸，道：“要问什么？快问吧！”

沈浪道：“方才……”

那大汉截口道：“方才我已将那些人全救活了，此刻那些人只怕都已走得干干净净，一个个自然对咱们千恩万谢。”

沈浪道：“那其中有个金不换呢？”

那大汉道：“金不换……我可没瞧见。”

沈浪、熊猫儿对望一眼，不禁暗中跌足，熊猫儿叹息一声道：“不想还是被这厮逃脱了。”

沈浪沉吟半晌，道：“有位白飞飞姑娘呢？”

那大汉道：“你说的可是那看来连一阵风都禁不住的小美人儿？”

沈浪道：“不错，就是她。她此刻被囚在哪里？”

那大汉道：“她本来就是被关在这里的，还有个人和她关在一起，听说是什么‘快活王’手下的使者……”

沈浪动容道：“那使者是何模样？”

那大汉道：“他打扮成个老妇人的模样，有时说话是个男的，兄弟们都在暗中打赌，赌他究竟是男是女。”

熊猫儿忍不住道：“他究竟是男是女？”

那大汉往地上重重啐了一口，撇着嘴道：“赌他是男的人输了……”

熊猫儿道：“他是个女的？”

那大汉道：“赌他是女的也输了。”

熊猫儿怔了一怔，道：“这算什么？”

那大汉道：“他既不是男，也不是女，是个阴阳……”

熊猫儿大喝一声，道：“住口……呸……”

那大汉又啐了一口，道：“这种妖怪，我可也不愿提起。”

沈浪苦笑道：“快活王也当真是个怪物，竟想利用这种男不男、女不女的妖怪来为他搜寻美女，除了他外，还有谁能做得出这种事来。”

众人想了想，也不禁又是好气，又是好笑。

沈浪道：“他两人既被关在这里，此刻怎地不见？”

那大汉道：“他两人早已逃了。”

沈浪、熊猫儿齐声道：“逃了？”

那大汉道：“不错，就是那妖怪带着白姑娘逃的。”

熊猫儿一把抓住他衣襟，怒喝道：“放屁……就凭这两人，能在王怜花手下逃得了？哼哼，这话只怕连鬼也不会相信。”

那大汉道：“放……放手，这其中自然另有缘故。”

熊猫儿道：“什么缘故？快说！”

那大汉松了口气，道：“那是我家王公子故意放他们跑的。”

熊猫儿大奇道：“故意放他跑的？为什么？”

那大汉道：“这其中秘密，咱们底下人谁敢问。”

熊猫儿喝道：“我不信你说的是实话，你……”

沈浪截口道：“放开他，他说的想必不假。”

熊猫儿道：“但……但王怜花辛辛苦苦擒得了他们，又怎会故意放走？王怜花脑子又没有毛病，怎会做这种呆事？”

沈浪沉声道：“这其中，自然另有阴谋，说不定这是王怜花故意要向‘快活王’讨好……也说不定是王怜花要就此探出‘快活王’的行踪……”

熊猫儿道：“究竟是什么？”

沈浪叹息道：“王怜花这种人做出的事，只怕是谁也不能完全猜透的……唉，白飞飞落入‘快活王’手中，遭遇只怕更惨了。”

熊猫儿恨声道：“而咱们只有眼睁睁瞧着，竟救不了她。”

沈浪仰着头，出神了半晌，喃喃道：“头绪愈发乱了……事也愈发多了……”

熊猫儿道：“咱们此刻该怎么办？”

沈浪道：“此刻，我只望能舒舒服服地洗个澡，安安静静地休息一天，将什么事都完全抛下……然后，再面对一切。”

范汾阳道：“若要休息，到小弟处最好。”

沈浪道：“好，立刻就走。”

那大汉直着嗓子道："我呢？"

沈浪想也不想，挥手道："你走吧……猫兄，放过他，此人虽无义，但我们却不可无信，咱们让王怜花多了这等的手下，反而是害了他。"

第二十六章

初探魔窟

“陆上陶朱”范汾阳果然不愧为中原大贾，单只“晋城”一地，便开得有三处买卖，而且那生意还都不小。

范汾阳笑道：“若论小弟这三处买卖，最大的虽要算‘汾记’钱庄，但地方最舒服的，却是‘迎阳酒楼’。”

沈浪笑道：“我只问最近的是哪里？”

范汾阳道：“最近的却是‘汾记布庄’了，但那地方……”

沈浪笑道：“那地方有床么？”

范汾阳道：“自然有的。”

沈浪笑道：“有床就好。”

熊猫儿道：“那地方有酒么？”

范汾阳笑道：“自然有的。”

熊猫儿大笑道：“有酒就好。”

三个人转过条街，便瞧见“汾记布庄”的金字招牌，在朝阳下闪闪发着光，但走到近前，却发现大门竟是紧紧关着的。

范汾阳皱眉喃喃道：“愈来愈懒了……可恨。”

举手拍门，直将门打得山响，门里竟还是寂然无声。

范汾阳怒道：“这些奴才莫非死光了不成？”

飞起一足，将门踢得裂了条缝——但这扇门却当真是坚固异常，他这一足力道虽大，还是踢不开门。

但范汾阳、熊猫儿却已可从这条裂缝中瞧见里面的情况，只见里面非但无一人影，就是柜台、布架上，也是空空的，连一匹布都瞧不见。

熊猫儿失笑道：“这里非但没有酒，竟连布都没有，范兄你做的买空卖空的生意，这就难怪会发财了。”

范汾阳却已面色大变，强笑道："这其中必有缘故……必有缘故……"

只见隔壁一家店铺中，早已探出个头来，盯着范汾阳瞧了半晌，逡巡走了过来，赔笑道："三位找谁？"

熊猫儿笑道："他找谁？他就是这家店的老板，你不认得？"

那人笑道："原来是范大爷……范大爷生意太多了，三年也不来一次，在下怎会认得，在下张朝贵，就是范大爷的邻居……"

范汾阳早已不耐，终于截口道："张老板可知敝店发生了什么事？"

那张朝贵道："在下也正在奇怪，昨天半夜里，突然来了几辆大车，将贵号里的存货全搬空了，贵号伙计想必是赶着办货，所以……"

他话未说完，范汾阳等三人早已匆匆而去，范汾阳眉皱得更紧，熊猫儿却在一旁笑道："这么好的生意，连存货都卖光了，范汾阳你本该高兴才是。"

范汾阳沉声道："若是普通买卖，焉有在半夜里交易之理？我看这其中必有蹊跷。"

沈浪亦是双眉微皱，喃喃道："昨日半夜……半夜……"

三个人又转过两条街，"汾记钱庄"的招牌已然在目。

范汾阳大步当先，赶了过去，只见这平日生意极是兴隆的钱庄，大门竟也是紧紧关着的，门里静无人声。

山西的钱庄，声望卓著，只要有汾记的钱庄所开的钱票在手，走遍天下，都可十足通用。

只因汾记的钱票永远是十足兑现的，一年三百六十五天，一天十二个时辰，只要将钱票拿到本庄，立刻便可兑现，而此刻，这"汾记钱庄"竟关起门了，竟似已不能兑现，这非但显见事态严重，而且也是从所未见的事。

到此刻，熊猫儿面上也失去了笑容，范汾阳更是神情惨变，一步冲到门前，放声高呼道："守成，开门来。"

门终于开了，开门的是个衣衫朴素、修饰整齐的中年人，瞧见范汾阳，谨慎的面容上，立刻露出惊喜之色。

这人正是范汾阳的得力臂助，也是他的堂兄范守成。

范汾阳还未等门户大开，便已冲了进去，暴跳如雷，大喝道："守成，你怎地也糊涂了，这扇门是死也不能关的，你难道忘了，你难道要汾记这招牌毁在你手上？"

范守成垂手而立，低头道："我知道，只是……"

范汾阳道："银钱纵有不便，但凭咱们的信誉，也可向人调动，何况，我知道店里至少还有几万两存着，咱们今年开出的钱票，也不过如此。"

范守成垂首道："我知道，但……唉！这次非但咱们店里存的四万两全都被人取走，就连城里可以调动之处，我也全部调动过了。"

范汾阳变色道："咱们店里哪有这么大的户头？除非是有人存心拆台，将咱们开出去的钱票，全都搜集来兑现，但我也想不出谁会这样做。"

范守成道："倒没有外人来拆咱们的台。"

范汾阳道："既无外人，却又是怎么回事？"

范守成苦笑道："来提银子的乃是七姑娘。"

范汾阳愣了一愣，倒退三步，"噗"地坐到椅上，喃喃道："她……又是她。"

范守成道："这位姑娘来提银子，我敢不给么……她非但将银子提走，连布店的绸布，也全被她搬空了，我刚一问她，她将眼睛一瞪，要揍人。"

范汾阳跌足道："这位姑奶奶，当真害杀人了。"

熊猫儿、沈浪在一旁也不禁为之动容。

沈浪忍不住问道："她可是亲自来的？"

范守成道："她若不亲自来，我也没这么容易……"

熊猫儿道："她一个人来的？"

范守成瞧了瞧他那种模样，虽不愿回答，又不敢不回答，爱理不理地点了点头，懒洋洋道："嗯，一个人。"

熊猫儿道："她一个人搬得动？"

范守成冷冷道："有银子，还愁雇不着马车？"

范汾阳不住叹息，不住跌足道："这丫头，我早知她是个闯祸精，如今她弄得这许多银子，再加上个王怜花，唉！可更不知道要闯出什么祸来了。”

范守成苦着脸道：“要银子还有可说，但她拿去那些布……唉，可真不知道她是要干什么了，她一天纵然要换八十件衣服，可也用不着那许多布呀。”

熊猫儿苦笑道：“王怜花的行事虽是人所难测，这位姑娘的行事却更叫人莫测高深，我熊猫儿倒当真佩服得很。”

范守成突然大叫道：“原来你就是熊猫儿！”

熊猫儿又吃了一惊，道：“不错，我就是熊猫儿，你……你怎样？”

范守成吐了一口气，赔笑道：“没有怎样，只是……只是七姑娘留下封书信，要我交给一位熊猫儿熊大侠，我想不到便是阁下。”

熊猫儿笑道：“你自然想不到，我本来就没有大侠的模样。”

范守成不敢再多话，自怀中摸出封书信，道：“七姑娘再三叮咛，这封信只能交给熊大侠一个人，只能让熊大侠一个人看，否则……她就要对我不客气。”

熊猫儿道：“你竟如此怕她。”

范守成脸红了，讷讷道：“我……我……”

熊猫儿大笑道：“你也莫要不好意思，告诉你，非但你怕她，我也怕她，这里的人，简直没有一个不怕她的。”接过书信，瞧了瞧，面色立刻变了，再也笑不出来。

范汾阳忍不住问道：“信上写的是什么？”

熊猫儿瞧了瞧沈浪，摸了摸头，道：“这……”

沈浪笑道：“莫非信上有话骂我，你不便让我瞧？”

熊猫儿苦笑道：“咳……这……咳咳……”

沈浪道：“你究竟是个老实人，她明知你会将信拿给我看的，所以在信上骂我，为的正是要让我瞧见。”

熊猫儿叹道：“这封信除了骂你之外，还有更惊人的消息。”

那封信上写的是：

大哥：小妹自王怜花口中探出，快活王已然入关，行踪似在太行山左近，大哥千万留意。

沈浪刻薄寡情，假仁假义，大哥不可与之交友，否则终有一日被他所弃，这消息也切莫告诉他，让他上当吃苦去，小妹最是开心。

小妹 七七敛衽拜上

范汾阳瞧完了信，苦笑道："我若不认得她的字，当真要以为这封信是个野男人写的，唉！这哪里像是闺阁少女的词句。"

熊猫儿笑道："但词句倒也通顺，就和她说话似的。"突然想起她种种可恶之处，立刻失去笑容，大声道："她平日说话本就不似少女，倒和强盗差不多。"

沈浪面色凝重，沉声道："无论她写的词句如何，这消息总是惊人得很，'快活王'竟骤然入关，你我委实不可不分外留意。"

熊猫儿拍案道："他入关最好，咱们不是本来就想找他么。如今他既然已送上门来，岂非省了咱们许多麻烦。"

沈浪叹道："但事情哪有如此容易？"

熊猫儿道："有什么不容易，咱们既已知道他行踪……"

沈浪截口道："你我纵然已知他行踪，但王怜花下落不明，朱七七心意未测……"

熊猫儿大声道："这些事都可暂时放在一边的。"

沈浪苦笑道："这些事纵可暂时放在一边，单就凭你我三人，是否能胜得了他？何况他门下客也无一不是绝顶好手，你我岂能轻视？"

范汾阳立刻接道："正是，久闻'快活王'手下，非但四大使者武功惊人，随行三十六骑，亦无一弱者……"

熊猫儿大叫道："原来你们都怕了他，好！好……他未来之前，人人都要找他，他真的来了，大家却唯恐逃得不快。"

沈浪微笑道："谁说要逃了？"

熊猫儿道："既然不逃，咱们就到太行山去。"

沈浪沉吟半晌，缓缓道："太行之行，固然已是势在必行，但你却要答应我一件事。"

熊猫儿喜道："我几时不答应你的事了。"

沈浪道："好，到了太行，纵然见着'快活王'一行人众，但未得我同意，你切切不可轻举妄动，胡乱出手。”

熊猫儿拍掌道：“好，就一言为定。”

范汾阳道：“小弟也……”

沈浪道：“范兄还是不去的好。”

范汾阳微微一笑，道：“小弟虽然胆小却非畏事之徒……”

沈浪道：“小弟怎敢将范兄当作胆小畏事之徒，只是‘快活王’此番挟雷霆之势而来，小弟与猫兄此去不过只是聊充探卒，决胜之事，绝无如此轻易，范兄若能留守此间筹谋调度，小弟便可免去后顾之忧。何况，朱七七与王怜花的行踪消息，也有待范兄在此留意探询，否则小弟又怎能放心得下？”

范汾阳沉吟半晌，道：“既是如此，小弟只得遵命。”

熊猫儿摩拳擦掌，仰天笑道：“快活王呀快活王，我熊猫儿终算能见着你了，我倒要看看你究竟是否生得有三头六臂，究竟有什么惊人的手段。”

太行山，古来便是豪强出没之地，那雄伟险峻的山峦中，也不知造就了多少个叱咤江湖的英雄人物。

熊猫儿腰畔葫芦里装满了甘美的山西汾酒，与沈浪在太行山麓走了两日，却仍未见着“快活王”的行踪。

他葫芦里的酒早已喝干了，着急道：“这里简直连个鬼影子都没有，哪有什么‘快活王’，咱们此来莫要又被那鬼丫头骗了。”

沈浪吟道：“太行山势连绵，山区博大，何止千里，山区中隐僻之处，更不知有多少，岂是短短数日间所能走完的。”

熊猫儿道：“但‘快活王’一行既有那么多人，总不会躲到石头缝里、山犄角里，咱们怎会连影子都瞧不到。”

沈浪微笑道：“他一行人马越众，行动自然便愈是谨慎，你我需得沉住气，就算当作游山玩水又有何妨？”

熊猫儿叹道：“和你游山玩水虽不错，但……”拍了拍腰畔葫芦，长叹一声，在石头上坐下，苦笑道，“没有酒，我简直走不动了。”

沈浪道：“但你哪可知道，酒虽可令人忘却许多事，但世上却也有许多事是要打起精神去做的。”

熊猫儿道："什么事？"

沈浪道："你且随我来。"

两人走了半晌，走到一处山坳，沈浪仰视白云缥缈中那险峻的山峰，出神半晌，缓缓道："你可瞧见这山峰了？"

熊猫儿失笑道："我酒瘾虽发，眼睛可还是瞧得见的。"

沈浪道："这山峰之上，便是昔日'太行三十六柄快刀'啸聚之地，这三十六位豪杰昔日成名时，当真可说是威风八面。"

熊猫儿道："太行快刀的名声，我也听说过。闻得这三十六人抽刀可斩飞蝇，刀法最慢的一个，有一次在洛阳与人打赌，那人将七枚铜钱抛在地上，他竟能在铜钱坠地之前将七枚铜钱俱都砍为两半。"

沈浪笑道："正是如此，你不知道刀法最快之人，究竟快到什么程度？"

熊猫儿摇头道："不知道，你且说来听听。"

沈浪道："我也不知道……我简直想也想不出。"

熊猫儿忍不住大笑起来。

两人相与大笑半晌，熊猫儿又道："闻得这三十六柄快刀，刀法虽然快如闪电，但却全都是杀人不眨眼的大强盗，这三十六人除了每年两次的聚会外，其余时间都在四处作案，据说他们抢得的银子，已比太行山还高了。"

沈浪道："所以这才惊动了一位绝代英雄，发誓定要将三十六人除去……喏，那边有块石头，你瞧见了么？"

熊猫儿随着望去，只见那边山麓下，果然有方青石。

这方青石平滑光亮，宛如精铜，但中间却有条裂缝，由上至下，笔直到底，似是被人一刀砍开的。

沈浪道："那位绝代英雄，算准他三十六人聚会之期，孤身孤剑，到了太行，便在这青石上向他三十六人挑战。"

熊猫儿动容道："好汉子，好胆气。"

沈浪道："三十六柄快刀自然不甘示弱，下山迎战，那位绝代英雄也不多话，抽出长剑，往这青石一剑砍下。"

熊猫儿失声道："他一剑竟将这巨石砍成两半了么？"

沈浪道："不错，这青石便是他一剑扬威处，太行群刀自然惊服，俱都饮血为誓，从此收手，那位绝代英雄本也有怜才之意，便放过了他们，这三十六人也不愧为英雄汉子，果然终生未再出太行山一步。”

熊猫儿抚掌大笑道：“痛快，痛快，能听得如此快事，果然比喝酒还要痛快得多……还有什么你快说来听听。”

沈浪笑道：“中原多豪侠，太行出英雄……只要你想听，这种事是三天三夜也说不完的，快打起精神随我来吧。”

两人一路行去，这太行山的每一座山峰，每一方怪石，甚至每一株奇特的树木，似乎都有着一段传奇故事。

熊猫儿出神地听着，有时开怀大笑，有时唏嘘长叹，有时勃然大怒，有时悲愤填膺……

这些多姿多彩的英雄传说，这些多姿多彩的英雄人物，在沈浪口中说出来，宛如又活生生回到他眼前。

两日来，熊猫儿不但忘却了酒，甚至连“快活王”都忘却了，不知不觉间，两人已将太行山绕了半圈。

这一日正午时，两人就着夹带碎冰的山泉，胡乱咽下一顿干粮，虽有阳光，但山阴中寒风仍凛冽如刀。

熊猫儿衣襟却仍是敞开着的，只因他胸中的热血，比火还热，他敞开衣襟，迎风而立，大笑道：“今日你我在说昔日那些英雄的豪情胜举，百十年后，不知可有人来说你沈浪与我熊猫儿的事迹。”

沈浪微笑道：“纵有人说，你我也听不到的。”

熊猫儿道：“听得到的，此时此刻太行山的英灵雄鬼们，说不定正在一旁听着你我的说话，只恨我却没有酒来敬他们一杯。”

沈浪笑道：“你又想起酒了……喏喏，快看看那边一片突崖……”

熊猫儿道：“那里又有何故事？”

沈浪道：“那里便是‘太行三雁’的自尽之处。”

熊猫儿皱眉道：“自尽乃是女儿家的行径，男子汉大丈夫，纵然遇着什么化解不开之事，也不该将大好生命轻易抛弃……这‘太行三雁’竟不敢挺身而斗，反倒学女子轻生，想来也算不得什么英雄好汉。”

沈浪道：“别人若是轻生自尽，自非英雄所为，但这‘太行三雁’之自尽，却当真可惊天地而泣鬼神。”

熊猫儿道："哦？"

沈浪道："这'太行三雁'本是结义兄弟，但三人各自流浪，平日也难得聚首，这一日雪雁突然携来数坛美酒，同时也将银雁、铁雁全都找来这里……这一片危崖，昔日本是他们三人的结义之地，银雁、铁雁见他突然将自己约来此处，这其中必有缘故，自然免不得要向他问个清楚。"

熊猫儿道："那雪雁说了什么？"

沈浪道："他什么也没说，只是打开酒坛，与他的兄弟痛饮了三日三夜，到了第三夜半夜时，他竟突然跪下。"

熊猫儿奇道："这又是为了什么？"

沈浪道："原来他少年时曾妄杀了一个人，而此人却待他义薄云天，他终生为此事歉疚难安，不知费了多少心血，将此人的后代，培养成人……"

熊猫儿叹道："这雪雁也算得是有良心的了。"

沈浪道："他为的本是赎罪，是以虽然费心尽力，却不使那人的后代得知，谁知那少年长大后，竟向他寻仇，一心要取他性命。"

熊猫儿叹道："父仇不共戴天，这也怪不得那少年……只是，这雪雁既已痛悔求恕，那少年也该放过他了。"

沈浪苦笑道："虽然如此，但他知道仇重如山，已绝非言语所能解释，何况，他也绝不是挟恩自重的小人。"

熊猫儿动容道："于是他便怎样？"

沈浪道："他竟约了那少年，到此与他见面。"

熊猫儿道："他生怕事情解释不开，所以便将他兄弟也一起约来，甚至不惜下跪求助……哼，这又算什么英雄好汉。"

沈浪长叹道："你错了，他向他的兄弟下跪，只是求他兄弟到时切莫出手相助，求他兄弟眼见这段恩怨了结后，再将详情说出，他要他兄弟告诉天下人，他乃是公平比斗，不敌而死，他非但要教少年扬名天下，还要别人莫为他寻仇。"

熊猫儿道："呀，原来如此，他兄弟可答应了？"

沈浪道："他兄弟也都是义烈男儿，虽然心中愀然，但却都一口答应了，天色微明时，那少年便已赶来。"

熊猫儿道："他可曾出手？"

沈浪叹道："他话也不说，便自出手，那雪雁本已抱决死之心，虽也回招，但却不过是装样子的而已，不出三十招，他便中了那少年一招杀手。"

熊猫儿失声道："他兄弟呢？"

沈浪道："他兄弟一诺千金，竟真的在一旁袖手旁观，绝不相助，眼睁睁瞧着他死在那少年手下，那少年得意狂笑，自道血债已了，正待扬长而去，那铁雁最是性烈，终于，忍不住将此中隐情说了出来。"

熊猫儿动容道："那……那少年又如何？"

沈浪道："那少年自然听得怔住，只见银雁、铁雁两人，说完了话，突然抽出刀来，同时自刎，竟真的践了他们不愿同日同时生，但愿同日同时死的誓言。那少年站在他三人尸身前，整整三天三夜，不言不动。那时正值严冬，冰雪俱已在他身上凝结，渐渐冻住了他的眼睛、鼻子，也渐渐冻住了他的嘴，他还是不动……唉，这少年终于也被活生生冻死了。"

熊猫儿也早已听得呆住，身子不住地发抖，过了半晌，突然狂吼一声，跳了起来，嘶声道："他们的英灵不散，想必远在那危崖上，我得上去瞧瞧。"

沈浪竟未拉住他，熊猫儿已笔直蹿了上去。

危崖上积雪仍未落，寒气已将凝结成雾。

熊猫儿木立在白茫茫的雾气中，仿佛也有如昔日那少年一般，呆呆地木立着，动也不动。

沈浪微笑道："昔日恩怨，都已如梦，昔日豪杰，俱化尘土。人世间恩恩怨怨，也不过如此而已，你又何必如此自苦。"

熊猫儿茫然道："我……唉……"

沈浪目光凝注着他，缓缓道："这故事莫非触及了你什么隐痛？"

熊猫儿突然道："你可知道我也有个结义兄弟么？"

沈浪道："哦……"

熊猫儿缓缓道："别人对他的结义兄弟，如此体谅，如此义气，那雪雁无论做出了什么，他兄弟都可体谅他的苦衷，而我……"

沈浪道："你难道会对不起你那结义弟兄？"

熊猫儿悠然长叹道："我那结义弟兄，只不过因为对不起我，我便恨他入骨，其实，他本也自有苦衷，我也本该谅解于他……"

沈浪默然半晌，微微笑道："你那结义弟兄只怕是女的。"

熊猫儿悚然动容，道："你……你怎会知道？"

沈浪道："你虽然没有告诉我，但我却早已猜到，朱七七既然已称你为兄，否则……你也不致轻易被她点了穴道。"

熊猫儿垂首叹道："我早知什么事都瞒不过你，我本该当时就告诉你的，只是我……"

沈浪一笑道："这又有何妨？人……无论是谁，本该有一些不必被别人知道的秘密，纵然亲如夫妻、兄弟，亦是如此。"

熊猫儿霍然回首，凝注沈浪，道："你也有一些别人不知道的秘密么？"

沈浪缓缓道："自然有的。"

熊猫儿望着面前这惊世绝才、丰神如玉、武功深不可测、义气直干云霄的男儿，呆望了半晌，喃喃道："沈浪，你的确是个谜一般的人物。"

沈浪微笑道："不错！我的秘密本就比谁都多。"

熊猫儿道："当今天下，可有人知道你的身世来历？"

沈浪道："只怕……绝无仅有。"

熊猫儿长叹道："若是换了别人，身世如此隐秘，还有谁敢和他结交为友？你却……但你好像和别人不同。"

沈浪笑道："有什么不同？"

熊猫儿道："无论如何，我总觉得你纵然不肯将家世说出，但你所隐瞒的也必不是罪恶，你……你仿佛有种特别能令人信任之处。"

沈浪笑道："多谢。"

熊猫儿又道："但你的笑，却太令人难以捉摸，有时你虽然笑得甚是开朗，但我却觉得这笑容中似乎含有痛苦，你为何不肯将痛苦说出……"

沈浪微微一笑，回转头去，再不说话。

熊猫儿亦默然，山崖上寒气似乎更重了。

突然沈浪轻呼一声，道："你瞧，这是什么？"

熊猫儿凑首望去，只见寒雾已被阳光撕裂一线，他目光自寒雾中穿出去，下面乃是一片山洼。

山洼中亦有积雪未落，积雪上斑痕零乱，不但有车辙马迹，看来还仿佛有一些特异之物。

只是熊猫儿的目力，也瞧不出那究竟是些什么。

沈浪道："咱们下去瞧瞧。"

他竟自危崖上凌空一跃而下，衣袂飘飞，宛如神仙。

熊猫儿大笑道："好轻功，我也来试试。"

他咬了咬牙，竟也一跃而下，但觉脚下似有什么向下拉着，一口真气，再也难提得起。

他想变换身形，但下面拉着的力道，却似愈来愈重，说时迟那时快，终于"砰"地，重重地摔在雪地上。

沈浪赶过来，道："怎样了？"

熊猫儿笑道："幸好我熊猫儿是铁打的身子，否则早已摔散了……但……奇怪，我屁股上怎会像是被人刺了一刀。"

他挣扎着站起来，便发觉屁股上果然刺入了一根像是锥子般的东西，拔出来一看，却是块鸡腿骨。

那鸡骨被冰雪一冻，当真是锋利如刀。

熊猫儿皱着眉头道："倒霉……这里居然会有鸡骨头。"

沈浪低声道："非但有鸡骨头，只怕还有别的。"

两人一前一后，在这片积雪的山洼中，转了一圈。

只见这山洼雪地上，果然不但是马迹零乱，车辙纵横，还有一堆堆的余烬，一些破碎的瓷片。

熊猫儿拾起瓷片，瞧了瞧，道："这是酒杯的碎片。"

沈浪道："瞧这瓷质，这酒杯极是名贵，纵是富室大户，也未必会轻易将这种酒杯拿出来待客喝酒。"

熊猫儿道："但此人却用它在山野中喝酒，而且还摔破了。"

两人对望一眼，再往前走。

沈浪突然自地上拾起样东西，道："你瞧！"

熊猫儿已瞧见他拾起的乃是只珠环，那珍珠竟有龙眼核一般大小，光泽柔和，镂工精致。

沈浪叹道："就只这一只耳环的价值，已够普通人家一年生活之用……"

熊猫儿道："但此人却根本未将它瞧在眼里，纵然丢了，也毫不在意。"两人再次对望一眼，前行脚步更快。

雪地向阳处，地上竟有数十个海碗大小的深洞，每排六个，深达数尺，每排间隔，至少也在一丈开外。

熊猫儿皱眉道："这又是什么？"

沈浪沉吟道："看来这必定是他们扎营打桩时留下的。"

熊猫儿动容道："这么大这么深的洞，那木桩岂非要有普通人家的梁柱般大小，木桩已有这么大，那帐幕岂非更是骇人？"

沈浪沉声道："纵是蒙古王侯所居，也不过如此了。"

熊猫儿道："但此人，露宿一夜，便要如此大费周章。"

两人对望一眼，俱都停下了脚步，你望着我，我望着你，虽然不再说话，但心里俱都早已有数。

快活王！

如此豪阔，如此铺张，除了快活王还有谁。

熊猫儿喃喃道："朱七七果然未曾骗我，他果然已来了。"

沈浪道："瞧这情况，他不但有三十六骑随行，而且还随身带有姬妾，他此番大举而来，莫非已不想再回去了么？"

熊猫儿咬牙道："他想回去，也回不去了。"

沈浪遥注天畔的一朵白云，默然半晌，悠悠道："却不知金无望来了没有？"

"快活王"果然神通广大，也不知用什么方法，也不知走的是什么秘路，熊猫儿与沈浪追着雪地上的车辙马蹄，方自追出那片山洼，那车辙马蹄竟突然奇迹般完全消失不见了。

那雪地上竟然瞧不出有扫过的痕迹。

熊猫儿恨声道："这厮果然是只老狐狸，他实力既如此强，居然还怕有人追踪，甚至在这种鬼地方也怕人追踪。"

沈浪叹道："此等枭雄人物，行事自然不肯有一步落空，他纵然不怕别人追踪，但却也是非这么做不可的。”

熊猫儿道：“为什么？他撞见鬼不成？”

沈浪道：“这种人无论走到哪里，无论要做什么，总是极力要在自己四周，布下重重神秘，重重迷雾，好教任何人都捉摸不透。”

熊猫儿恨得牙痒痒的，道：“难怪我常听人说，愈是这种所谓‘枭雄’人物，愈是这种大坏蛋，疑心病就愈重，甚至对自己身畔最亲近的人，也要弄些手段。”

沈浪叹息道：“正是如此。”

熊猫儿低着头在雪地上走了两圈，突又抬头道：“但这雪地上既不似被人扫过，在此等情况下，他们势必也不会是倒退回去的……”

沈浪颔首道：“人可以倒退回去，如此多车马，便不可能了。”

熊猫儿道：“那么这车辙马蹄又怎会突然不见了？”

沈浪缓缓道：“这种情况我曾遇过一次，是在墓外，那是他们踏着原来脚印退回去的……”

熊猫儿道：“第二次可是在那山上？”

沈浪道：“不错，那是他突然走入地道。”

熊猫儿道：“是呀！所以这才叫奇怪，车马既不能倒退着回去，这里又绝没有什么地道，他们莫非是飞上天去了不成？”

沈浪目光凝注着那一片雪地，只见深深的日色，照在雪地上，宛如一片莹白发光的镜子似的。

熊猫儿忍不住道：“这里什么古怪也没有了，莫非你还能瞧出什么？”

沈浪默然半晌，缓缓道：“我正是已瞧出了。”

熊猫儿大奇道：“你瞧出的是什么？”

沈浪道：“你说这片雪地上什么古怪也没有，不错，就因为这片雪地上并没有古怪了，所以才有古怪。”

熊猫儿皱眉头，苦笑道：“老天爷，你说的这话可真教人难懂。”

沈浪道：“难道你还瞧不出这雪地有什么特别之处？”

熊猫儿左看右看，前看后看，还是瞧不出这雪地特别在哪里——这雪地上简直一点印子都没有。

他只好苦笑着摇了摇头，道：“这雪地上若真有特别之处，想来就是我眼睛瞎了。”

沈浪叹了口气，道：“你瞧这片雪地是否干净整齐得很？”

熊猫儿道：“嗯！太干净了。”

沈浪道：“但雪霁已有两三天，所以这片积雪也有两三天了，此地纵是深山，但过了两三天，这雪地怎会还如此干净？”

熊猫儿道：“嗯……嗯，不错。”

沈浪道：“何况普通积雪，也不可能有如此平整……这片雪地简直就像是画上去的，简直可以当镜子了。”

熊猫儿不住点头，道：“嗯！有道理……”

沈浪道：“所以你就该懂了。”

熊猫儿苦笑道：“我还是不懂，这……这究竟……不过……唉，还是你快说出来吧。”

沈浪微微笑道：“只因这片雪地本是人工铺上去的。”

熊猫儿失声道：“人工铺上去的！”

沈浪道：“不错，他们将地上的车辙马蹄先扫过一遍，然后，再从别的地方运来新雪，用人工铺在上面。”

熊猫儿叹道：“好小子，居然肯花这么多力气。”

沈浪笑道：“反正出气力的又不是他自己。”

熊猫儿道：“如今我总算知道有三种法子可消灭雪地的足印痕迹，躲去追踪，只可惜……我这一辈子是万万不会用上的。”

昼短，眨眼便是黄昏。

沈浪与熊猫儿又追过三处山坳。

熊猫儿两只眼睛，当真有如猫似的，睁得滚圆，绝不肯放过一丝线索，但他却连一丝线索也没有发现。

于是星群渐升，夜色渐浓。

熊猫儿长长叹了口气，颓然道：“又是一天过去了……白白地过去了。”

沈浪道：“这一天还未过去。”

熊猫儿道：“但天已黑了。”

沈浪微微一笑，道：“天黑了有何不好？”

熊猫儿叹道："咱们白天都找不着线索，天黑了岂非……"

沈浪截口笑道："白天找不着，天黑了反有希望。"

熊猫儿直着眼睛，笑道："你莫要真将我当成猫，要到天黑时才瞧得清楚。"

沈浪道："快活王虽然巧计百出，但到了天黑时，难道会不点灯么？"

熊猫儿怔了怔，抚掌大笑道："不错！果然是天黑时反而容易找，只要他点灯，无论多远，咱们都可瞧得见……他本事再大，要想在这黑黝黝的深山里藏住灯光，可也不容易。"

两人振起精神，再往前走。

风轻啸，星光淡，广大的山区中，静寂如死。

熊猫儿除了他自己的呼吸外，什么也听不到。

他又憋不住了，喃喃道："咱们莫非追错了方向？"

直过了盏茶时分，又走出百余丈开外，沈浪却未答话，但突然间，他竟展颜一笑，道："你瞧，那是什么？"

灯光！无边的黑暗中，赫然有了一点灯光。

熊猫儿不等他再说第二句话，早已扑了过去，沈浪寸步不离跟在他身后，沉声道："对付此人，切切不可大意。"

黑暗中的灯光总是难辨远近，有时那灯光明明瞧着很近，却偏偏很远；有时瞧着很远，却又偏偏很近。

沈浪一句话说完，熊猫儿还未答话，那灯光已赫然到了眼前——只见一块巨大的青石上，摆着盏孤灯。

灯光有如鬼火般闪烁不定，青石上的残雪，也不知被谁打扫得干干净净，但四下却连鬼影也瞧不见一个。

虽然没有人，熊猫儿还是不禁心跳了起来——他虽然心跳了起来，还是一步步走了过去。

灯，金光闪闪，竟是黄金所铸。

熊猫儿咬牙道："好小子，连灯也是金子做的。却不知他留下这样一盏灯，在这里又是在耍什么花样。"

沈浪面色凝重，缓缓道："他这盏灯是留给咱们的。"

熊猫儿突地驻足，道："留给咱们的，莫非是诱人的陷阱？"

沈浪道："他若以为这小小的陷阱也能害得到咱们，他便不是'快活王'了。"

熊猫儿皱眉道："这话我又不太懂。"

沈浪道："像他这样的枭雄人物，绝不会轻易低估对方的实力。"

熊猫儿拍掌笑道："不错，尤其对方是沈浪，他纵未见过沈浪，也该听说过沈浪的名字，他若以为略施小计便可害得到沈浪，他就是呆子了。"

沈浪微微笑道："正是此理。"

熊猫儿忽又皱眉道："但……但话又说回来了，他又怎会知道是沈浪在找他？"

沈浪沉声道："瞧他的行事，说不定早已在此山中遍布暗哨，说不定……"

熊猫儿道："无论怎样，待我先去瞧瞧。"

他谨慎了半天，终于还是忍不住原来的脾气，不等沈浪再说话，一个箭步，就蹿了过去。

金灯下，竟压着张纸，上面写着："沈浪！你要找我么？好，沿着这条路来吧。"

这简简单单十几个字旁边，竟画着幅详详细细的地图，说明了这条路通向哪里，路是如何走法。

也注明了他的驻扎之地。

熊猫儿苦笑道："好小子，居然还怕咱们找不着他，居然连地图都画出来了。"

沈浪叹道："此人行事，当真是人所难测。"

熊猫儿道："但……这幅地图会不会是假的？"

沈浪沉吟道："极有可能，他故意留下这地图，要你我上当，我等若是真的按图而行，说不定非但永远找不着他，反而离他愈来愈远。"

熊猫儿道："但他并不怕咱们，又何必如此？"

沈浪叹道："所以此图也极有可能是真的。"

熊猫沉吟着道："这地图若是真的，咱们若是照着图走，他便可从从容容等在那里，从从容容布下各种陷阱……这样，咱们岂非等于自己送上门去？"

沈浪道："正是如此。"

熊猫儿道："但咱们虽然明知如此，不照这张图走也不行呀……若不照着这张图走，却叫咱们走哪条路？"

沈浪长叹道："这正是此人的厉害之处，他正要令我们左右为难，举棋难定，单只这一点，他便已占了上风。"

熊猫儿道："这可真是叫人头疼……照着图走既不行，不照着图走也不行，我看见这纸条时，本以为是件很简单的事，哪知却愈想愈复杂，愈想愈想不通，早知如此，不去想它反而好了。"

沈浪说道："世上有些事正是如此，愈想得多，顾虑愈多，于是就做不成了；若是不想就做，反而说不定能做得通，世上有许多轰轰烈烈的大事，正是不想就做而做出来的，若是仔细想过，便不会做了。"

他这简简单单几句话中，正包含着许多极高深的哲理，熊猫儿听得连连点头，抚掌大笑道："说得好！说得好！我真想不到你也会说出这种话来，只是……只是咱们此刻偏偏已想过了，那又当如何是好？"

沈浪微笑道："纵然想过，咱们也可当作根本未曾想过的。"

熊猫儿大喜道："既是如此，咱们不管三七二十一，就照着图走吧，我本已从你那里学会，无论遇着什么事，都先动脑筋想一想，如今我却又从你那里学会，若遇着无可奈何之事，便是不去想的好。"

沈浪笑道："但你却也要等到想过之后，才会知道什么是无可奈何之事，是么？"

熊猫儿凝思良久，终于拍掌道："不错，这道理我总算想通了。"

这道理骤听似是完全矛盾，其实却完全统一。

第二十七章

莫测高深

沈浪和熊猫儿两人按图索骥，又走了一个时辰。

阴暗的山影中，便突又现出了灯火。

这一次灯光看来甚是明亮，显然绝不止一盏灯。走到近前，便可瞧见一座巨大的帐篷矗立在灯光中。

熊猫儿沉声道："看这地图，这里似乎尚未到'快活王'的驻扎之地，但帐篷却明明在这里……这又是怎么回事？"

沈浪微笑道："你又要多想了。"

熊猫儿笑道："正是正是，既然想不通，还想什么？"

沈浪道："一个人做出的每件事都能令人想不通，这人的厉害就可想而知……"

突见一点火光，自那边移动过来。

熊猫儿沉声道："有人来了。"

沈浪微微笑道："既已有人来了，咱们正好不必多想了，一个人活在世上，能够不动脑筋，还是不动的好。"

这句话说完，那点火光已到了他们身前不及两丈处，高举的火把下，站着的是条锦衣魁梧大汉。

熊猫儿喝道："来的可是快活王门下？"

锦衣大汉道："是！"

熊猫儿道："你可知道咱们是谁么？"

锦衣大汉道："是！"

沈浪微笑道："既是如此，想必是快活王令你来迎接咱们的。"

锦衣大汉道："是！"转过身子，大步而行。

他走得虽不快，但也不慢，看来武功也有几分根基。

熊猫儿压低声音，道：“你瞧这人武功怎样？”

沈浪道：“你看呢！”

熊猫儿道：“我三招便可将他打倒。”

沈浪笑道：“大概还用不着三招。”

熊猫儿道：“我又想不通了，快活王门下，怎会有这样的笨蛋？”

沈浪笑道：“如今你想不通的事已有几件？”

熊猫儿喃喃道：“总有一日，我会全部弄通的。”

抬眼望处，那巨大而华丽的帐篷已在眼前。

帐篷的入口处，悬着以琉璃、水晶、绿玉、珊瑚、玛瑙、珍珠和一些不知名的珠宝所缀成的垂帘。

这垂帘被灯光一映，便交织成一片灿烂的、多彩的、瑰丽的光辉，直可迷眩任何人的眼目。

但在这帘后的那个人，以及有关此人的种种传说，却比这垂帘更多彩，更美丽，更迷人耳目，更令人心动。

到了这里，熊猫儿只觉自己全身上下，每一个毛孔都张了开来，冷风直往里面钻，就好像小刀子似的。

“熊猫儿呀熊猫儿，快活王难道不也是个人么？你怕他个鸟，你怎地也变得这样没有种。”

一想到这里，熊猫儿也不等那大汉掀起帘子，也不等沈浪说话，就一步蹿了进去，大吼道：“快活王，熊猫儿前来拜访。”

他吼的声音可真不小，但却白费了。

帐篷里连个鬼都没有，哪里有人？

灯光，自帐篷四壁的珠盏金灯中洒了下来，照着帐篷里的虎皮墩子、绣金垫子、水晶儿、珊瑚帘、波斯毯……

水晶儿上摆满了奇珍异果，金杯中盛满了美酒，无论是谁到了这里，都难免要瞧得眼花缭乱。

好酒、好吃的熊猫儿，更是该心满意足。

但人呢？人到哪里去了？

熊猫儿霍然回身，一把扭住那大汉的衣襟，厉声道：“快活王难道不在这里？”

锦衣大汉道："是！"

熊猫儿喝道："人为何不出来见咱们？"

锦衣大汉道："是。"

熊猫儿道："他到哪里去了？"

锦衣大汉道："是。"

熊猫儿怒道："是，是，是，你难道只会说'是'？"

锦衣大汉道："是。"

熊猫儿大怒喝道："你再说'是'字，我捏断你的脖子。"

锦衣大汉道："是！"

熊猫儿气得肚子都快破了，提着那大汉往外一抛，怒吼道："你难道是猪？"

锦衣大汉直被抛得飞了出去，但口中却仍然说道："是！"只听"哗啦啦"一阵，他身子穿过珠帘，接着"砰"的一声，他已被掷在地上，口中居然还是说道："是！"

熊猫儿气得鼻子都歪了，但却又忍不住要笑，喃喃道："这种人真该吊死。"

沈浪微笑道："你吊死他，他也还是要说'是'的。"

熊猫儿道："快活王将咱诱到这里，却只叫这么个放屁虫见咱们，这又算是什么？"

沈浪沉吟道："看此情况，此地必然是快活王的待客之地。"

熊猫儿道："待客之地？他难道会将咱们当作客人？"

沈浪笑道："他要咱们先在此处歇一夜，养足精神，再去见他……"

熊猫儿怪叫道："他会有这么好的心？"

沈浪苦笑道："这哪里会是什么好心，这只不过是他在向你我示威而已，表示他根本没有将咱们瞧在眼里，咱们精神再好，他也不在乎。"

熊猫儿恨恨道："好小子，我熊猫儿迟早总要叫他后悔……"

转眼瞧见桌上的好酒好菜，突又大笑道："既是如此，咱们索性就大吃他一顿，以他的身份，想必不致在酒菜中下毒害咱们吧？"

沈浪道："他若又做件你想不通，猜不到的事，你又当如何？"

熊猫儿哈哈大笑道：“这个你只管放心，我熊猫儿别的不行，但酒菜中有没有毒，我却是一试就知道的……我闯荡江湖多年，就学会这点儿本事。”

沈浪笑道：“难怪你直到现在还没有被人毒死。”

桌上的酒菜虽多，但片刻间就被他两人吃了个干净，熊猫儿抹了抹嘴，倒下去，就呼呼大睡起来。

沈浪虽也吃得、喝得，但此时、此地，叫他抛开一切心事睡觉，他可真是再也睡不着的。

瞧着熊猫儿睡得那么舒服，沈浪又是羡慕，又是好笑，又觉得这人真是可爱极了，睡着了的熊猫儿看来就像是个孩子似的。

沈浪也不知道是瞧他瞧得呆了，还是在想着什么心事，想得出神，总之他就坐在那里，动也没有动。

也不知过了多久，突听珠帘外有人轻唤道：“沈公子。”

呼声还未了，沈浪人已在帘外。

那出声呼唤的锦衣大汉也想不到他竟来得这么快，当真是骇了一跳，倒退三步，险些一跤摔了下去。

沈浪微笑道：“是你在叫我？”

锦衣大汉道：“是！是！”

沈浪道：“干什么？”

锦衣大汉脸色有些发白，嘴唇在发抖，垂首道：“我家王爷，想请……请沈公子单独一见。”

沈浪笑道：“除了‘是’字，原来你也会说别的话的。”

锦衣大汉头垂得更低，道：“不……不知沈公子是否答应？”

沈浪道：“我为何不答应？”

锦衣大汉喜道：“多谢沈公子，小人本来只怕沈公子定要和那位熊……”

沈浪笑道：“我若定要和他去，你家王爷不见，岂非也是枉然。”

锦衣大汉也笑道：“沈公子果然……”突然发觉自己话已说得太多，立刻停下了嘴，垂首道：“沈公子请随小人来。”

沈浪似乎十分信任快活王的安排，也确信熊猫儿在此酣睡必定无舫，竟真的随他走了出去。

两人走了片刻，只见两条大汉抬着顶小轿已等在前面，那锦衣大汉停步转身，赔笑道："请沈公子上轿。"

沈浪想也不想，问也不问，就上了轿子，两条大汉健步如飞，又走了顿饭工夫，忽听一阵悠扬的乐声传来。

轿帘深垂，沈浪坐在轿子内，竟未掀起帘子瞧一眼。

只听乐声愈来愈近，轿子忽然停下，一个少女的声音在轿外道："可是沈公子来了？"

那大汉道："正是。"

那少女道："好，轿子由咱们抬进去，你两人已没事了。"

接着，轿子又被抬起，又走了二十余步，但觉温度骤暖，一时有香气袭来，香透重帘。

沈浪还是安坐不动，似乎别人若不请他下轿，他永远在轿子里，但这时那少女的语声已在娇笑道："沈公子！你睡着了么？"

弦乐之声不绝，有少女在曼声低唱："这边走，那边走，只是寻花柳。那边走，这边走，且饮金樽酒。"

这正是王者之歌。

沈浪终于下轿。

这是个华丽而宽敞的帐篷，帐篷里一切陈设，都华丽得不似人间所有，但若问沈浪这些陈设究竟是些什么？他只怕连一件也说不出来。

只因他下轿第一眼瞧见的，便是无数个绝色少女，他哪里有空再去瞧别的。

暗淡而销魂的灯光下，有二三十个身穿轻纱、身材苗条的少女，她们的长发披散着，赤着雪白的天足。

轻纱朦胧，并没有遮住她们可爱的躯体，反而将她们的胴体衬托得更可爱，更神秘，更令人心动。

她们有的斜倚在虎皮褥旁，轻挑慢捻，弄着管弦；有的手托香腮，曼声低唱；也有的正随着歌声，袅娜起舞。轻纱飘扬，春光掩映，那雪玉般的肌肤，虽只让人匆匆一瞥，但却也更令人心旌摇荡，不能自主。

还有五六个少女，正围着张矮几，在浅斟慢饮着金杯美酒。矮几后一个少女星眸微荡，酥胸半露，春色已上眉梢，就在她膝上，正卧着个人头，沈浪只瞧得见此人头上的王冠，却瞧不清他的面目。

沈浪站着不动，面带笑容。

所有的少女似都已被他丰神所动，俱都回过头，也不知有多少双水汪汪的大眼睛，都在直勾勾地瞧着他。

沈浪也不在乎，谁若瞧他，他就去瞧谁，忽然有一只细细致致的玉腿伸到他面前，他也不皱眉，更不退缩。

这时矮几后突有人朗声而咏："醉卧美人膝，醒握无敌剑，岂不快哉，岂不快哉。"

沈浪微笑道："快哉快哉，是名快活。"

矮几后那人哈哈笑道："好！好！是沈浪么？"

沈浪道："正是。"

矮几后那人道："你知道我是谁？"

沈浪道："自然。"

只见矮几后伸出一只手来，几位艳姬立刻奉上金杯。

这只手果然是莹白修长，宛如女子，手的中指上，果然戴着三枚奇形紫金戒指，在灯下闪闪发光。

手持金杯那人，朗笑道："你我既已相识，何妨共饮一杯。"

沈浪道："好。"

他这一个字却几乎都未说完，曼舞着的艳姬已扭动着蛇腰，曼舞到他面前，双手奉上一只金杯，媚笑如春花，低语如呻吟，道："沈公子，请！"

沈浪微微一笑，接过金杯，一饮而尽。

矮几后那人大笑道："好沈浪！你不怕酒中有毒？"

沈浪笑道："有如此英雄相敬，有如此美人奉盏，纵是毒酒，沈浪也得饮下。"

那艳姬婉转投怀，媚眼如丝，曼声道："多谢。"

接过金杯，扭动腰肢，轻笑着曼舞而去，却留下一阵阵余香，留在沈浪怀中，那香比酒更令人醉。

矮几后人又复大笑道："好！人言沈浪一生谨慎，不想也有如此豪气，难怪连本王御下姬妾，一见你面，也要倾心不已。"

沈浪微微笑道："不敢。"

矮几后人朗声大笑，突然坐起身子。

暗淡的灯光下，只见此人浓眉倒垂，目光如炬，双眉中一道刀疤，更平添了他几分煞气。

此刻他那只女子般的美手，正在捋动着颔下的长髯，那双光彩流动的眼睛，却在瞪着沈浪。

那竟是双碧绿的眼睛。

沈浪也瞪着他，眼睛也一眨不眨，他目光由此人浓眉、刀疤、美髯一路望下去——这不是快活王是谁？

快活王笑声突顿，一字字道："但沈浪你却错了。"

沈浪道："错了？"

快活王冷冷道："那杯酒中是有毒的。"

沈浪身子似乎微微一震，失声道："有毒？"

快活王道："非但有毒，而且是剧毒，普天之下，除了本王这里外，再也难求解药，一个时辰内，你便要毒发而死。"

沈浪叹道："我以君子待你，不想你竟是个小人。"

快活王狂笑道："你千方百计要来寻找本王，自然是想将本王置之死地，本王为何不能先下手将你杀死？"

沈浪道："你如此杀我，不怕被天下英雄耻笑？"

快活王道："别人有谁知道，这销魂帐中，除了本王外，还有哪一个男人走得进来，你若非就要死了，又怎地有眼福瞧见这无边春色。"

沈浪道："难怪你门下四使三十六剑都不在这里。"

快活王道："正是此理。"

沈浪道："既是如此，沈某倒要好生消受消受。"突然拉过个舞姬，拥在怀中，大笑道："牡丹花下死，做鬼也风流。"

这一来不但群姬俱都不禁为之愣住，就连快活王也都愣住了，一双碧目之中，似已燃起怒火。

沈浪却不睬他，拥着那绝色舞姬，笑道："你叫什么名字？可以告诉我么？"

那舞姬脸都黄了，讷讷道："我……我……"

沈浪笑道："哦！你原来是叫'我我'。"

那舞姬道："不……不……"

沈浪道："呀，你又叫'不不'。"

那舞姬身子发软，耳朵发烧，心里又是惊，又是怕，又想哭，又想笑，哪里还说得出话来。

快活王终于忍不住怒道："沈浪，你已死在眼前，还不着急么？"

沈浪笑道："反正已要死了，着急又有何用？"

快活王道："你……你……你为何不来拼命？"

沈浪道："反正已要死了，杀了你又有何用。"抱过那舞姬，竟亲了又亲，还不住道："我我，不不，你说是么？"

快活王目光闪动，心里也不知是何滋味，他见过的人大概已有不少，但沈浪这样的人，他只怕还未见过。

沈浪笑得更开心，那舞姬居然也被他逗得吃吃地笑了起来，沈浪在她耳旁，叽叽咕咕，也不知说些什么。

快活王突然一拍桌子，大声道："沈浪，你听着。"

沈浪道："又是什么事？"

快活王自怀中取出个匣子，大声道："你且瞧瞧，这就是你的解药。"

沈浪却瞧也不瞧，随口道："哦？"

快活王道："你不想要么？"

沈浪道："想要的，只是……你不给我，也是枉然。"

快活王道："你若想要，也有个法子。"

沈浪道："什么法子？"

快活王道："你可知本王最是好赌。"

沈浪道："听说过。"

快活王道："好！你且来与本王一赌，你若胜了，解药便是你的。"

沈浪笑道："这倒是个好主意，却不知如何赌法？"

快活王道："以本王之性命，赌你的性命。"

沈浪道："我性命已在你手，你为何还要与我如此相赌。"

快活王大笑道："本王家财巨万，富可敌国，若与别的人赌，胜负又岂在本王心中，只有如此赌法，才够刺激。"

沈浪笑道："既是如此，好，赌吧。"

快活王目中立刻现出兴奋之色，拍掌道："剑来。"

剑！剑鞘缀着绿玉，剑锋闪着碧光，这正是口价值连城的宝剑！

沈浪接过剑来，略一把玩，也不禁脱口赞道："好剑，当真可吹毛断发，削铁如泥。"

快活王大笑道："你果然识货……"笑声突顿，厉声道："本王就坐在这里，绝不还手，你手持此剑刺来，三剑之中，若能将本王刺死，不但解药是你的，此间一切，也都是你的。"

沈浪道："若刺不中？"

快活王冷冷道："若刺不中，你只有等死了。"

沈浪仰天长笑道："好！如此赌法，倒也有趣。"

快活王拍了拍手掌，叱道："退下去。"

那些艳姬们一个个早已骇得唇青面白，听到这句话，当真是如蒙大赦一般，片刻间就走了个干净。

沈浪右手持剑，左手轻抚着剑锋，喃喃笑道："剑儿呀剑儿，今日你切莫要负我。"

他一步步走了过去。

快活王果然端坐在那里，动也不动，那一双碧绿的眼睛，紧瞪着沈浪，目中似在燃烧着火焰。

炽热而兴奋的火焰。

沈浪以指弹剑，剑作龙吟。

龙吟不绝，长剑也化为神龙，一剑刺了过去。

这一剑夭矫如神龙，迅急却如闪电，这是沈浪第一次使剑，剑法正如其人，潇洒，灵秀，不可方物。

谁知快活王非但不避不闪，反以胸膛去迎剑锋，这"快活王"竟似疯了，竟似存心要死在沈浪手中。

他为何要死在沈浪手中，谁猜得出？

沈浪的剑，如高山流水，直泻而下，一发而不可收拾，又如离弦之箭，有去无回，已不可抑止。

胸膛，已迎上了剑锋。

熊猫儿一觉醒来，已瞧不见沈浪。

他揉了揉眼睛，一骨碌爬起，唤道："沈浪……沈浪……"

呼声愈来愈高，但又怎会有人应他。

熊猫儿一步蹿出去，珠帘也被扯落，珠玉"玎玲玲"落了满地，那声音就像是音乐。

帘外夜色深沉，月辉映着雪光宛如一片银色世界。

但沈浪……沈浪哪里去了？

熊猫儿酒已醒了五分，连连跺脚道："沈浪呀沈浪，你怎地也如此糊涂，走了也不通知我一声，难道真当我已醉死了不成？"心念一转，突又失声道："不对！沈浪做事绝不会如此糊涂，他……他莫非是被'快活王'诱走了？他此刻难道已遇害了？"

想到这里，熊猫儿心胆皆裂，疯了似的冲出去，但冲出还没多远，又顿住了脚步，喃喃道："这也不对，沈浪若已遇害，'快活王'又怎会放过我？何况，像沈浪那等样的人，又岂是随便就会被人害的！"

他怎么想，怎么也不对，前行既行不得，后退也退不得，四望茫茫，他真不知该如何是好。

"等着，难道只有等在这里？"

熊猫儿本是个最怕"等"的人，若要他等，他真会急得发疯，但此时此刻，他不等又如何？

他叹着气，跺着脚，又回到那帐篷。

酒菜残肴还在那里摆着，沈浪方才用过的筷子也在那里摆着，但沈浪……沈浪呀，沈浪，你去了哪里？

熊猫儿在帐篷里转来转去，急得真像是只热锅上的蚂蚁，他也不知转了多少个圈子，突然发现一封信。

那封信，就在他方才睡过的枕头旁边，用只金杯压住，若是换了个性子稍微和缓的人，早已就发现了。

熊猫儿这才松了口气，失声道："原来沈浪是留了信的，我枉自生了这么大一双眼睛，却像是个瞎子似的，什么都瞧不见。"

信封上果然写着："留交熊猫儿。"

熊猫儿一把撕开信封，瞧了两眼，面色突然变了。

这封信竟不是沈浪留下的！

留信的人，竟是朱七七。

奇怪，朱七七又怎会到了这里？

只见信上写着：

大哥！你看到这封信的时候，我已死了。

就只这一句话，已足以令熊猫儿惊惶失色，但更令熊猫儿吃惊的话，却还在下面哩——下面写的竟是：

大哥，你只怕不会猜到，我是死在沈浪的手上，但你切莫要怪沈浪，这一切事，都是我自己造成的。我这一生，已没什么可留恋的了，能死在沈浪的手上，已是我最大的愿望，可恨沈浪却偏偏不肯杀我。我从小到大，从没有得不到的东西，只有沈浪，我恨死他，我下定决心，无论如何，也要死在他手上。他不肯杀我，我想尽一切法子，也要叫他杀我。

瞧到这里，熊猫儿已不禁跺脚道："这蠢丫头，疯丫头，你为什么，不要叫沈浪去爱你，反叫他杀你……"

他接着瞧下去。

现在，我的计划已经成功了，沈浪已非杀我不可！我从我三姐夫那里，提出了许多银子，提出了许多布，我用银子雇了许多人，用布做了许多衣裳给他们穿。看到这里，大哥你一定会奇怪：这丫头在做什么？

熊猫儿又恨又气，喃喃道："不错，我正是在奇怪，你这丫头要干什么鬼名堂。"信上接着写的是：

大哥，你永远也猜不到的，我这么做法，为的只是要扮成"快活王"，扮成沈浪最大的敌人。

有王怜花在身侧，我无论要改扮成什么人，都容易得很，这人虽是个大坏蛋，但易容的本事可真不错，何况，沈浪根本没有瞧见过"快活王”，他只是从“仁义庄”得知快活王的形貌，于是我要王怜花替我扮成那样子。然后，我就留了这封信给你，说我已从王怜花口中，知道“快活王”的行踪，我算准你们会追来的。你们果然追来了。现在沈浪已与我面对着面，而我，已是他最大的敌人，只要有机会，他还会放过我么，这机会我一定会给他的。现在，他一定已杀了我了。我的计划已完全实现，我已死而无憾。我将这其中详情告诉你，只因为你是我的大哥，你对我那么好，我虽然已死了，但做鬼也会感激你的。希望你将来有机会能为我娶个美丽的嫂子，最少也要比沈浪未来的妻子漂亮十倍，那么也就算为我出了口气了。

再见吧，大哥，我永远记着你。

小妹七七

这封信零乱地写了五六张纸，字迹愈到后面愈零乱，最后两张纸上，更满是泪痕，将字都渗花了。

朱七七写这封信时，又是什么样的心情？

熊猫儿瞧完了这封信，又是什么样的心情？

他目中也已满是泪痕，手里拿着信，呆呆地站在那里，他从未流泪，他只道自己是永不会流泪的。

但此刻，眼泪却偏偏要往下流。

他喃喃自语道：“难怪我有那么多事想不通，原来都是这丫头搞的鬼，朱七七呀朱七七，你原是个聪明的女孩子，为什么突然变得这么笨，这么死心眼儿？”他却不知聪明人若是笨起来，却比什么人都要笨得厉害。

他痴痴地坐下，但突然又跳了起来，大嚷道：“朱七七已要被沈浪杀了，我还坐在这里则甚？”

他又发了狂似的冲出去，大呼道：“沈浪呀沈浪，你不能动手……”

他喊得再响，沈浪也是听不到的。

他拼命向前跑，但却连自己也不知目的在哪里。

沈浪是必定会动手的。

沈浪想除去“快活王”已不止一日，他若有了机会，手下又怎肯再留情，他又怎会知道这个“快活王”竟是朱七七。

熊猫儿愈想愈急，真是要急疯了。

他希望沈浪此刻还未出手，自己还来得及前去阻止。

但沈浪与朱七七此刻又在哪里？

他疯狂般在荒山中奔跑，疯狂般大呼道：“沈浪……沈浪……你千万不能下手，那是朱七七，你若下了手，必定会后悔终生……后悔终生。”

沈浪一剑已刺了出去。

熊猫儿没有赶来，也没有人阻拦他。

哪知他这如高山流水，如急箭离弦，看来已不可抑止的一剑，剑尖一颤，竟突然挑起。

那“快活王”胸膛明明已触及了冰凉的剑锋，但突然间竟迎了个空，沈浪已后退三步，似在弹剑，面泛笑容。

这“快活王”可真吃了一惊，颤声道：“你……你……还有两剑……”

沈浪微笑道：“没有了，这场戏已结束了。”

“快活王”道：“什……什么戏，你说什么？”

沈浪笑道：“朱七七，你当我不知道你是朱七七？”

朱七七身子一震，呆了半晌，突然伏倒在桌子上，放声大哭起来，她手捶着桌子，放声痛哭着道：“我为何如此命苦，竟死都死不了……竟连死都死不了。”

沈浪静静地瞧着她哭，直等她哭得够了，才缓缓走过去，轻轻抚着她的头发，柔声道：“傻孩子，你为什么要死？”

朱七七嘶声道：“我为何不要死，我活着还有什么趣味？沈浪呀沈浪，你若还有良心，你……你就杀了我吧。”

沈浪轻叹道：“我若还有良心，怎会下手杀你。”

朱七七身子又一震，霍然而起，以模糊的泪眼，凝注着沈浪，目中又是狂喜，又是不信，颤声道：“你……你难道已……”

沈浪也在凝注着她，那目光竟有叙不尽的温柔，叙不尽的怜惜，他温柔地微笑着道：“沈浪的心，难道真是铁铸的？”

朱七七"嘤咛"一声，整个人都投入沈浪怀里。

这是幸福的时刻，真情，终于换得真情，这过程虽然艰苦，但艰苦得来的，岂非更是可贵。

两人相偎相依，已无需言语。

突然，有人大呼着狂奔过来，高呼道："沈浪……你千万不可出手……那是朱七七……朱七七……"

焦急的、嘶哑的呼声中，熊猫儿疯狂般冲过来。

朱七七没有动，世上简直没有任何人、任何事能令她离开沈浪的怀抱，沈浪也没有动，他不忍心动。

熊猫儿已惊得怔在那里，也怔得不会动了。

朱七七嫣然笑道："大哥……"

熊猫儿道："你……朱七七？"

朱七七轻轻点了点头，笑道："嗯。"

熊猫儿道："你……你没有死？"

朱七七娇笑道："自然没有。"

熊猫儿目光移向沈浪，道："你……你没有下手？"

沈浪笑道："自然没有。"

熊猫儿倒退半步，呆望着他们，突然大笑起来。

他笑得是那么高兴，又是那么疯狂。

朱七七竟被他笑得垂下了头，轻轻道："大哥，你笑什么？"

熊猫儿大笑道："一个长着长胡子的老头儿，竟小鸟依人般依偎在一个白面书生的怀抱里，世上还有比这更可笑的事么？"

朱七七羞得几乎连手都红了，她就算再不舍得，此刻也不能不离开沈浪的怀抱，娇笑着将假发、假胡子全都扯了下来，也扯下了那巧妙得不可思议的人皮面具，回复了她本来颜色。

于是，灯光有幸，又能照着美人。

灯光下，朱七七昔日那娇憨、刁蛮、调皮的笑容，如今再加上三分羞憨，就显得更可笑了。

熊猫儿叹道："果然还是我的大妹子，一点都没有变……只是……只是你的眼睛，怎么会变成绿色的了？"

朱七七娇笑道："我再变个戏法给你瞧。"

她娇笑着扭过头，等她再回过头来时，目中又复是一泓秋水，但掌中却多了两片薄薄的、绿色的东西。

熊猫儿惊得瞪大了眼睛，道："这是什么？"

朱七七笑道："这种东西叫作'玻璃'，世上根本就没有多少，这两片是自波斯贾手中买来的，这东西说奇怪，可真奇怪，竟完全是透明的，但说贵，可也真贵，就只这薄薄的两片，听说就花了好几千两银子哩。"

熊猫儿道："这又是王怜花的鬼名堂？"

朱七七道："除了他还有谁？"

熊猫儿苦笑叹道："这厮的易容之术，当真可说是巧夺天工，我若不先知道内情，可真是再也认不出你来了。"

朱七七笑道："但我们的沈浪却认出来了。"

熊猫儿大笑道："嘿，我们的沈浪……哈哈，瞧你笑得多得意，但这也难怪你得意，有了沈浪这样的人，谁能不得意？"

他转向沈浪，接着笑道："沈浪呀沈浪，我这又一次服了你了，你究竟是怎么会认出她来的，可真教人弄不明白。"

朱七七道："是呀，我真糊涂死了，我自己对着镜子照，都瞧不出丝毫破绽，但我还是不放心，我听说每个人身上，都有种特别的气味，我生怕这种气味都闻得出来，所以就把这里弄得香香的……不但燃了檀香，还将那些女孩子身上都弄得香喷喷的……沈浪，你说是么？"

沈浪笑道："那些女孩子果然香得很。"

朱七七跺着脚，娇嗔道："我不来了……不来了，大哥，你瞧沈浪又欺负我。"

熊猫儿笑道："他何曾又欺负你了？"

朱七七道："他刚刚故意和那些女孩子亲亲，现在又故意说这些话来气我，他……他……他……"突然捉过沈浪的手，咬了一口。

熊猫儿哈哈大笑，道："咬得好，咬得好，他若再不说出他是如何认出你的，你就再咬他……重重地往下咬，莫要心疼。"

沈浪道："我第一次怀疑，是在发现那营地遗迹的时候。"

熊猫儿讶然道："你那时就开始怀疑了？"

沈浪微微笑道："以'快活王'那般枭雄人物，训练手下，是何等严格？收拾营地时，又怎会那么粗心大意，留下那么多东西？"

朱七七憨笑道："我那些东西是故意留给你们瞧的，却不想弄巧反而成拙。"

沈浪道："我第二次怀疑，是在瞧见石上那张留柬的时候。"

熊猫儿道："那又有何怀疑之处？"

沈浪笑道："那张纸条上写着的，字迹既粗陋，文字也不甚通，想那'快活王'门下人才如云，会连张纸条都写不好么？"

熊猫儿道："呀，不错……但你那时为何不说？"

沈浪道："我那时怀疑尚不甚大，但等到我瞧见那锦衣大汉时，我心中便已有五成可判定此人决非快活王门下。"

朱七七忍不住道："莫非他言语行动露出了什么破绽？"

沈浪笑道："那倒没有，只是他衣裳穿错了。"

朱七七奇道："衣裳穿错？"

沈浪笑道："他衣裳穿得太新了……想那'快活王'千里入关，风尘仆仆，门下仆役，又怎会穿着崭新的衣服，甚至连靴子都是新的。"

朱七七大笑道："呀，这点我又没想到。"

沈浪道："所以我就偷偷掀开他衣角瞧瞧，不巧那上面果然正印着汾阳布庄钤记，这一来，不是什么都明白了么？"

朱七七瞪大眼睛，道："你……你那时就已知道是我？"

沈浪笑道："否则我又怎会放心陪猫儿喝酒。"

朱七七红着脸，咬着樱唇，娇笑道："你，你这个鬼灵精。"

沈浪道："老实说，王怜花的易容术，委实是巧夺天工，天衣无缝，你那说话的语声，也变得很像很像……"

朱七七叹道："我可真花了不少工夫。"

沈浪道："怎奈我已有先入为主之见，所以无论你扮得多好，我都能瞧出破绽……"

他微微一笑，接着道："再瞧你在我拉女子手时，气得那般模样，我就……"

朱七七一头钻进他怀里，娇笑着不依道："你再说……你再说……"

熊猫儿哈哈大笑道："我大妹子原来是个醋罐子。"

沈浪笑道："如今你总已知道，你为何会有那么多事想不透了吧。"

熊猫儿苦笑道："这丫头骗不过你，却将我骗得好苦，你不知我方才瞧见那封信时，心里是何等着急，当真恨不得一步就赶来。"

朱七七笑道："可是你还是来迟了。"

熊猫儿奇道："来迟了？"

朱七七道："你错过了眼福。"

熊猫儿更奇怪，道："什么眼福？难道你们俩方才还有什么精彩……"

朱七七笑啐道："呸，呸，呸……"

熊猫儿笑道："那又是什么？"

朱七七道："我问你，你瞧过沈浪使剑么？"

熊猫儿摇头道："自然没有，他与人动手，从不使兵刃。"

朱七七咬着嘴唇，笑道："但我方才却瞧见了。"

熊猫儿忍不住问道："他剑术如何？"

朱七七闭起眼睛，轻轻道："那就像他的人一样，潇洒、灵活、大方、好看、可爱，却又不知有多么厉害。"

她话没说完，熊猫儿已大笑起来，捧腹笑道："好不肉麻，好不害臊，这样拍马屁……"

他话未说完，朱七七已拿起果子，塞住了他的嘴。

这是欢笑的时候，不幸似早已远去。

朱七七娇笑着在三只大金杯中倒满了酒，道："这边走，那边走，且饮金樽酒，来，喝一杯。"

熊猫儿拍掌道："对，喝一杯。"

三人一口气将杯中酒喝干了，熊猫儿还未喘过气来，又嚷道："还得再来一杯，今天咱们不醉不休。"

沈浪道："今日虽高兴，但那王怜花……"

朱七七笑道："你放心，王怜花跑不了的。"

熊猫儿一听见王怜花的名字，眉头就不禁皱起，道："这厮现在哪里？"

朱七七眼珠子一转，笑道："你猜猜他在哪里？"

熊猫儿道："这个我怎么猜得着。"

朱七七道："他就在这帐篷里。"

熊猫儿失声道："就在这帐篷里……"

两人扭转头瞧了半天，帐篷里哪有王怜花的影子。

熊猫儿喃喃道："莫非这厮又学会了隐身法。"

朱七七"扑哧"一笑道："你瞧瞧我坐着的是什么。"

熊猫儿道："一口箱子……"

忽然惊笑道："莫非王怜花竟被你关在这箱子里？"

朱七七笑得花枝乱颤，点点头道："我说他跑不了，我说得不错吧。"

熊猫儿更是笑得前仰后合，连连拍掌道："精彩，精彩，简直精彩绝伦。"

朱七七俯下身，用酒杯敲着箱子，道："王怜花，你听见我们的笑声了么，我们笑得好开心呀。"

熊猫儿也用酒杯敲着箱子，大笑道："谁叫你和我们作对，你若不害人，此刻原可也和咱们在一起笑的，如今你总该知道，害人的事还是少做为妙。"

两人笑得真是开心，沈浪却突然变了颜色，失声道："不好。"

朱七七眨了眨眼睛，道："什么事不好？"

沈浪道："这箱子是空的。"

朱七七娇笑道："这箱子怎会是空的，你又来吓我了。"

沈浪道："箱子里若有人，敲起来绝不是这声音。"

朱七七笑容不见，但口中犹自道："绝不会是空的，我明明亲手将王怜花关进去的。"

她一面说话，一面已站了起来，掀开箱子——

箱子果然是空的。

朱七七失声惊呼道："呀！王怜花……王怜花怎地不见了？"

沈浪沉声道："你关进他后，可曾离开这里？"

朱七七道："我……我去……去过那地方一次，但这里始终有人的呀。"

沈浪道："什么人？"

朱七七道："就是我雇来假冒'快活王'手下的人。"

沈浪跌足道："这就是了，那些人既能瞧在银子的面上，假充'快活王'门下，又岂不能瞧在银子面上，放走王怜花。"

朱七七道："但……但王怜花身上没有……"

沈浪道："王怜花身上虽没有银子，但那张嘴却能将死人也说活，尤其是那些风尘女子，又怎当得起他花言巧语。"

朱七七恨声道："这些猪……我去瞧瞧……"

她苍白着脸，冲了出去，但还未冲到外面，身子一软，突然倒了下去，竟是再也站不起来。

沈浪、熊猫儿一起赶过去，扶起了她。

灯光下，只见她脸上竟已无丝毫血色。

熊猫儿大惊道："你怎么样了？"

朱七七道："我……我难受……不知怎地……眼睛突然张不开，我……我……"

语声渐渐微弱，突然头一歪，竟晕迷不醒。

沈浪面色大变，一跃而起，沉声道："速离此间。"

熊猫儿又惊又奇，道："这……这究竟是怎么回事？"

沈浪道："酒中必已被王怜花放了迷药……"

熊猫儿亦自失色道："但方才……"

沈浪沉声道："这厮为了看我杀了朱七七，是以所用的迷药，药性极缓，但药性发作愈缓的迷药，便愈是难解。"

熊猫儿恨声道："这恶贼！咱们该如何是好？"

沈浪道："咱们只能趁药性还未发作时，快离开这里，唉！我实未想到朱七七做事竟如此大意，否则我又怎会喝下那杯酒。"

他一面说话，一面已抱起朱七七，冲了出去。

帐篷外居然连个人影都没有，方才那些男男女女，此刻竟不知都走到哪里去了，也无人阻拦他们。

熊猫儿嗄声道："咱们往哪条路走？"

沈浪沉声道："王怜花必定以为咱们要往出山的路走，咱们偏偏入山……"

放开大步，当先而行。

熊猫儿大声道："但你的这条路，却正是出山的路呀，你方才明明说要入山，免得被王怜花料中，此刻为何又偏偏……"

沈浪截口道："王怜花这厮心思缜密，必定也算着了这两层，我再往深处想一层，便觉得还是出山的好。"

熊猫儿苦笑叹道："第三层还不是和第一层一样么，我真不懂……这些动脑筋的事，不知为何总是学不会。"

两人此时走得自然更快，但不知怎地，饶是他们用尽轻功，身法也总是远不及昔日之轻灵。

熊猫儿叹道："好厉害的迷药，我气力竟似突然不见了，幸好王怜花未曾在篷外等着咱们，否则就完了。"

沈浪冷笑道："你我迷药还未发作时，他怎敢向你我出手。"

熊猫儿默然点头，又走出一段路，两人脚步已愈来愈慢了，脚下竟像是拖着块大石头似的。

要知沈浪功力虽较熊猫儿为深，但他一入帐篷时，便已和朱七七喝了一杯，是以两人药性同时发作。

那时沈浪若非认准了这"快活王"便是朱七七，他怎会喝下那杯酒，唉，人有时的确是不可太聪明的。

熊猫儿长叹道："现在……王怜花若是……"

沈浪也不禁长叹道："现在王怜花若是来阻拦你我，那才是真的完了。"

熊猫儿道："幸好他没有，但愿莫要……"

语声未了，突听远处一人笑道："你们来了么？"

这赫然正是王怜花的声音。

这声音乃是自高处传下来的。

这声音又缓和，又温柔，就像是好客主人，来欢迎睽别多年的故友，但听在熊猫儿与沈浪耳里，不异晴天霹雳。

两人大惊之下，齐地抬头望去。

只见前面一块巨大的山石上，盘膝端坐着一条人影，借着星光与雪光，依稀可辨出他的面目。

王怜花，这不是王怜花是谁。

王怜花的笑声又传了过来，笑道："两位此刻才到，在下候驾已久了，请请请，这山石上备得有羊羔美酒，两位何不上来共饮一杯。"

熊猫儿大怒喝道："你这恶贼，我……我恨不得……"

王怜花笑道："阁下若想要在下的脑袋，也请上来，在下必定双手奉上。"

熊猫儿怒喝道："上去就上去，谁怕了你。"

他怒喝着扑上去，但脚下一个踉跄，几乎跌倒。

王怜花哈哈大笑道："阁下莫非喝醉了么，怎地连站都站不稳了。"

熊猫儿还待扑去，却被沈浪一把拉住，轻叱道："退！"拉着他转过身子，放足而奔。

王怜花大笑道："两位要走了么？不送不送。"

熊猫儿扭转头，怒骂道："你这恶贼，总有一日，我……"脚下突又一个踉跄，几乎将沈浪也拖倒。

王怜花笑道："两位千万要走好些，莫要摔着了，只是，依在下此刻算来，两位只怕再也走不出七步了。"

沈浪咬紧牙关，放足而行，但不知怎地，两人空自全力奔行了许久，却仍未奔出三丈之外。

王怜花大笑道："七步……一，二，三，四……"

他还未数到"五"字，熊猫儿终于仆地跌倒。

沈浪长叹一声，也停下了脚步。

王怜花笑道："咦，阁下怎地不走了？"

沈浪转过身子，微微笑道："王怜花，这一次算你赢了。"

王怜花大笑道："客气客气……阁下此刻还笑得出来，果然不愧是好角色，果然不愧为在下生平所遇最好的对手，只可惜，阁下却已再也不会有与在下交手的机会了，明年今日，在下必备香花美酒，到阁下墓上致祭。"

沈浪微微笑道："你不敢杀我的。"

王怜花狂笑道："我不敢……为什么？"

沈浪道："没有原因，你就是不敢……"笑容还未消失，人却已倒了下去。

王怜花长身而起，仰天狂笑道："沈浪呀沈浪，你终于还是要落在我王怜花手里……沈浪既去，此后的天下，还有谁是我王怜花的敌手。"

王怜花笑声渐渐顿住，俯身凝注着沈浪，又道："沈浪呀沈浪，你怎知我不会杀你，不敢杀你？"

天色虽已渐明，但晨雾又笼罩了山谷。